LA CHEVAUCHÉE
DU FLAMAND

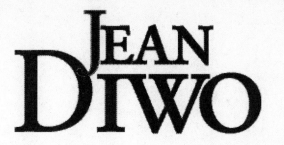

JEAN DIWO

LA CHEVAUCHÉE DU FLAMAND

ROMAN

© Librairie Arthème Fayard, 2005

Pour Sylvie

CHAPITRE I

Presque reine

Il y avait foule en ce beau matin de mai devant la maison de Maria Rubens, que les vieux Anversois appelaient toujours Dame Pypelinckx, un nom illustre de la grande bourgeoisie flamande. Beaucoup de jeunes, les élèves du maître Otto van Veen en particulier, se pressaient autour d'un garçon élancé, un peu sec mais bien tourné, dont le visage se perdait dans l'ombre d'un chapeau noir à larges bords. A peine distinguait-on à son menton la barbiche blonde conquérante, très en vogue dans la jeunesse de l'époque.

Veuve depuis longtemps, Maria Rubens avait redouté ce moment où son fils préféré, le plus beau et le plus doué, l'embrasserait, l'esprit déjà ailleurs, impatient d'enfourcher le Holsteiner bai clair qui piaffait sur le pavement, pour disparaître au tournant de la Hoechstrate menant à la route de l'est, puis vers l'Italie, terre promise des artistes.

Le maître, Otto Vénius – c'était le nom d'artiste de van Veen –, reconnaissable à l'élégance de son habit de velours cramoisi et à ses bottes de peau, emblèmes de ses talents de cavalier, expliquait à madame Rubens combien cette cruelle séparation était nécessaire à l'épanouissement des dons exceptionnels que la providence avait offerts à son fils :

– Pierre-Paul est mon meilleur élève, celui qui à coup sûr me succédera un jour. Mais il doit, comme je l'ai fait moi-même, polir son impétueuse jeunesse au contact des grands maîtres italiens. J'avais poussé la dévotion jusqu'à latiniser mon nom, sacrifiant à la mode. On ne connaît plus, hélas, en Flandre, que celui d'Otto Vénius et c'est aujourd'hui mal venu. Pierre-Paul, lui, gardera le sien. Rubens, deux syllabes qui éclatent comme les couleurs d'un bouquet, quel nom magnifique pour un peintre !

Il se retourna vers son élève et l'exhorta une dernière fois :

– Mon fils, le temps des anciens maîtres du pays, les Van Eyck, les Memling, les Quinten est fini. De Bruges le flambeau passe à Anvers où va s'épanouir l'école nouvelle qu'inspire l'Italie. Va chercher les secrets des grands Florentins, Romains et Vénitiens, Tintoret, Le Corrège, Michel-Ange et Raphaël Sanzio, surtout, puis reviens pour m'aider à marier chez nous le génie méditerranéen aux lumières de la Flandre !

C'était un peu grandiloquent mais Vénius ne détestait pas l'emphase. N'était-il pas le peintre le plus célèbre vivant à Anvers ? Tout près, une jeune fille à l'air sage, serrée dans une robe dont la collerette finement plissée trahissait la noble origine, cachait son émotion dans la dentelle d'un mouchoir. Elle s'approcha de Pierre-Paul :

– Ainsi, vous partez ! J'ai cru que le désir de voyager dans les pays du Sud vous passerait, mais je me suis trompée...

– Pourquoi être venue, Pauline ? J'aurais préféré vous épargner la tristesse d'un départ.

– Ce n'est pas le départ qui est triste ; l'infortune, c'est de ne plus vous voir ! Figurez-vous que je m'étais habituée à la gaîté, au charme du gentil page de ma mère. Quand vous avez quitté le château d'Audenarde pour aller apprendre à peindre chez Otto Vénius, nous nous sommes revus en cachette. Une jeune fille, vous le savez, se fait vite des idées[1]…

– Mais vous n'êtes encore qu'une enfant, Pauline. Et princesse ! Madame de Lalaing n'aurait guère aimé que sa fille fréquentât un artiste, ce que je ne suis pas même encore.

– Vous le deviendrez ! Et tant pis pour ma chère mère, je n'ai pas à cacher mes sentiments. Tenez, embrassez-moi devant tout le monde et éperonnez votre vilain cheval !

Avant qu'il ait eu le temps de répondre, elle avait collé un instant ses lèvres aux siennes et s'était enfuie.

Surpris, gêné, Pierre-Paul Rubens se tourna vers sa mère, qui lui dit, dans un pauvre sourire :

– Je crois en effet, mon fils, qu'il est mieux que vous quittiez la ville. Sachez pourtant que ma peine est grande et que je ne cesserai de penser à vous. Promettez-moi de donner de vos nouvelles.

Elle l'étreignit et s'écarta pour qu'il pût dire adieu à sa sœur Blandine et à son frère Jean-Baptiste. Tout l'atelier défila alors pour serrer la main de celui qui avait la chance de partir vers l'Italie. « Tu vas vivre notre rêve à tous, et c'est juste, car tu es le meilleur », dit Déodat, son ami de toujours,

---

1. Le jeune Pierre-Paul Rubens fut durant une année page chez la princesse Marguerite de Ligne-Arenberg, veuve du comte de Lalaing, gouverneur d'Anvers.

en l'aidant de ses mains jointes à escalader sa monture. Il ajouta : «Je vais tout faire pour pouvoir te rejoindre!»

Pierre-Paul, cachant son émotion, se cala sur sa selle, salua les siens d'une large envolée de son feutre, eut un dernier regard vers la flèche mauve de la cathédrale, et relâcha les rênes pour gagner, dans un premier galop, la route de Lierre, étape initiale du grand voyage.

Pinceau, ainsi avait-il baptisé son cheval en hommage à la longue queue dont il aimait battre l'air, se remit au trot de lui-même, une allure plus raisonnable en ville. Pierre-Paul l'en félicita en se penchant pour lui caresser l'encolure. Il prit dès lors l'habitude de parler à sa monture :

– Tu as raison, mon brave, de me rappeler que nous avons encore bien du chemin à faire. Imprégnons-nous pour l'instant de la lumière de notre cité; nous ne la reverrons pas de sitôt. Bientôt le goût de sel du brouillard marin ne sera plus qu'un souvenir. Déjà les riches maisons de briques et de bois se font rares, et nous entrons dans la campagne flamande. Que dirais-tu pourtant d'un bon galop?

Pierre-Paul n'eut ni l'impression d'avoir resserré l'étau de ses jambes, ni d'avoir agi le moins du monde sur les rênes, que Pinceau avait accéléré sa cadence.

– Mon Dieu, la bonne bête comprend mes paroles! C'est merveilleux!

L'itinéraire, Pierre-Paul l'avait si souvent répété avec son maître qu'il le connaissait par cœur. Il s'agissait d'abord de gagner le Rhin à Aix-la-Chapelle, puis de remonter le fleuve sur l'une ou l'autre des rives, jusqu'à Bâle. Ensuite, il lui faudrait traverser la Suisse : «Tu en profiteras, avait dit Otto Vénius, pour dessiner et peindre les plus belles montagnes du monde.» Rubens se rappela encore un conseil de son maître : «Surtout, n'oublie rien en préparant ton attirail de peintre. C'est ta sauvegarde. Où que te conduise le voyage, tu trouveras toujours un prêtre, un prieur de monastère ou un échevin qui te recevra en échange de la réparation d'un tableau ou d'un dessin le représentant dans son plus bel habit. Ne te charge pas de bagages inutiles ou de vêtements que tu pourrais te procurer en chemin. Et conserve le plus longtemps possible les quelques florins d'or que ta mère a cousus dans la doublure de ton vêtement. Ils t'aideront à faire face à l'imprévu. Je ne sais plus qui m'avait dit, avant que je parte comme toi pour l'Italie : "En voyage, ce qu'il faut prévoir, c'est l'imprévu." Cela m'avait fait rire, mais j'ai pu constater qu'il y a de la vérité dans cette boutade-là.»

Vers midi, Pierre-Paul se rendit compte que Pinceau était en sueur. Lui aussi avait trop chaud dans son pourpoint de laine, et il décida de s'arrêter sous un bouquet d'arbres, non loin d'un village d'où lui parvenaient les bruits familiers de la ferme. L'incident, le premier du voyage, survint alors qu'il avançait à petits pas, se préparant à sauter de selle. Pinceau buta contre une racine dissimulée par les herbes et se mit en courbette pour rétablir son équilibre. Surpris, Pierre-Paul tomba brutalement. Son chapeau l'avait protégé mais il ressentait une vive douleur à la tête. La manche de sa veste, faite pourtant de laine épaisse, était déchirée, ainsi que sa chemise, et laissait apparaître une entaille peu profonde mais qui saignait. Tout de suite il remua le bras pour vérifier qu'il n'était pas cassé. Rassuré, il sourit à Pinceau qui, la tête penchée vers lui, semblait demander pardon :

– Mon cher Pinceau, tu n'es pas coupable. Si je ne m'étais pas retiré trop tôt de mes étriers, je t'aurais suivi dans tes acrobaties et je ne serais pas tombé. Cela dit, il va falloir que je soigne mon bras !

Au moment où il se relevait, un gamin de sept ou huit ans, venu sans doute de la ferme voisine, s'approcha.

– Vous vous êtes fait mal, monsieur. Je vais aller chercher ma mère.

– C'est très aimable. Voudrais-tu, avant, m'aider à nourrir mon cheval et le mener boire au ruisseau ?

– Oh oui, monsieur. Je saurai. A la ferme, je commence à m'occuper des bêtes.

– C'est bien, tu es un grand. Tiens, l'avoine est dans ce sac, donnes-en un demi-picotin à Pinceau.

– Votre cheval s'appelle Pinceau ?

– Oui. Il est très gentil. Et toi ? Quel est ton nom ?

– Mathias. Tout le monde m'appelle Mati.

Mati s'acquitta de sa tâche puis partit comme une flèche vers la maison. Il revint bientôt, accompagné de sa mère, une robuste Flamande blonde et rose.

– Eh bien, mon pauvre monsieur, vous voilà bien meurtri. Que vous est-il arrivé ?

Pendant que Pierre-Paul racontait sa chute, la femme sortit de son panier deux œufs, qu'elle perça de la pointe d'un couteau :

– Tenez, gobez ! Rien de mieux que des œufs crus, fraîchement pondus, pour vous remettre d'aplomb. Après, vous viendrez à la maison et on va s'occuper de votre bras.

– Merci, madame. Mais mon cheval ?

– Mati va vous le ramener. On regardera s'il ne boite pas.

La salle de la ferme sentait le lait chaud, le bouilli de légumes et la poire mûre. La fermière aida le jeune homme à retirer son pourpoint et le fit asseoir. Avec les gestes d'une mère, la fermière le soigna et lava la plaie, qu'elle recouvrit d'une pommade verdâtre :

– C'est de la véside. Un remède que fabrique Leyde, l'apothicaire du pays, avec des herbes et un tas de choses bizarres. Ce baume calme la douleur et cicatrise les plaies. On dit aussi qu'il fait repousser les cheveux. Mais Jan Leyde ne promet rien de pareil, ce sont des médisances. L'astrologue Cardiccii le poursuit de sa vindicte et cherche à le discréditer.

Elle était bavarde mais cela ne gênait pas son habileté. Quand elle eut étalé la pommade, elle couvrit la plaie de charpie et banda le membre, du coude à l'épaule, avec l'étoffe d'un vieux drap.

– Vous avez de la chance, c'est le bras gauche. Pouvez-vous le remuer ? Oui ? Alors allez manger et vous reposer. Le garçon s'est occupé de votre cheval, qui a l'air très heureux de caracoler dans le pré avec ses congénères. Puis-je maintenant vous demander où vous vous rendez ?

– Très loin. En Italie. Au paradis des peintres. Je suis peintre. Je n'ai encore parcouru que trois lieues, je viens d'Anvers, ma ville.

– Anvers ? Nous n'allons guère jamais au-delà. Deux ou trois fois l'an, pour les foires. Mon Dieu, comment peut-on décider d'entreprendre, seul, un si long voyage !

Pierre-Paul mangea de bon appétit une soupe de légumes, une tranche de lard et des prunes cueillies sur l'arbre pour lui. Avec les deux œufs, un repas copieux. Malgré la bosse douloureuse qui grossissait au-dessus de sa tempe et qui lui faisait mal, il sentit le sommeil le gagner.

– C'est le choc, dit la bonne dame. Venez vous étendre dans la chambre des enfants.

Quand Pierre-Paul se réveilla, la famille, rentrée des champs, se tenait autour de la table devant des bols de soupe au lait.

– Les Verhear au complet! fit la mère. Je suis Marguerite, voici mon mari, Jan. Des enfants, vous connaissiez Mathias, voici son frère aîné, Paul, et les deux filles, Hélène et Isabelle.

Le soleil avait encore éclairci les cheveux presque blancs du père. Il avait une quarantaine d'années, comme sa femme, mais parlait peu. Les jeunes filles, âgées de dix-sept ou dix-huit ans, étaient déjà un peu rondelettes, de vraies Flamandes! Quelques fétus de paille restés accrochés à leurs mèches blondes témoignaient de leur travail aux champs.

– Je n'ai pas voulu vous réveiller et nous venons de nous mettre à table, reprit la mère. Prenez place, s'il vous plaît. Hélène va vous apporter votre soupe au lait. A part le dimanche et les jours de fête, c'est, avec du pain et du fromage, notre repas du soir.

Pierre-Paul se confondit en excuses, dit qu'il regrettait de déranger, remercia encore une fois madame Verhear de ses soins et de la chaleur de son accueil. Cette dernière l'interrompit.

– Je ne sais pas comment c'est à la ville, mais l'hospitalité est l'habitude, dans nos campagnes. Nous devrions plutôt vous remercier d'apporter un peu d'inattendu à notre vie monotone. Tenez, avec les enfants, nous aimerions que vous nous parliez de votre voyage au bout du monde.

Pierre-Paul n'avait pas très faim, mais il mangea de bon cœur la soupe au lait. Raconta sa vie et expliqua que, pour devenir un grand peintre, il lui faudrait étudier de longues années à Rome et ailleurs, en Italie…

– Vous n'avez pas peur, seul sur les routes? demanda Mathias, pas peu fier de connaître le voyageur depuis le matin et d'avoir conduit son cheval.

– Non, je ne voyage que durant la journée et sur des chemins fréquentés. Mais je ne suis parti que depuis ce matin! Si j'ai la chance de rencontrer sur ma route des gens aussi généreux et serviables que vous, cela se passera bien.

– Vous passerez cette nuit ici, dit le père, qui n'avait pas encore ouvert la bouche. Mati va vous laisser son lit!

Le jeune peintre pensa alors qu'il pouvait faire quelque chose pour manifester sa gratitude à ces braves gens, et demanda à Mati de lui apporter l'une de ses sacoches, la plus petite, que le gamin avait mise à l'abri, à l'entrée de la maison. Il en sortit un crayon et une planchette sur laquelle deux fils de laine tendus retenaient des feuilles de papier. Un cadeau de Pauline, qui lui avait dit, en le glissant dans sa poche : «Chaque fois que vous ferez un dessin, vous penserez à moi. J'espère que vous renouvellerez longtemps la provision de papier.»

«Eh, oui! Je pense à vous, gentille Pauline», se dit-il, en commençant son esquisse. Il avait demandé au père l'autorisation de dessiner la famille. Jan Verhear avait naturellement accepté et chacun, à la demande de l'artiste, s'était rapproché pour former un groupe harmonieux. En un quart d'heure, la main agile de Pierre-Paul avait ébauché ses personnages. Il prit ensuite une mine plus fine pour saisir les traits caractéristiques des visages, joua des ombres et de la lumière, estompa les fonds de son index. Trois quarts d'heure plus tard, chacun pouvait se reconnaître, et le dessin fut accueilli par une pluie de superlatifs.

Mathias ne le quittait pas des yeux, il était fasciné par cette magie qui transposait le réel.

– Regarde, ajouta le jeune homme, je vais maintenant te dessiner tout seul devant ta maison.

Il reprit son crayon et, sur une nouvelle feuille blanche, fit apparaître en quelques instants le garçon, au milieu de poules et de poussins gardés par un coq fier de son camail. Dans le fond il ajouta des arbres, quelques fenêtres et la porte de la maison, donna un peu de relief avec une mine de plomb, puis tendit la feuille au gamin qui, rouge de bonheur, lui sauta au cou pour l'embrasser. «Pour premier salaire, le baiser d'un enfant! N'est-ce pas un bon présage?» pensa-t-il, alors que la famille Verhear cherchait qui était le plus ressemblant sur le dessin de famille.

Le lendemain, Pierre-Paul se réveilla de bonne heure avec la maisonnée, qui retarda son départ pour le fanage afin de dire adieu à l'ami d'un jour. Madame Verhear insista pour lui refaire son pansement. Le baume de l'apothicaire s'était montré efficace, sa blessure allait mieux, et sa bosse au front avait fondu durant la nuit. «Vous allez pouvoir repartir, mais faites tout de même attention à votre bras!» dit-elle en lui tendant son pourpoint raccommodé.

Les enfants embrassèrent le cousin d'Anvers, la mère y alla de sa larme et le patron, lui-même, était ému en aidant Pierre-Paul à enfourcher Pinceau que venait d'amener Mathieu.

– Merci encore pour ton beau dessin! dit l'enfant.

– Nous allons prier pour vous, ajouta la mère.

– Que Dieu vous garde! fit enfin le père.

Pierre-Paul les salua de son chapeau et partit au petit trot. Il leur fit encore signe au premier tournant de la route, puis pressa l'allure. «Finalement, pensa-t-il, cette chute aura été bénéfique. Elle m'a permis, dès le premier jour, de vérifier l'adage du maître Vénius selon lequel la route est l'un des rares endroits où la solitude n'existe pas.»

Son chemin longeait maintenant l'Escaut. Il chantait dans le vent, caressait de temps en temps l'encolure du vaillant Pinceau et vérifiait que le passeport signé et scellé la veille par le magistrat n'avait pas quitté sa poche.

Comment Pierre-Paul aurait pu savoir qu'en France, non loin de Fontainebleau – une ville dont il ignorait jusqu'à l'existence –, se déroulaient des événements qui pèseraient un jour sur sa destinée? La vie du roi Henri IV, qui n'avait jamais été simple, était alors compliquée à l'extrême. Après vingt-huit années de chamaille et de trahisons mutuelles, son union tumultueuse avec Marguerite de Valois était sur le point de se défaire et le roi, qui avait connu et délaissé des dizaines de maîtresses dont Diane d'Andoins, «la belle Corisande», et Françoise de Montmorency, «la belle Fosseuse», attendait l'annulation de son mariage avec la «Reine Margot» pour épouser sa favorite du moment, Gabrielle d'Estrées, la plus longtemps aimée, qui portait alors leur quatrième enfant.

Henri IV était-il sincère lorsqu'il annonçait que Gabrielle serait prochainement reine? Certains en doutaient, qui affirmaient avoir connaissance de missions entreprises à Florence avec l'acquiescement du roi en vue de négocier le montant de la dot promise à la princesse Marie de Médicis si elle épousait le roi de France. Gabrielle, qui craignait toujours un revirement du roi, défiait le sort en menant un train royal. Les soyeux lyonnais brodaient sa garde-robe nuptiale, elle avait son carrosse, ses mousquetaires, on commençait même à pratiquer en son honneur le cérémonial du lever et du coucher.

Lorsque Clément VIII déclara proche la date où il signerait la bulle du démariage avec Marguerite de Valois, rien ne semblait devoir retarder l'union solennelle d'Henri et de Gabrielle. Celle-ci obtint une fois encore toutes les assurances, mais les conseillers, la tête froide, continuaient de faire valoir au roi les avantages moraux et matériels qu'apporterait au royaume un mariage avec la princesse de Toscane.

Quand il hésitait moins, Henri caressait le projet d'aller prendre les bains à Bourbon en compagnie de Gabrielle, qui pourrait le cas échéant accoucher à Moulins ou à Nevers. Mais il fallait d'abord songer aux fêtes de Pâques. Henri IV ne se sentait pas vraiment concerné, mais la tradition voulait que les cérémonies pascales fussent suivies avec dévotion par le roi de France. Le curé Benoist, son confesseur, lui fit remontrance du scandale que causerait la présence de la favorite aux solennités de ce sommet de l'année liturgique. Une séparation provisoire s'imposait. Il fut décidé que le roi, qui venait de convoquer le Conseil à Fontainebleau, resterait au château, tandis que Gabrielle s'en irait suivre de son côté les offices, à Paris.

Celle qu'un édit royal avait fait duchesse de Beaufort accepta, la mort dans l'âme, une séparation d'autant plus angoissante que les devins qu'elle avait consultés confirmaient ses affligeantes prémonitions. En désespoir de cause, elle convoqua le vieil astrologue Cosme Ruggieri, qui avait été si longtemps le conseiller suprême de Catherine de Médicis. Le roi Henri faisait encore grand cas de ses avis et ne manquait jamais, avant de prendre une décision importante, de lui demander si les astres ratifiaient sa pensée.

A près de quatre-vingts ans, Ruggieri portait encore beau sa vie fabuleuse et tragique de devin officiel. Deux fois condamné aux galères pour trahison, la clémence royale l'avait sauvé. Rien ne pouvait entamer son crédit, fondé sur une fantastique révélation faite, jadis, à Catherine de Médicis. Il avait ainsi fait apparaître successivement, sur un miroir de sa chambre, les silhouettes des trois fils de la régente, qui frappèrent de la main sur l'accoudoir du fauteuil où ils étaient assis autant de fois que le nombre des années où ils devaient régner. A un an près, les prédictions s'étaient révélées exactes et les ombres royales avaient, à chaque succession, augmenté la réputation du magicien. Pour l'heure, il vivait dans l'observatoire que la reine mère lui avait fait construire sur la Halle au blé. En plus des consultations, qu'il faisait payer une fortune, il publiait des almanachs recherchés partout en Europe. Il n'avait pas hésité à faire le voyage de Fontainebleau pour satisfaire à la prière de Gabrielle, ainsi qu'à celle du roi, inquiet des embarras que causait son remariage. Pour lui aussi l'arbitrage des astres semblait nécessaire.

Le cœur battant sous son corsage de satin blanc, Gabrielle fit part au magicien de son tourment. Ruggieri la regarda longuement et lui fit compliment de sa beauté, que n'altérait nullement sa grossesse :

— Vos yeux d'un bleu céleste empruntent-ils au soleil leur vive lumière ou n'est-ce plutôt le soleil qui leur serait redevable de sa clarté ? Dites-moi, madame, quelles questions je dois poser, cette nuit, au ciel bien perturbé par le passage de la comète et par l'éclipse solaire.

— Ma grossesse évolue normalement, mais ce quatrième enfant que je vais donner au roi éprouve mon esprit de funestes pensées. La peur de mourir me tenaille. Je suis hantée par l'idée que notre séparation de la semaine sainte

21

marquera la fin de notre liaison. Je sais bien qu'hier encore je disais qu'il n'y aurait que Dieu et la mort du roi pour m'empêcher d'être reine de France. Aujourd'hui, je doute. Et si le roi renonçait à l'amour pour épouser la princesse de Toscane comme beaucoup de ses conseillers le lui suggèrent ?

— Reine, vous l'êtes depuis longtemps, madame. N'avez-vous pas assisté au sacre royal en la cathédrale de Chartres ? N'êtes-vous pas allée à Nantes avec le roi quand il a signé l'édit historique ? Ne l'avez-vous pas accompagné à Tours, où vous avez été accueillie par le maire et le gouverneur ?

— Palma Cayet m'a dit que je ne serais mariée qu'une fois[1] et que je mourrais jeune.

A ces derniers mots, elle éclata en sanglots.

— Pourquoi avoir consulté cet étrange monsieur Cayet ? demanda Cosme Ruggieri. Il est, peut-être, historien, mais un absurde devin ! Il est aussi étranger aux sciences occultes que je le suis à l'agriculture. Encore que j'aie souvent rendu service à des paysans en leur prédisant la pluie ou le beau temps. Mais dites-moi, madame, vos projets et vos craintes.

La duchesse retrouva son calme et confia son désarroi devant l'attitude du roi, chez qui elle croyait déceler, malgré des promesses mille fois répétées, une certaine irrésolution.

Cosme Ruggieri savait que le roi lui demanderait à son tour, sans tarder, d'interroger les astres. Il se maintint donc

---

1. Dans les premières années de leur liaison, Gabrielle d'Estrées, jeune personne volage, avait été mariée pour des raisons pratiques et cyniques à un mari complaisant, M. de Liancourt, dans le château où la belle Gabrielle recevait le roi. Après la naissance de leur premier fils, le «Grand Bâtard de France», comme fut surnommé le bébé César, l'annulation du mariage fut rendue et Gabrielle put commencer à tenir officiellement son rôle de favorite, presque reine. Elle aura encore deux autres enfants de Henri IV : Catherine-Henriette (mariée à Charles de Lorraine) et Alexandre (Grand Prieur de France).

dans une prudente réserve et prit congé en annonçant qu'il allait préparer sa nuit de veille et d'observation.

Le lendemain, Gabrielle se précipita vers lui :

– Dites-moi, maître, serai-je mère pour la quatrième fois ? Deviendrai-je enfin reine de France ?

Le mage fut habile, répondit par des approximations, pesa les raisons d'espérer en avançant la situation positive de Mars, réserva celles de craindre l'infortune liées aux effets de la maudite comète. Il lâcha tout de même, en la minimisant, une prédiction terrible : un enfant risquait d'anéantir son espérance. De quel enfant pouvait-il s'agir sinon le sien, ce petit prince ou cette princesse qu'elle avait jusque-là porté avec fierté ? Quant à l'espérance, c'était évidemment son mariage.

Gabrielle défaillit. Le mage, qui savait aussi prévoir ce genre d'incident, sortit un petit flacon de sa poche et en fit respirer le bouchon de cristal, humide d'un liquide ambré. La duchesse retrouva aussitôt ses esprits. Ruggieri demanda de l'aide pour la relever et l'installer sur les coussins de son lit, face à son grand portrait en Diane, commandé par le roi l'année précédente à Ambroise Dubois.

L'incident avait accentué l'ouverture du corsage de Gabrielle, laissant apparaître une médaille ovale d'argent et d'or représentant un roi antique siégeant, un livre fermé dans la main gauche, le sceptre dans la droite. Entre ses jambes un aigle semblait sur le point de s'envoler.

Le mage tira avec délicatesse la médaille des dentelles et lut tout haut de la voix profonde qui avait fait trembler durant un demi-siècle la famille Médicis tout entière :

– Hagiel, Haniel, Ebuleb, Asmodel. Et autour de ces génies, des signes cabalistiques, commenta-t-il. Ce talisman a appartenu à la reine mère. Sans doute l'a-t-elle confié à son gendre, le roi Henri, qui vous en aura fait cadeau ?

– C'est exact. Le roi me l'a offert à Saint-Germain le jour où le petit Alexandre Monsieur[1] a été baptisé, à l'occasion du quarante-cinquième anniversaire de son père. Ce fut une grande fête. Au festin, j'étais assise face au roi, comme si j'étais déjà la reine, et les hérauts d'armes ont lancé des vivats comme pour un fils de France. Maître, je vous en supplie, dites-moi qu'aucun obstacle ne va empêcher mon mariage.

– Madame, je ne dis jamais rien de personnel. Ce sont les astres qui parlent par ma bouche. Pensez que vous portez un talisman exceptionnel. Je sais qu'il a été créé par Jean Fernel d'Amiens, premier médecin du roi Henri II et grand magicien, dans le but de protéger la descendance royale. Ayez confiance.

La séparation pourtant approchait, et les nuits qui suivirent furent baignées de pleurs. Le roi semblait aussi ému que celle qu'il devait épouser après les fêtes de Pâques. Tous ignoraient ce que Cosme Ruggieri lui avait prédit mais, à sa mine, les proches doutaient que cela ressemblât à un lac de sérénité.

Enfin le jour du départ arriva. Le mardi saint, 6 avril 1599, tôt dans la matinée, Gabrielle d'Estrées, duchesse de Beaufort, descendit les marches du perron de Fontainebleau, soutenue par ses amies et dames d'honneur mademoiselle de Pralins et madame du Plessis-Lebourg. Le roi,

---

1. Ce fut le nom donné aux fils d'Henri IV et de Gabrielle. Après César Monsieur, il y eut Alexandre Monsieur.

la tête relevée par la fraise empesée, le menton effilé par la barbiche, le nez busqué en sentinelle, et le regard, à l'accoutumée malicieux, embué de larmes, l'attendait près de la litière prête à l'emmener. C'était le moyen de locomotion le plus confortable pour transporter une future reine enceinte de sept mois. Deux chevaux devant, deux derrière, calés entre les brancards, il lui faudrait moins d'une heure pour rejoindre le bord de Seine, douillettement allongée sur un matelas de duvet et emmitouflée dans des couvertures de fourrure. Des rideaux de cuir pouvaient fermer l'habitacle, mais il faisait déjà chaud et Gabrielle voulait profiter du paysage et rafraîchir son visage fiévreux aux premiers effluves du printemps.

Le roi aida lui-même Gabrielle à s'installer; il cheminerait avec elle au pas de son cheval jusqu'à Savigny-le-Temple, où l'attendait l'un des coches d'eau royaux, en service lorsque la cour résidait à Fontainebleau. Le bateau avait été aménagé pour accueillir confortablement la duchesse et ses dames, avec des matelas aussi doux que celui de la litière. Un dais richement ouvragé protégeait les passagères du soleil et les matelots avaient reçu des habits neufs. Tout semblait préparé pour une promenade galante le long des rives verdoyantes du fleuve. Mais il s'agissait d'un éloignement douloureux, d'une séparation affligeante, d'un voyage que Gabrielle ne pouvait s'empêcher de croire sans retour.

Le roi avait demandé à trois amis, La Varenne, Bassompierre et Montbazon, d'accompagner Gabrielle. Ils montèrent les premiers à bord et laissèrent Henri faire ses adieux. Les amants de sept ans s'étreignirent sur le promontoire. Bassompierre, le brave des braves, essuya une larme et dit à Montbazon :

– Cela est déplorable. Que la duchesse pleure cela se conçoit, mais le roi! Tout se passe comme s'ils ne devaient jamais se revoir.

Enfin Gabrielle fut conduite à la place qui lui était réservée entre ses femmes et, sur un signe du roi, le coche, repoussé par les rameurs, s'éloigna de la rive. Henri attendit longtemps avant de remonter à cheval et de rejoindre au pas, comme s'il suivait une voie difficile, le château où Gabrielle, son aimée, avait laissé la place aux hommes de la religion et aux conseillers qui ne pensaient qu'à l'éloigner du trône.

Le coche mit une dizaine d'heures pour arriver à Paris et accoster au quai de la Tournelle. Bassompierre venait de rapporter d'Italie un carrosse dont il était très fier, la première voiture aux portes garnies de vitres, en place des rideaux de cuir[1]. Il l'avait mise à la disposition de la duchesse de Beaufort, au pied du débarcadère. Gabrielle se fit conduire à l'Arsenal chez sa sœur Diane, la maréchale de Balagny, afin de se reposer avant d'aller souper chez le financier Zamet.

Sébastien Zamet habitait un somptueux hôtel rue de la Cerisaie, non loin de la Bastille. Gabrielle d'Estrées connaissait de longtemps ce bel Italien, fils d'un cordonnier de Luques devenu, à cinquante ans, un richissime banquier. Catherine de Médicis avait favorisé sa montée à Paris et tout de suite reconnu ses dons exceptionnels. Elle l'avait attaché au service de son fils Henri III à qui il avait su plaire ainsi qu'aux grands de la cour. Des références idéales pour se lancer dans les affaires de finance et faire

---

1. On peut penser qu'Henri IV aurait pu échapper à la mort s'il avait adopté dix ans plus tard la mode italienne.

très vite fortune. Banquier de la couronne, il avait la faveur d'Henri IV et avait souvent aidé Gabrielle dans des moments difficiles. Il recevait comme savent le faire les Italiens, et la duchesse était sûre de trouver chez lui une atmosphère et des convives susceptibles de lui faire oublier son chagrin. Elle avait raison, et réussit presque à être gaie quand Sébastien Zamet lui proposa de venir se reposer dans une pièce voisine :

– C'est le salon des trésors. Je vais vous montrer les deux dernières œuvres que je viens de recevoir de Rome.

Il entraîna Gabrielle et désigna, dans le fond du salon, deux tableaux éclairés de dizaines de chandelles posées sur des candélabres d'argent, disposés à des hauteurs différentes afin de ne laisser nulle partie des toiles dans la pénombre.

– Celle-ci est très belle, c'est une œuvre d'Antonello da Messina, un peintre du siècle dernier à qui les artistes italiens doivent beaucoup, puisque c'est lui qui a rapporté d'un voyage en Flandre la recette de la peinture à l'huile. Mais admirez surtout l'autre tableau. Il est de la main de Raffaello Sanzio, le maître des trois *Stanze* de l'appartement du pape Jules II.

– Quel extraordinaire portrait ! s'exclama Gabrielle. Sait-on qui est cette femme ?

– La compagne de l'artiste, Margherita Luti, fille d'un boulanger de Sienne, que les sentiers de l'amour ont fait entrer dans l'histoire de la peinture. Raphaël l'appelait souvent La «Fornarina», et la belle boulangère fait désormais partie de la famille des inspiratrices de génies. Les œuvres de Raphaël sont déjà introuvables. Le petit-fils du comte Baldassare Castiglione, le premier propriétaire, m'a vendu celle-ci une fortune. Je la léguerai à mon neveu, un jeune prélat déjà important à Rome, car je veux qu'il revienne dans mon pays[1].

Gabrielle ne s'intéressait guère aux choses de l'art, et la bête de guerre de l'épopée huguenote n'était pas à même de l'initier aux finesses de la peinture. Le portrait de la maîtresse du peintre, pourtant, la fascinait. Elle reconnaissait son visage dans les chairs nacrées, vivantes et voluptueuses de Margherita, ses formes parfaites dans la chute des épaules, et même l'un de ses gestes familiers, dans la main qui retenait une écharpe de mousseline entre les deux seins, sans rien en cacher. D'un coup, elle mesura ce qui la séparait de cette image déifiée par la passion, et toutes ses craintes lui revinrent. Elle se sentit soudain seule, abandonnée, désespérée. Zamet, inquiet de sa pâleur soudaine, la fit asseoir et commanda des boissons rafraîchissantes.

– Ces premières chaleurs sont éprouvantes, dit-il. Et le voyage vous a fatiguée. Il faut vous reposer. Avant de partir, buvez ce jus de poncires, ces gros citrons qu'on m'envoie de Sicile. C'est un stimulant dont on use beaucoup en Italie. A moins que vous ne préfériez une tisane…

– Non, merci, le citron va me remonter, puis je me ferai conduire sans attendre chez ma tante, madame de Sourdis, où je serai plus tranquille que chez moi.

Elle but la moitié du verre en grimaçant :

– Dieu que c'est acide ! Mon estomac me brûle atrocement. Voudriez-vous me faire conduire jusqu'à mon carrosse. C'est celui de Bassompierre et il est, c'est nouveau, fermé par des glaces. Il doit être entouré de curieux.

---

1. Cette version de *La Fornarina* est aujourd'hui exposée à Rome à la Galerie nationale.

Gabrielle sourit tristement en se tenant la poitrine et remercia son hôte avant de se laisser tomber sur les coussins de la voiture. Le carrosse italien possédait certes des glaces, mais n'était pas mieux suspendu que les chars français. Chaque cahot était, pour la duchesse, comme un coup de poignard. Madame du Plessis-Lebourg, qui ne l'avait pas quittée de la soirée, essayait vainement de la secourir en lui recommandant de respirer profondément, ce qui n'améliorait guère l'état de la jeune femme.

Enfin, de bosses en fondrières, elles arrivèrent à l'hôtel de madame de Sourdis, le doyenné de Saint-Germain-l'Auxerrois, et Gabrielle put se coucher. Elle se plaignait toujours de son estomac qui, disait-elle, la brûlait comme s'il était agacé par le fer rouge du bourreau. Un peu plus tard, la douleur s'étant apaisée, la malade put converser avec son amie :

— Chère Marie, prévenez ma tante qui est à Chartres et demandez-lui de venir d'urgence. Je souffre, et un pressentiment me dit que l'avenir proche me réserve des malheurs. Plus je me répète les mots de Ruggieri plus je suis persuadée qu'ils cachent de dramatiques prédictions. Ce peut être la perte de l'enfant, ce peut être la décision du roi d'épouser la princesse de Toscane, peut-être même les deux. Mon Dieu, que j'ai mal, que je suis angoissée !

— Calmez-vous, mon amie. Le roi ne cesse de vous promettre le trône et vous a quittée dans les plus heureuses dispositions. Ce sont vos appréhensions non fondées qui vous oppressent !

— Et si j'avais été empoisonnée par ce citron ? s'exclama soudain Gabrielle. Je n'ignore pas que le peuple de Paris me hait, que la noblesse ne m'aime pas et me rend responsable de l'état de péché où vit le roi ; on dit même qu'elle m'attribue l'initiative de l'édit de Nantes, que le Parlement de Paris n'a enregistré qu'avec réticence. Comment m'empêcher de penser que le roi peut mettre fin à toutes les menaces dont il est l'objet en acceptant d'écouter ceux qui lui conseillent d'abandonner la putain… mais oui, ma pauvre, c'est ainsi qu'on me nomme dans les méchants libelles qu'on place sur son chemin, et de préférer la princesse de Toscane à une maîtresse cause de scandales permanents.

– Mais, mon amie, le roi méprise ces écrits injurieux ! répondit madame du Plessis-Lebourg. Il vous aime, il a reconnu les enfants que vous lui avez donnés et voudrait, autant que vous le souhaitez, qu'ils deviennent, par votre mariage, les héritiers du trône.

– C'est ce que j'ai toujours voulu croire et que je m'efforce de continuer à croire, mais le doute me poursuit. Comme cette atroce douleur qui me reprend. Quand je vous dis que je suis empoisonnée, je le crois vraiment, hélas ! Pour l'heure n'auriez-vous pas quelques pilules d'opium qui me soulageraient ?

– Oui, j'en ai toujours sur moi pour mes maux de tête.

Tandis que madame du Plessis-Lebourg cherchait sa boîte à dragées au fond de la poche de son bas-de-robe, Louise, la femme de chambre de madame de Sourdis, entra dans la chambre en annonçant qu'un émissaire du roi venait d'apporter un pli destiné à madame la duchesse de Beaufort. Il l'avait cherchée chez Zamet qui, heureusement, savait où elle s'était fait conduire.

– Vous voyez, très chère, que le roi Henri ne vous oublie pas.

Gabrielle fit sauter fébrilement le cachet de cire et déplia le message royal. Elle pleurait en lisant :

– Comme elle arrive bien, cette lettre qui me baigne de larmes et d'espoir. Tenez, Marie, écoutez : «Après votre départ il me fallait courre le cerf pour calmer ma tristesse. J'ai pris la bête en une heure avec tout le plaisir du monde. Je suis descendu au château. Les enfants m'y sont venus trouver, ou, pour mieux dire, on les y a apportés. Ma fille amende fort[1] et se faict belle, mais mon fils sera plus beau que son aîné. Vous me jurez, mes chères amours, d'emporter autant d'amour que je vous en laisse. Je m'en vais en entretenir Morphée; mais s'il me représente un autre songe que vous, je fuiray à tout jamais sa compagnie. Bonjour pour vous, ma chère maîtresse, je vous baise un million de fois vos beaux yeux[2].»

– Eh bien? Est-ce là la lettre d'un amant sur le point de rompre? demanda Marie du Plessis. Placez cette lettre d'amour sous votre oreiller et essayez de dormir.

La duchesse de Beaufort était pieuse de nature et, cette année surtout, tenait à faire ses Pâques de la façon la plus édifiante. Le lendemain, mercredi saint, malgré la douleur qui continuait de la tenailler, elle demanda à son amie de la conduire au couvent du Petit-Saint-Antoine, rue Saint-Antoine, pour se confesser. Elle en revint fatiguée, mais y retourna l'après-midi pour assister à l'office des Ténèbres.

La prière aidant, apaisée de se sentir en odeur de sainteté avec les dames de Guise habituées de la chapelle, Gabrielle oublia sa douleur. Les personnes présentes appartenaient à des familles favorables au roi. On put donc, après l'office,

---

1. Amende fort : «se porte beaucoup mieux».
2. J'ai choisi de conserver l'orthographe de cette lettre qui est la dernière connue de celles envoyées à Gabrielle. (Note de l'auteur.)

converser en confiance, évoquer les faits qui, ces derniers temps, avaient ému l'opinion. Mademoiselle de Guise rappela des tentatives passées d'assassinat sur la personne du roi. La maréchale de Retz dit que son mari avait été informé d'une autre menace : un jacobin et un capucin avaient été envoyés par le nonce de Bruxelles pour attenter à la vie d'Henri. Mais la grande affaire du moment restait pourtant celle du couvent des Cordeliers, où un complot avait été décelé. On en vint à parler des punitions barbares encore pratiquées en bonne justice. Sous Henri IV, on brûlait encore, mais seulement après la pendaison. Ainsi, la semaine passée, le fils d'un conseiller au tribunal de Nîmes avait-il été pendu aux Halles de Paris, puis brûlé pour crime de fausse monnaie. Le procès n'avait pas été long : arrêté le jeudi, il avait été pendu le lendemain.

L'arrivée d'un homme de belle tournure, vêtu d'un simple pourpoint noir à manches étroites et de trousses descendant jusqu'au genou, fit diversion : Pierre de L'Estoile, qui revendiquait faire profession de «curieux». Curieux, il l'était, non seulement comme observateur vigilant de ses contemporains, mais en qualité de collectionneur passionné de pièces et d'écrits de toute sorte, pamphlets, gravures, affiches se rapportant aux événements de son temps. Aucun chiffon de papier distribué librement ou sous le manteau, de provenance des ligueurs ou des huguenots, n'échappait à son œil acéré. En chasse dans les rues de Paris, dans les églises et les chambres de justice, il traquait l'information pour la transcrire sur son registre journal où il consignait, analysait, vérifiait et classait, au jour le jour, toutes les nouvelles qu'il avait recueillies[1].

---

1. Pierre de L'Estoile fut le grand chroniqueur de son temps, on pourrait dire aujourd'hui «reporter».

– Monsieur de L'Estoile! s'écria mademoiselle de Guise qui faisait, au Petit-Saint-Antoine, l'office de gouvernante. Qu'avez-vous glané aujourd'hui sur les murs et dans les églises? Mais, au fait, qu'est-ce qui vous attire dans la pénombre des autels?

– Les sermons, madame, les sermons qui y sont prononcés, d'irremplaçables indicateurs de l'activité politique.

– Et dans quel but, cela? s'enquit Marie de Plessis-Lebourg.

– Aucun, madame, sauf celui de satisfaire ma passion. Je suis l'ouvrier de l'oreille qui traîne, je collectionne pour moi. La badauderie est affaire individuelle. Je ne suis pourtant pas complètement égoïste. Je prête mes registres à des amis aussi curieux que moi, mais moins patients. Je prends acte de leurs observations, corrige, réécris en fonction des critiques qui me sont faites.

– Pourquoi, à l'exemple de Montaigne, votre maître à penser, ne publiez-vous pas votre journal?

Pierre de L'Estoile sourit :

– Parce que je ne suis pas Montaigne! Et, dans l'état actuel de mes travaux, il faudrait vingt ou trente volumes! Plus tard, peut-être, je ferai un tri… Et puis, mes collections mettent en cause des gens vivants que je ne veux pas exposer[1]. De quoi parliez-vous lorsque je suis venu troubler votre réunion?

– Des exécutions publiques qui se succèdent à tous les carrefours… Paris n'est-il donc peuplé que de criminels?

---

1. Le *Journal des choses mémorables advenues durant tout le règne de Henry III, roi de France et Pologne* paraîtra pour la première fois en 1621, dix ans après sa mort. D'autres éditions se succéderont, dont le *Journal du règne d'Henri IV*. Les registres journaux de L'Estoile, dont les originaux sont conservés à la Bibliothèque nationale, constituent une source irremplaçable pour les historiens.

– Cela est intéressant... Tous les condamnés sont-ils coupables ? A ce propos, je viens de consigner une histoire où je joue un certain rôle. Un procès criminel bien curieux avait amené un homme des prisons d'Angers comme appelant de la sentence du lieutenant criminel qui l'avait condamné à être brûlé pour s'être transformé en loup et pour avoir mangé nombre d'enfants, et « mesme les bras et les mains à quelques pauvres femmes ».

– Un loup-garou ? demanda Gabrielle, qui avait jusque-là suivi la conversation d'une oreille distraite.

– Oui, un loup-garou à qui je suis allé rendre visite dans le cachot le plus noir de la Conciergerie. A la lueur d'une lanterne j'ai découvert un être qui n'avait rien d'humain. Il portait les cheveux si longs qu'ils lui pendaient jusqu'aux talons, la barbe de même et les ongles plus grands que les mains. On nomma pour instruire ce cas exceptionnel mon ami Lecongnius, conseiller en la cour, qui n'eut pas de peine à reconnaître un pauvre insensé qui n'avait mangé personne. Sur ses conclusions, la cour voulut bien casser la sentence du lieutenant criminel et remit l'homme en liberté.

La vieille question des loups-garous occupa un moment l'assemblée, mais il se faisait tard et Pierre de L'Estoile, qui remplissait en dehors de ses enquêtes personnelles la charge de grand audiencier, dit qu'il devait rencontrer son cousin de Thou. Il prit congé, avec un mot particulièrement aimable pour la duchesse de Beaufort.

Peu après, Gabrielle fut prise de nouvelles douleurs et demanda une litière pour rentrer. Montbazon, le capitaine des gardes qui venait d'être dépêché auprès d'elle par le roi pour veiller sur sa sûreté, l'accompagna à pied, les femmes, Marie du Plessis et mademoiselle de Guise, suivant dans un carrosse.

Ils arrivèrent sur le coup de six heures, et Gabrielle se montra déçue d'apprendre que sa tante n'était pas rentrée au doyenné Saint-Germain. Elle écrivit en hâte une lettre pour la supplier de venir la rejoindre et demanda qu'un messager partît au plus vite pour Chartres.

– Mon Dieu, que je suis fatiguée, et comme mon ventre me fait souffrir ! Appelez tout de suite un médecin, Marlot, qui habite à côté. Si on m'a empoisonnée, il faut qu'il me trouve un antidote. Tout de suite, donnez-moi du lait.

Marlot, connu pour soigner les douleurs de l'intérieur, se trouva dépourvu devant ce cas qui pouvait relever aussi bien d'un état de grossesse avancée que d'une contracture des boyaux. Il rejeta le soupçon d'un empoisonnement qui, vu la qualité de la malade, aurait eu des conséquences imprévisibles, et ordonna des pilules d'opium en disant qu'il repasserait le lendemain matin.

Après une nuit plus calme, Gabrielle voulut communier à Saint-Germain-l'Auxerrois, tout proche de la maison. Elle se leva pour qu'on lui fît sa toilette et choisit elle-même dans la garde-robe de sa tante la robe noire la plus austère, sans tresses de soie ni vertugadin, propre à une pénitente.

– Je me sens mieux, ou moins mal. J'espère avoir surmonté la crise et pouvoir supporter l'office du jeudi saint, dit-elle à mademoiselle de Guise. Montbazon va m'aider de son bras solide sur le chemin.

Au début de l'après-midi, après le dîner où elle ne prit – toujours l'obsession de l'empoisonnement – qu'une tasse de lait, Gabrielle ressentit une immense lassitude et se recoucha. Vers quatre heures, elle appela ses dames :

– Je ressens les premières douleurs, vite, je vais accoucher! Qu'on prévienne le roi, les médecins et les sages-femmes.

Un quart d'heure plus tard, La Varenne galopait vers Fontainebleau tandis que la faculté, une bonne dizaine de médecins attachés à la cour, se pressait autour du lit de la «presque reine». Trois fois, alors que la douleur semblait se calmer, Gabrielle envoya des messages à son «cher cœur» pour le supplier de venir auprès d'elle. Dans le dernier, porté par le chevalier Peichpeyrou, elle lui disait: «Venez, mon roi, venez avant que je ne meure, pour m'épouser et légitimer ainsi nos enfants.»

À cinq heures du matin, un cavalier arriva au doyenné. Ce n'était pas le roi, mais Beringhem, son valet de chambre, envoyé en éclaireur.

Le vendredi saint 9 avril, après une nuit de souffrances, le mal prit une atroce tournure: Gabrielle, en proie à d'épouvantables convulsions, se raidit, s'arracha les cheveux, cria qu'elle ne voyait plus et noya ses draps de sang. Il fallut la livrer aux chirurgiens qui lui arrachèrent, comme le dira Marie du Plessis, «à pièces et à lopins», un enfant mort-né. C'était un garçon. Tous les témoins témoignèrent de l'horrible transformation du visage de la belle Gabrielle, «devenu en un instant tout hideux», ainsi que l'écrira Cheverny, l'amant de madame de Sourdis.

La duchesse de Beaufort souffrit toute la nuit dans cette situation effroyable. Elle n'expira qu'à sept heures devant La Rivière et les autres médecins impuissants. L'affolement fut si grand que personne ne s'opposa à l'entrée de la foule, massée devant l'hôtel, et qui envahit la chambre où gisait, défigurée, la maîtresse royale. Gabrielle était âgée de vingt-cinq ans.

Isabelle de Sourdis arriva deux heures plus tard et s'évanouit à la vue de sa nièce exposée sur un lit de parade en velours cramoisi. Les femmes l'avaient habillée d'un manteau de satin blanc, s'arrangeant pour que la coiffe de nuit cachât le mieux possible la grimace de la morte. Mademoiselle de Guise, qui n'avait pas quitté Gabrielle depuis la soirée chez Zamet, se pâma aussi, épuisée, renversant deux des six cierges de cire blanche installés autour du corps. Il fallut faire revenir un médecin pour soigner les deux femmes.

Et le roi ? Beaucoup, parmi les familiers de Gabrielle, se demandèrent pourquoi, prévenu dès le début, il n'était pas accouru au chevet de sa maîtresse. Le fait est que, malgré les appels désespérés de la malade, il attendit le vendredi pour se montrer vraiment inquiet et envoyer Beringhem annoncer qu'il allait se mettre en route.

Mais il était déjà trop tard. Même en forçant l'allure, Henri ne pourrait en arrivant que pleurer, effondré, aux pieds du corps disloqué par la souffrance, sa chère disparue, un devoir qu'il ne put même pas accomplir car La Varenne, l'homme en qui il avait le plus confiance, et le chancelier Bellièvre s'étaient précipités à sa rencontre pour l'empêcher de regagner Paris. Ils le trouvèrent à Villeneuve-Saint-Georges, chevauchant au milieu de sa petite escorte.

— Sire, la duchesse est perdue, dit La Varenne. Votre venue n'y changera rien, et nous vous conseillons respectueusement de retourner à Fontainebleau pour y attendre la fatale nouvelle.

Henri, furieux, l'arrêta :

— Ventre-saint-gris, que me demandez-vous là alors que le remords me cuit de n'avoir pas rejoint Paris dès que l'on m'a fait part de l'état de santé de la duchesse ? Je n'ai nul désir de suivre vos conseils et vais remettre le pied à l'étrier.

A ce moment Beringheim les rejoignit :

– Sire, j'arrive de Paris porteur de très mauvaises nouvelles. La duchesse se meurt en convulsions. Déjà elle a perdu l'ouïe et la vue. Sûrement, elle a déjà passé. Oserais-je vous dire qu'il serait raisonnable de regagner Fontainebleau ?

Ce fut pitié de voir des larmes couler des lourdes paupières gasconnes et mouiller les rides creusées dans les épreuves d'Arques et d'Ivry. Le guerrier au panache blanc, l'indomptable seigneur de la Navarre, vaincu, pleurait sa Gabrielle.

Au bout d'un silence que personne ne se permit de rompre, Henri se redressa et dit, d'une voix étouffée par le chagrin :

– Il faut se ranger à la volonté de Dieu. Beringhem, retournez s'il vous plaît auprès de la duchesse afin de lui aller voir rendre les derniers soupirs. Vous, mes amis, joignez-vous à mon escorte. Je rentre à Fontainebleau retrouver nos enfants.

C'était la décision que les proches du roi attendaient. On ignorait ce qu'Henri était capable de faire dans sa détresse, lui qui avait donné à sa maîtresse l'anneau du sacre orné d'un diamant taillé en table. Un sacrilège ! Il lui avait aussi offert, ce qui n'avait pas été jugé convenable, les présents reçus des grandes villes, une statuette en or de Lyon et un gros bloc d'ambre gris dans une boîte d'argent de Bordeaux. Les plus fidèles de ses conseillers avaient déjà tourné la page de l'histoire d'amour d'Henri et de Gabrielle. Leurs regards allaient vers la Toscane et sa riche princesse.

CHAPITRE II

La route enchantée

Pierre-Paul Rubens continuait quant à lui de parler à son cheval et de chanter sur le grand chemin, celui de Venise, de Florence et de Rome, ne se souciant pas trop de l'itinéraire indiqué par son maître Otto Vénius. Tout en étant prudent et en évitant les chemins peu fréquentés, il aimait prendre des raccourcis ou allonger sa route si une colline, une rivière ou un clocher lui faisait signe. Il se guidait aussi en fonction des monastères et des lieux de bon accueil qu'on lui recommandait. Jamais, jusque-là, un prieur n'avait refusé de les héberger, Pinceau et lui. Le plus souvent, les moines l'invitaient à partager leur repas, soit dans le réfectoire, soit dans une salle à part. C'était au petit bonheur du Bon Dieu, parfois frugal, souvent copieux, mais seul comptait l'accueil. Rubens remerciait par un dessin et repartait avec la bénédiction de la communauté.

Il resta ainsi quatre jours chez les cisterciens de Düren où, à la demande du prieur, il restaura le grand tableau qui ornait la chapelle. C'était un panneau représentant une Descente de croix, peint un siècle auparavant par un inconnu. Le tableau ne présentait aucun intérêt artistique, mais le jeune Rubens accorda à ce travail, nouveau pour lui, le même soin qu'il aurait porté à *La Vierge à la fontaine* de Van Eyck, qu'il admirait tant à Anvers. Il réussit à boucher tant bien que mal une fissure du bois avec de la colle et les quelques couleurs qu'il avait emportées. Les moines furent si contents de son travail qu'ils insistèrent pour lui faire accepter deux ducats :

– C'est bien normal, dit le prieur. Nous avons une petite réserve pour l'entretien du monastère, et tout travail mérite salaire, même si Dieu, comme c'est le cas, en est le bénéficiaire.

Pierre-Paul repartit avec de généreuses provisions et plusieurs recommandations pour les abbés des monastères qu'il allait rencontrer sur son chemin. Sa prochaine étape, Aix-la-Chapelle, se situait à quatre où cinq lieues. Demanderait-il l'hospitalité aux moines qui gardaient la célèbre chapelle Palatine érigée pour Charlemagne ? Après en avoir référé à Pinceau, qui dressa les oreilles, ce qu'il prit pour un assentiment, Pierre-Paul décida d'utiliser une partie de son premier gain d'artiste pour dormir dans une auberge, un luxe qu'il ne pouvait s'offrir tous les jours.

Il s'arrêta à l'entrée de la ville devant une échoppe où un maréchal achevait de ferrer un immense roussin. En lui demandant de vérifier l'état des pieds de Pinceau, il s'aperçut qu'il allait avoir du mal à se faire entendre. L'homme ne comprenait pas grand-chose au flamand. Heureusement madame Rubens, qui parlait l'allemand, avait appris à son fils à s'exprimer dans une langue souvent proche du dialecte parlé dans la région d'Anvers. Finalement, le maréchal regarda le ferrage de Pinceau et dit qu'il pourrait ainsi passer toutes les montagnes de la Suisse et continuer bien au-delà. Il réussit ensuite, avec force gestes, à expliquer à Pierre-Paul qu'il trouverait un peu plus loin l'auberge des Trois-Piliers, où il pourrait passer une nuit tranquille.

– Le propriétaire est un cousin. Ce n'est pas chez lui que vous rencontrerez des ivrognes et risquerez un mauvais coup. C'est la meilleure des quinze auberges de la ville.

L'homme avait dit vrai. Il était encore tôt, et l'aubergiste, qui avait l'habitude de recevoir des voyageurs flamands, reçut le nouvel arrivant avec des compliments pompeux qui firent sourire Pierre-Paul :

– Illustre voyageur, quelle magnifique monture vous avez là! Laissez-la aux soins des palefreniers. Comptez-vous repartir dès demain matin?

– Non. Si je me trouve bien chez vous, je resterai la journée de demain pour visiter la cathédrale.

Il restait, auparavant, des questions à régler. Le prix et la chambre, deux points toujours délicats. Dans les auberges, les chambres contenaient en effet souvent plusieurs lits assez larges pour que deux personnes puissent y tenir facilement. Pierre-Paul refusa de partager sa couche avec un inconnu. L'aubergiste finit par lui dire qu'il faudrait payer plus cher. La discussion prit fin quand un nouveau voyageur fit son entrée dans l'auberge et tomba, de son cheval, dans les bras de Pierre-Paul. C'était Déodat Van der Mont, son compagnon d'atelier, à qui l'unissait une vieille affection. Il avait failli partir avec lui, mais, n'ayant pu convaincre ses parents, de riches affréteurs, il avait dû, la mort dans l'âme, voir son ami quitter les brumes d'Anvers.

– Déodat! Comment es-tu là? Tu as fui la famille? Ton père va te faire rechercher en Allemagne et jusqu'en Italie!

– Rassure-toi, Otto Vénius m'a aidé à décider mes parents. Bien qu'il ne me l'ait pas dit, je crois que le maître voulait surtout que tu ne sois pas seul à chevaucher sur la route de Rome. Il n'avait pas, comme c'est le cas pour toi, de raisons de croire en mes dons, qui ne sont pas exceptionnels. Peut-être a-t-il pensé que je ferais, grâce à tes conseils, un bon peintre!

– Mon bon Déodat, ne dis pas de bêtises. Pour sûr, tu as du talent. A nous deux, nous allons faire de grandes choses! Tout d'abord, vivre un voyage magnifique. Mais comment m'as-tu trouvé?

– Cela fait des jours et des jours que je galope à ta poursuite. Quand le maréchal du pays m'a dit qu'il avait envoyé un grand diable de Flamand loger à l'auberge des Trois-Piliers, je l'aurais embrassé. J'étais sûr que c'était toi. Vais-je au moins pouvoir me loger?

– Tu vas même me faire faire des économies, car le bonhomme me demandait une fortune pour que je n'aie pas à partager la chambre, voire la couche d'un inconnu.

– Allons-nous pouvoir manger convenablement? C'est fou ce que la route creuse l'appétit. Et puis, il s'agit de fêter dignement nos retrouvailles!

– Rassure-toi. Je suis allé faire un tour du côté de la cuisine et il y a plus de cochonnailles et de petits oiseaux qui tournent sur les braises que tu n'en pourras avaler.

– Voilà qui est bien. Mais, une question : comment parviens-tu à vivre? Je sais que tu n'avais pas emporté lourd de ducats.

– Mon cher, tu vas constater qu'on peut subsister sur la route en peignant ou en dessinant de petites choses. Aujourd'hui, je paye ma chambre et mon dîner avec le bel et bon argent que m'ont donné les moines de Düren pour me remercier d'avoir restauré la Descente de croix de leur chapelle.

– Tu sais restaurer les tableaux ?

– Non, mais j'ai improvisé, bouché les trous avec des morceaux de toile et de la colle, retouché les manques grâce aux couleurs que notre maître m'a fait emporter. A propos, nous allons devoir acheter du matériel à Aix-la-Chapelle.

– Pour cela nous ne manquerons pas d'argent. Mon père m'a donné des pièces d'or que je traîne dans mes doublures et, surtout, des lettres de crédit que nous pourrons changer dans les banques des grandes villes.

– Tu dis «nous». Ne crois pas que je vais vivre durant tout le voyage aux dépens de ton père.

– Mais non, dessiner et peindre pour gagner notre vie me plaît beaucoup. Mais tu ne me vois pas me goberger de rôts et de poulets tandis que tu grignoterais un bout de pain et du fromage ? Ma bourse est la tienne. Encore faut-il ne pas se la faire dérober par des bandits de grands chemins. Ne crois-tu pas que nous devrions nous procurer des épées ?

– Des épées ? Mais je n'ai appris qu'à tenir le pinceau ! Je crois qu'il faut simplement être prudents, ne pas voyager de nuit et choisir des itinéraires fréquentés. Là où il y a du monde, il n'y a pas danger !

Les deux amis dînèrent fort bien, le lit était propre, large, confortable, et ils étaient prêts, dès sept heures le lendemain, pour enfourcher leurs chevaux et gagner Aix-la-Chapelle. La monture de Déodat, un barbe bai clair qu'il appelait Roma, avait eu le temps durant la nuit de lier connaissance avec Pinceau, et les deux ne semblaient pas fâchés d'aller de conserve tandis que leurs maîtres évoquaient leur hier et chantaient le lendemain.

Ils marchaient au pas aux abords de la ville. Au-dessus des premières maisons, on commençait d'apercevoir le dôme octogonal de la chapelle Palatine. Les cavaliers passèrent la porte Manschietor et entrèrent directement dans la ville de Charlemagne, où les maisons de pierre grise se pressaient comme pour protéger la cathédrale bâtie par l'empereur à la couronne de fer.

Ils pénétrèrent dans la chapelle. Quelques femmes priaient à genoux dans la pénombre, un moine se recueillait devant un tombeau, celui du premier roi des Francs.

– Ne ressens-tu pas une étrange émotion? demanda Déodat à son compagnon.

– Il m'est difficile d'analyser mes sentiments. Comment réaliser que ce géant qui a bouleversé l'histoire de l'Europe, vécu tant d'épopées chevaleresques, réalisé des ouvrages titanesques, gît sous ces pierres noircies, réduit à l'état de squelette?

Les deux amis avaient laissé les chevaux à la garde du palefrenier d'une auberge voisine, si peu avenante qu'ils n'auraient pour rien au monde accepté d'y dormir. Ils firent à pied le tour des rues étroites enroulées en colimaçon autour de la cathédrale. De nombreuses maisons aux fenêtres étroites devaient dater du temps de Charlemagne. Dans l'une d'entre elles, ils découvrirent le maître Julius Brot que leur logeur leur avait indiqué comme le meilleur artiste peintre de la ville. Après avoir gravi les marches usées d'un escalier de pierre, ils poussèrent une porte ouvrant sur une vaste pièce, sûrement construite depuis peu, ouverte par deux baies à la lumière du jour. C'était inattendu, comme l'était l'homme encore jeune, à la barbe blonde et au sourire éclatant qui peignait en chantant à tue-tête le panneau posé sur son chevalet.

Il ne parut pas étonné par l'intrusion des deux jeunes Anversois, mais s'arrêta de chanter et dit, dans une langue cocasse où il mêlait l'allemand, le flamand et le latin :

– Messieurs, j'espère que vous comprendrez que je vous souhaite la bienvenue dans l'atelier de Julius Brot, peintre de son état, le meilleur de la ville, et le seul. A vos chapeaux et à votre barbiche blonde, je devine que vous êtes flamands. A la petite tache de peinture oubliée sur le revers de vos manches, j'avance que vous exercez comme moi le métier de peintre. Enfin, votre jeunesse me laisserait volontiers croire que la ville de Charlemagne n'est pour vous qu'une étape sur la route de l'Italie.

Pierre-Paul et Déodat éclatèrent de rire :

– Vous n'êtes pas peintre ! Vous êtes devin ! Astrologue, peut-être. Est-ce dans le ciel que vous avez appris tout ce que vous savez de nous ?

Maître Brot sourit :

– Je ne suis qu'un artiste habitué à observer les gens avant de faire leur portrait, à déchiffrer les visages. Si vous aviez peint la moitié de ce que compte Aix-la-Chapelle de nobles, de bourgeois et de prélats, vous sauriez deviner ce que cachent leurs rides, leurs tics et leurs verrues. Que puis-je faire pour vous en dehors de vous prier à venir ce soir manger quelques saucisses avec du chou ? Outre le plaisir de la rencontre, il est bon que vous découvriez la nature des festins qui vous attendent durant la traversée de l'Allemagne.

Pierre-Paul et Déodat remercièrent, assurèrent que manger de la saucisse quand il s'agit de la meilleure qui soit au monde était un plaisir, et demandèrent où ils pourraient acheter des pigments, de l'huile et quelques accessoires de peinture indispensables.

– Pas à Aix-la-Chapelle, mais à Nuremberg, chez Klotz.

– Mais nous ne passons pas par Nuremberg.

– Vous avez tort. C'est le meilleur chemin. De Nuremberg vous irez à Augsbourg, puis à Innsbruck, et pourrez passer les Alpes au col du Brenner, qui vient d'être aménagé. Le monsieur dont vous voyez le portrait en cours sur mon chevalet, un riche drapier, l'a franchi il y a quelques mois, alors que la saison était mauvaise. C'est la route que je choisirai l'an prochain lorsque je réaliserai, moi aussi, mon rêve vénitien. Mais le mieux est que vous rencontriez mon client, Julius Hünruck, qui habite près d'ici. C'est un homme agréable qui aime la peinture et possède quelques beaux tableaux. Il sera ravi de vous connaître et de vous renseigner sur le bon chemin à suivre.

Herr Hünruck se trouva dans son magasin encombré de pièces de drap de France, de ratine anglaise, de futaine et de velours. Il accueillit les visiteurs avec chaleur :

– De jeunes artistes flamands qui vont découvrir l'Italie ! *Mein Gott* que c'est beau !

– Ces jeunes gens aimeraient que vous leur parliez de la route que vous avez empruntée, fit maître Brot. Ils pensaient passer les Alpes au col de la Bernina.

– Je ne le leur conseille pas. Pourquoi traverser toute la Suisse et ses cimes enneigées ? Je vais vous décrire mon itinéraire. On suit la rive droite du Rhin jusqu'à Mayence, où l'on prend la route de Wursburg qui mène à Nuremberg. Ensuite, direction le sud, jusqu'à Augsbourg et à Innsbruck. Là, le mur des Alpes va se dresser devant vous. L'obstacle paraîtra infranchissable, ne vous laissez pas impressionner. Vos mules et même vos chevaux graviront sans trop rechigner le col du Brenner. Après, c'est la récompense : l'ensoleillement de Bolzano, de Trente. Vérone, c'est déjà Venise !

Il avait parlé avec enthousiasme et convaincu sans difficulté les deux amis de préférer son itinéraire à celui d'Otto Vénius, dont le voyage remontait à bien des années. Herr Hünruck, lancé sur la route de ses souvenirs, ne pouvait plus s'arrêter. Il se souvenait de tout, notamment de l'auberge où le fameux Thann servait les meilleurs pâtés du royaume de Bavière. A côté de Mayence, où ils devaient visiter la maison d'un génie, Gutenberg, inventeur de l'imprimerie. Il se rappelait la côte avant Nuremberg, où son cheval avait glissé sur le chemin verglacé, et d'un magnifique Dürer, l'*Autoportrait en fiancé*, une merveille qu'ils devraient absolument copier.

Herr Hünruck en était encore à Augsbourg, où les bénédictins ne manqueraient pas d'accueillir chaleureusement les deux peintres :

– J'ai offert au prieur quelques aunes de bonne serge pour se faire tailler une robe…

Une Walkyrie, poussa soudain la porte.

– Voici ma fille Maria, dit le père avec une certaine fierté. Depuis que sa mère est morte, elle s'occupe de la maison.

Maria était une grande et belle créature aux cheveux d'un blond ardent qui chutaient comme les eaux d'un torrent sur ses robustes épaules. Son entrée dans une pièce en bouleversait l'atmosphère. Son père lui-même se tut, la regardant comme s'il la découvrait. Pierre-Paul et Déodat, intimidés, saluèrent la déesse qui, tout à coup, sourit et retrouva une aimable aisance :

– Père, savez-vous qu'il est tard et que ces messieurs vont mourir de faim en écoutant vos interminables récits de voyage ? S'ils veulent bien passer à table, le souper est prêt. Suivez-moi, dit-elle en prenant le bras de Rubens.

La table était joliment arrangée avec des fleurs et une riche argenterie.

Pierre-Paul et Déodat ne mangèrent donc pas ce soir-là la saucisse aux choux de Julius Brot mais, installés dans le Walhalla du drap, se régalèrent d'un croustillant porcelet rôti servi avec des pruneaux et du concombre. Tandis que l'opulente Marie jouait les coquettes avec les jeunes peintres, Hünruck continuait de détailler son itinéraire en annonçant qu'il allait écrire après le repas des lettres de recommandation qui ouvriraient des portes accueillantes à ses hôtes. En maudissant sa plume qui accrochait le papier, il s'appliqua en effet à présenter à ses connaissances les deux grands peintres de demain. Comme Maria se montrait un peu trop affectueuse à son gré et regrettait en pleurant qu'ils dussent partir le lendemain, Pierre-Paul tira son carnet de sa poche et dit qu'il allait dessiner la plus belle des femmes de Nuremberg. Calmée, elle accepta de poser une dizaine de minutes, le temps d'un crayonné flatteur qu'il rehaussa de craie ocre.

La bière et le schnaps aidant, après des adieux déchirants, ils rentrèrent éméchés à l'auberge des Trois-Piliers. Avant de s'effondrer sur le lit, Pierre-Paul se résolut à ne pas s'endormir sans avoir dit bonsoir aux chevaux. Dans l'écurie, il parla affectueusement à Pinceau qui, paraît-il, remua l'oreille droite.

– Tu vois, dit-il à Déodat ébahi, il me dit merci !

Les deux compères eurent du mal à se lever au petit matin, mais, dès sept heures, ils étaient en selle et commençaient de bonne humeur leur longue chevauchée le long des bords du Rhin.

– Nous aurions pu prendre le bac, dit Déodat, en regardant un lourd bateau halé péniblement par des attelages.

– Ne trouves-tu pas agréable cette promenade qui n'en finit pas de dérouler des paysages, si délicieux qu'on a envie de s'arrêter à chaque pas pour les dessiner ? On dirait que l'argent te brûle les poches.

Vers midi, ils songèrent à se restaurer, mais durent trotter un bon moment avant de trouver l'endroit idéal où la rive, abritée par une rangée de tilleuls, formait une petite plage. Ils purent amener les chevaux jusqu'à l'eau, en prenant bien garde à les retenir, car les bêtes manifestaient par des piaffements et des hennissements leur envie de s'avancer dans le fleuve. Les deux garçons auraient bien aimé se rafraîchir, eux aussi, mais il n'était pas prudent d'abandonner les montures et leurs affaires près d'un chemin où se suivaient des gens de toute sorte : cavaliers pressés qui faisaient voler la poussière, groupes de pèlerins allant prier la Vierge de Bonn, courriers de princes et de seigneurs équipés de cuir, gens de loi, enquêteurs, procureurs, avocats qu'on reconnaissait à leur mise austère. Des chariots, remplis de sacs de blé, de fourrage, de blocs de pierre avançaient lentement, dans un grand bruit, et leurs cochers se faisaient insulter par ceux qu'ils retardaient. La rive, heureusement, était plus calme, et ils purent déballer leurs provisions après avoir nourri les chevaux.

Un peu plus loin, à l'extrémité d'une jetée de bois, des pêcheurs relevaient un carrelet.

– Voilà un coin de paysage que j'aimerais bien dessiner, dit Pierre-Paul en sortant son carnet et un crayon. Fais-en donc autant. Il faut s'entretenir la main. Et cela peut faire un jour un sujet de tableau.

Déodat se força un peu pour imiter son ami. Bien qu'il s'en défendît, il craignait une comparaison qui ne pouvait que lui être défavorable. Pourtant, il tendit bientôt à Pierre-Paul un croquis bien troussé qui lui valut de vives félicitations :

– C'est bon, très bon, Déodat! Je ne suis pas un maître mais je dis que celui qui a crayonné cela en quelques minutes est un artiste, un vrai! Tu vois, ce qui te manque, c'est la confiance. Une sotte retenue entame souvent ta joie de peindre ou de dessiner. Si tu n'éprouves pas un plaisir physique en serrant un crayon ou un pinceau entre tes doigts, tu ne peux rien faire de bon! Mais je vais veiller à cela, mon compagnon!

Ils étaient passés la veille non loin de Cologne, et Déodat avait suggéré qu'ils fassent un détour pour visiter la cathédrale. Pierre-Paul avait répondu qu'il ne le voulait pas. Surpris, son ami lui avait demandé la raison de ce refus. Rubens avait réfléchi un moment, regardé Déodat et dit, la voix attristée :

– C'est trop tôt. Je vais te faire une confession, l'histoire de ma prime jeunesse que ma mère ne m'a révélée qu'un peu avant mon départ. J'ai toujours cru que j'étais né à Cologne, où mon père occupait un poste important. Sa fin, en Allemagne, était restée pour moi assez obscure. Il m'a fallu attendre jusqu'à maintenant pour apprendre que sa vie avait été une aventure dramatique et que ma mère avait vécu à ses côtés une existence douloureuse, pleine de larmes et de dévouement pour l'homme qu'elle aimait et pour ses quatre enfants.

– Qui était donc ce père mystérieux?

– Un beau parleur, un passionné toujours prêt à séduire une nouvelle femme, aimant sans doute la sienne mais à sa manière, volage et versatile. Une existence fantaisiste et des croyances affichées peu orthodoxes le rendirent suspect à la magistrature d'Anvers qui luttait contre les réformés du prince d'Orange. Son nom figura ainsi sur la liste des proscrits. Il fallut quitter la ville, sa ville, où la famille n'était plus en sécurité. Il s'enfuit une nuit vers l'est avec Maria Pypelinckx et ses deux enfants, Jean-Baptiste et Blandine, s'arrêta à Cologne et s'y installa.

– Ah! Cologne! C'est donc un mauvais souvenir... fit Déodat qui écoutait, fasciné, le récit de son ami.

– Je n'étais pas né. Je ne puis donc me souvenir de cette fuite. Tout cela, c'est ma mère qui me l'a raconté. Jean, mon père, était un homme cultivé, qui avait étudié aux universités de Rome et de Padoue. Il était un bon latiniste et parlait l'italien comme l'allemand. Très bon juriste, c'était son métier à Anvers, il trouva à Cologne une importante situation. La princesse d'Orange, de Saxe et de Nasseau l'engagea pour défendre les biens de son mari Guillaume, dit le Taiseux ou le Taciturne. Pour un exilé, c'était une grande chance. Enfin, elle l'aurait été si la princesse avait été âgée, sotte et difforme. Mais elle était jeune encore, belle et passionnée, seule aussi, son mari guerroyant quelque part du côté de l'Espagne.

– Ce qui devait arriver arriva...

– Oui. Mon père n'était pas homme à ne pas répondre à la sympathie que lui portait la princesse. Lorsque celle-ci s'installa à Siegen, dans la principauté de Nasseau, mon père prit l'habitude d'aller souvent la voir, ce qui n'inquiéta pas ma mère. Il fallait bien, n'est-ce pas, qu'il la tînt au courant du soin de ses affaires ! Que n'a-t-elle été plus soupçonneuse, ma pauvre mère ! Elle aurait pu peut-être le détourner d'une passion dangereuse, l'inciter tout au moins à plus de prudence et éviter que le ciel ne lui tombe sur la tête le jour où mon père fut arrêté à Dillenbourg, sur la route de Siegen, par les gens du comte de Nasseau, frère du Taiseux. La situation, de pénible, devint insoutenable, lorsque ma mère apprit que son malheur conjugal n'était rien auprès de la réalité : mon père avait reconnu que la princesse était grosse de ses œuvres ! C'était, selon la loi allemande, un motif de pendaison. De sa prison, Jean Rubens écrivit à sa femme pour implorer son pardon. Et ma mère lui répondit : « N'écrivez plus "votre indigne mari" puisque tout est pardonné. »

Les Nasseau hésitèrent à faire un procès qui se serait forcément conclu par une peine capitale. Au scandale, ils préférèrent une mesure de clémence assortie de strictes obligations. Jean ne devrait plus fréquenter l'église, devrait résider en dehors de Siegen, dans une triste maison d'où on ne voyait même pas les hautes tours de la ville. En outre, il était condamné à payer une caution de 6 000 thalers, une somme considérable.

– Et ta mère ? et ton frère, ta sœur ? Comment ont-ils pu continuer de subsister ?

– Dans un état très précaire, mais ma mère n'a rien voulu me dire là-dessus. Je crois qu'elle avait créé un petit commerce ambulant. Enfin, la famille a survécu puisque mon frère Philippe est né durant ces sept années de misère et que moi-même j'ai vu le jour dans cette banlieue de Siegen.

Les miens m'ont caché jusqu'au mois dernier l'endroit exact de ma naissance. J'ai cru que j'étais né à Cologne, mais on ne parlait plus de cela depuis longtemps. C'était le vœu de mon père, de faire oublier aux enfants le souvenir de ces années tragiques.

– Je ne vais plus regarder ta mère de la même façon. Je la connaissais bonne et active, comme la mienne en somme. Mais Maria Pypelinckx est une sainte ! Et finalement, vous êtes rentrés ?

– Oui, mais sans le père. Quand la famille obtint, après l'assassinat du prince d'Orange, Guillaume le Taciturne, l'autorisation de quitter sa terre d'exil et quand la situation politique à Anvers rendit ce retour possible, la mère, toujours énergique, prépara le voyage. Jean Rubens allait enfin, après toutes ces années terribles, retrouver son plat pays et l'horizon voilé de son Escaut. Dieu, qu'il avait retrouvé mais qu'il avait si gravement offensé, ne le lui permit pas. Jeune encore mais usé, le repenti mourut dans les bras de sa femme fidèle, la veille du départ.

– Quel âge avais-tu ?

– Dix ans. Mais cette jeunesse qu'on m'a contraint par le silence à oublier a quitté mon esprit. Je reviendrai à Cologne plus tard. C'est l'avenir qui compte aujourd'hui. Il est, Déodat, mon frère, au bout de la route.

– J'ose une dernière question ?

– Va, mon ami.

– A propos, n'as-tu pas un frère de notre âge prince de quelque chose ?

Pierre-Paul éclata de rire :

– Cela m'étonnerait. Il paraît que la fantasque Anne de Saxe est morte peu après toutes ces histoires. Elle était devenue alcoolique… Mais mon frère aîné m'a raconté une histoire bien plus extravagante. Des racontars prétendirent entourer ma naissance d'étrange mystère : je serais, selon eux, le fils de la princesse. Ma mère pardonnait beaucoup, mais je la vois mal, tout de même, élever le fils de sa rivale !

– Mon prince sait-il où nous allons dormir ce soir ?

– Herr Hünruck nous a donné une lettre de recommandation pour l'abbé Herblich du monastère de Bersterhoh. C'est à quatre lieues d'ici. Je propose que nous allions goûter le repas de ces bons moines, mais il faut faire vite, on mange tôt chez les capucins !

Après Bersterhof où, par malchance, on faisait carême, il y eut l'évêché d'Augsbourg, où le père de Déodat avait des relations. Ils y firent bonne chère avec les chanoines. Après plusieurs étapes plus ou moins confortables, Rubens et Déodat s'arrêtèrent dans une auberge posée sur la montagne du côté d'Innsbruck. Encore une recommandation de Herr Hünruck qui, décidément, connaissait tous les lieux d'Allemagne et d'Autriche où il faisait bon poser son sac. Là, les deux Anversois vécurent quatre journées plaisantes en payant leur écot par des dessins destinés à orner les murs de la maison.

Ils repartirent joyeux vers le Brenner qui était proche. Histoire de narguer la peur que leur inspirait la montagne, Pierre-Paul arrêta plusieurs fois son cheval et, droit dans ses étriers, dessina les sommets crénelés de neige. Heureusement, le mauvais temps qui les avait souvent retardés avait fait place au soleil, et ils passèrent le col sans trop de mal. Pinceau et Roma se révélèrent de bons grimpeurs. C'est finalement la descente qui fut le plus difficile. Les chevaux, affolés lorsqu'il fallait longer des précipices, donnèrent quelques frayeurs aux cavaliers, plus habitués à galoper dans le plat pays qu'à dévaler les pentes du Tyrol. Enfin, après une dernière descente un peu raide, la cathédrale de Botzen[1] apparut au loin. C'était toujours l'Autriche, mais déjà l'Italie. Botzen n'avait-elle pas été romaine, lombarde et terre des évêques de Trente avant de revenir aux Etats autrichiens ?

Trente les rapprocha encore de la Terre promise. Les deux amis, avec leur réceptivité exacerbée d'artistes, sentaient changer le ciel, l'air et les couleurs au fur et à mesure qu'ils égrenaient les lieues.

– C'est une journée à surprises, dit Rubens, ouvrons l'œil. Et merci à Dieu de ne pas nous avoir plongés d'un coup dans le brasier romain et de nous avoir fait découvrir petit à petit ses subtils parfums, d'habituer nos yeux aux nuances de ses paysages.

– Tu as raison. Depuis le dernier tournant, tout respire l'Italie. Tiens, voilà la cathédrale.

Un passant rectifia en leur apprenant qu'ils se trouvaient à Santa Maria Maggiore, l'église historique où s'était tenu le concile de Trente. L'homme était visiblement heureux de parler de sa ville à des étrangers, mais, pressé, il s'excusa :

– Santa Maria est sûrement intéressante pour des artistes. Car vous êtes peintres, je ne me trompe pas ? Qui viennent du Nord pour découvrir nos grands Florentins et Romains...

– Oui, nous sommes peintres. Et même, comme vous l'avez sûrement deviné à la forme généreuse de nos chapeaux, des peintres flamands.

– Décidément il nous est impossible de cacher notre origine ! dit Déodat après avoir remercié leur affable interlocuteur. J'ai

---

1. Bolzano.

hâte d'arriver à Padoue où un client de mon père, tailleur de son état, nous habillera à l'italienne.

– Il ne nous restera qu'à parler l'italien! répliqua Pierre-Paul en riant. Mille mercis aux jésuites de Cologne qui m'ont appris le latin. *Intelligenti pauca*! Nous comprendrons et parlerons la langue de Dante avant d'arriver devant le Colisée!

Santa Maria Maggiore ne présentait que l'intérêt d'un souvenir historique. Les deux amis, assis sur la base d'une colonne, essayaient d'imaginer le spectacle bigarré de la commanderie du catholicisme, cette réunion de légats, de cardinaux, d'archevêques et d'évêques réveillant la banalité de l'église par le rouge et le violet de leurs toilettes. Du concile qui avait fixé les fondements de l'Eglise catholique, il ne restait que trois panneaux gris et ternes. Pierre-Paul et Déodat les regardaient en soupirant :

– Cette première rencontre avec la peinture italienne est bien décevante! fit Rubens.

Un homme qui venait d'entrer s'approcha :

– Rassurez-vous, messieurs, Raphaël, Léonard, Michel-Ange, Botticelli vous attendent. Et bien d'autres, qui vous feront oublier ces fâcheuses images. Mais on ne vient de si loin pour admirer les richesses artistiques de Trente. Les seuls trésors qu'abrite cette ville ne sont ni à Santa Maria Maggiore, ni à la cathédrale, ni au palazzo Pretorio.

– Merci, monsieur, auriez-vous l'amabilité de nous dire où nous pouvons les admirer?

– Mais oui. Chez moi. Je suis le baron Pelouzzi, et je vous convie volontiers à venir bavarder de peinture. C'est ma passion.

– Nous arrivons d'Anvers où nous étudions le dessin et la peinture, dit Rubens. La poussière de la route – nous chevauchons en effet depuis près d'un mois – a sali nos vêtements, et nous avons scrupule à accepter votre invitation.

– Ne vous souciez pas de cela. En dehors de deux tableaux de Van Eyck et Memling, je veux vous montrer quelques dessins et aquarelles d'un des plus grands artistes peintres et graveurs qui a accompli il y a à peu près un siècle, à cheval lui aussi, son voyage initiatique en Italie. Mais vous connaissez sûrement ce génie ?

– Je pense à Dürer, répondit Pierre-Paul. Notre maître, Otto Vénius, nous a parlé de lui. Il possède deux gravures qui m'ont fait découvrir cet art sublime.

C'est ainsi que Rubens et Déodat van de Mont se retrouvèrent sur les bords de l'Adige, dans la maison Pelouzzi, un vrai palais à la mesure de l'importance de son propriétaire. Celui-ci les mena dans une pièce où ils trouvèrent de quoi se laver et épousseter leurs vêtements. Puis le baron leur offrit des rafraîchissements et leur ouvrit la porte de sa bibliothèque, dont les murs étaient couverts de livres et de tableaux.

– Voilà, messieurs, où je passe la majeure partie de mes journées. Si je pouvais choisir les conditions de ma mort, je rendrais mon âme dans ce fauteuil en jouissant une dernière fois du génie d'un de mes artistes préférés, Dürer peut-être.

Une table de marbre occupait une grande partie de la pièce. Il n'y avait dessus qu'un écritoire, un petit chevalet et une lentille grossissante au manche d'ivoire. Le baron alla ouvrir un tiroir de l'un des meubles en bois précieux adossés aux murs. Il revint avec un carton, qu'il ouvrit sur la table avec une jubilation évidente :

– Dürer avait votre âge quand il emprunta, en 1494, la même route que vous, de Nuremberg à Venise. Tenez, voici plusieurs dessins de Nuremberg, sa ville natale. Regardez la finesse, la sûreté du trait. Ici, c'est la vallée de la Pegnitz. En voici un autre de la Marthakirche, la maison de la fameuse confrérie des «maîtres chanteurs».

– Nous sommes passés à Nuremberg, près de la vallée de la Pegnitz, mais ne nous sommes pas arrêtés, dit Déodat en regardant à la loupe l'aquarelle de Dürer. Cela n'aurait pas été à notre avantage, mais j'aurais aimé comparer nos dessins à ceux du maître. Pour en retenir la leçon.

– Vous nous avez parlé de dessins et d'aquarelles réalisés sur la route, durant le voyage. Pouvez-vous nous les montrer ? demanda Rubens.

– Je n'en possède malheureusement que trois. Tenez, reconnaissez-vous cette vue d'Innsbruck se reflétant dans l'Inn ? Il y a une date au dos : 1495. Et cette aquarelle de la vallée des forges, où l'on voit les moulins qui font tourner les tréfileries. Et voici la plus belle à mon sens, ce souvenir alpestre du col du Brenner, réalisée au cours d'un autre voyage que fit Dürer en 1498. On remarque les progrès accomplis !

– Nous avons aussi dessiné des paysages du Brenner, souffla Pierre-Paul. De simples croquis que nous n'oserons pas vous montrer.

– Ils sont dans vos sacoches ? Allez donc les chercher. Peut-être aimerai-je conserver dans mes collections un souvenir de votre passage ? Et quand vous serez devenus célèbres, je les montrerai avec fierté.

Confus, Déodat essaya d'échapper au jugement d'un amateur aussi averti, mais Pierre-Paul, qui avait déjà conscience de ses capacités, acquiesça :

– Très bien monsieur, nous prenons le risque d'être ridicules, je vais chercher nos cartons.

Anxieux, les deux amis épièrent les réactions du baron au visage impénétrable. Avec une minutie scrupuleuse, de près, de loin, à la loupe, il examina la dizaine de dessins qu'il avait d'abord choisis. Enfin son visage s'éclaira :

– Mes amis, la plupart de vos croquis de voyage sont intéressants. Certains sont très réussis et laissent bien augurer de votre avenir. Trois d'entre eux me plaisent. Si vous voulez bien me les vendre, ils figureront dans ma collection.

Deux dessins étaient l'œuvre de Pierre-Paul. Le baron avait d'emblée remarqué où était le talent, mais n'avait pas voulu désobliger celui qui resterait vraisemblablement un artiste sans envergure. Il leur proposa un ducat pour chacun des dessins. Ce n'était pas d'une générosité excessive mais ils acceptèrent avec joie. A part quelques œufs et des libéralités de moines accueillants, c'était leur premier gain. Toute sa vie Rubens se demanderait ce qu'étaient devenus le dessin des belles fontaines d'Augsbourg et celui des maisons à tympans de Bolzano.

A Vérone, ils prirent le temps de dessiner les Arènes ; à Padoue, celui d'admirer aux Eremitani les fresques de Mantegna. Cinq jours plus tard, c'était Venise, enfin ! Les eaux calmes de la lagune, les dentelles blanches et roses de la façade du palais des Doges. Le grand saut dans la cascade du merveilleux.

CHAPITRE III

Henri et ses bien-aimées

Les conditions de la mort de Gabrielle d'Estrées étaient si étranges qu'une autopsie fut pratiquée. La maîtresse du roi était-elle parvenue au terme de sa grossesse ? Les médecins qui avaient ouvert le corps de la duchesse restaient muets sur ce point. Leur constat fut inattendu : «Le poumon et le foie gâtés, une pierre en pointe dans le rognon et le cerveau offensé.»

Sur le moment, personne ne songea à l'empoisonnement. Pierre de L'Estoile lui-même consigna dans ses registres que le mal qui avait anéanti la jeunesse et la beauté de la favorite restait inconnu. Et puis, trop de gens avaient circulé dans la maison mortuaire, la rumeur d'abord populaire avait gagné les proches de la famille. Il ne fut plus alors question que de poison, de conspiration et même d'intervention démoniaque. A la chapelle du Petit-Saint-Antoine, les dames de Guise, la maréchale de Retz, madame de Plessis-Lebourg, madame de Sourdis, qui ne se remettait pas de la mort de sa nièce, s'assemblaient le soir pour, disaient-elles, écouter le meilleur organiste du diocèse – en réalité pour potiner dans un salon en compagnie des messieurs qui, au hasard de leurs promenades, venaient se joindre à elles : Pierre de L'Estoile, souvent, grand échangeur de nouvelles parisiennes, le président Mathieu Molé ou le gouverneur de Thou.

Ce jour-là, on ne parla que des obsèques de la duchesse, le matin même à Saint-Germain-l'Auxerrois.

– Des funérailles de reine! dit la maréchale de Retz, qui n'avait pas quitté, durant ces quatre jours, l'hôtel de la rue Fromenteau[1].

Là, l'effigie de la duchesse, un mannequin d'osier et de cire habillé des vêtements de la défunte, avait été exposée sur un lit de parade près du cercueil. Des milliers de Parisiens avaient défilé, particulièrement vers midi, l'heure où des hérauts d'armes vêtus de noir venaient chaque jour, selon la tradition, lui apporter un repas.

– Les princesses lui ont donné l'eau bénite de bon cœur! dit de L'Estoile. Mais savez-vous la plus belle? Antoine d'Estrées n'a pas attendu que le corps de sa fille soit transporté à l'abbaye de Maubuisson[2] pour vider, avant que les commissaires du roi ne viennent faire l'inventaire, l'hôtel de ses plus beaux meubles et de la vaisselle d'argent.

– Cet homme est un être abject! dit la jeune de Guise. J'espère que quelqu'un se chargera de le lui dire.

---

1. Le roi avait offert à sa maîtresse un hôtel acheté à Gaspard de Schomberg. La rue Fromenteau était toute proche du Louvre. Son emplacement permettait à Gabrielle d'entrer au Louvre en passant par un petit jardin fort commode menant à l'appartement du roi.

2. Sa sœur, Angélique d'Estrées, en était abbesse.

– Ceux qui auront pris connaissance de mes commentaires sauront à quoi s'en tenir! appuya L'Estoile. J'ai rassemblé plusieurs épigrammes immondes, comme celui-ci, dû, paraît-il, à madame de Neufvie :

> J'ai vu passer par ma fenêtre,
> Les sept péchés mortels vivants,
> Conduits par le bâtard d'un prêtre,
> Qui tous ensemble allaient chantant
> Un requiescat in pace
> Pour le septième trépassé;

La maréchale de Retz, dont la balourdise était connue, s'étonna :

– Quel galimatias! Je n'y comprends goutte!

L'Estoile sourit et expliqua :

– Il s'agit bien sûr du convoi funèbre de Gabrielle. Les sept péchés sont les sept sœurs d'Estrées et le bâtard d'un prêtre Balagny, fils de l'évêque de Valence.

Il y eut un silence un peu gêné et madame de Plessy demanda :

– Et le roi? A-t-on des nouvelles de Fontainebleau?

Le jeune président Molé en avait :

– J'ai su, par mon père, que le roi a de la peine à surmonter son malheur. Il a pris le deuil en noir[1]. Villeroy veille, dit-on, à ce qu'il ne garde pas tout le temps près de lui son fils César. L'entourage travaille à la consolation en essayant de le persuader que l'événement est un avertissement du ciel.

---

1. Cela ne se faisait pas, même pour les reines. Henri IV gardera ensuite avec la cour le deuil violet durant trois mois.

– On peut, il est vrai, dire qu'il s'agit d'une mort miraculeuse, dit L'Estoile. Sans aller, comme le président de Vernyes, jusqu'à parler du «miracle des miracles par lequel Dieu a parlé au roi de la conservation du royaume», on doit convenir que cette mort arrange beaucoup de monde. La hantise de voir César et Alexandre devenir dauphins de France s'estompe, et l'on s'agite du côté de Florence. On ne va pas tarder à reparler de la princesse de Toscane !

Le conseiller Gillot, l'ami intime de L'Estoile, l'un de ceux qui l'aidaient à rassembler les nouvelles, les informations, les bruits et échos de toute sorte qui constituaient le tissu de la vie parisienne, souleva la question que tout le monde se posait, dans le peuple crédule comme à la cour.

– Je veux bien croire au miracle, mais n'oublions pas qu'une jeune femme de vingt-cinq ans, belle, compagne souveraine, est morte dans des souffrances atroces. Que cette mort soit prise par beaucoup avec désinvolture, voire avec satisfaction, me gêne. Je ne puis m'empêcher de penser que la trop facile «volonté de Dieu» cache peut-être une machination criminelle.

– Mais vous avez déclaré d'abord, comme L'Estoile, que la mort était naturelle, et la rumeur de l'empoisonnement, irrecevable !

– Depuis, nous avons réfléchi, dit L'Estoile. On a affirmé que madame d'Estrée n'a absorbé aucun remède. Quand une religieuse m'a raconté qu'elle avait vu madame de Martigues enlever deux bagues des doigts de la malade, j'ai pensé que n'importe qui aurait pu empoisonner la duchesse.

– L'autopsie n'a pourtant rien révélé, dit quelqu'un.

– Peut-on avoir une confiance absolue dans les médecins

à propos de poison? On sait bien que non. Mon cher Gillot, il va falloir ouvrir nos oreilles et chercher de nouveaux indices…

– Indice? Quel mot bizarre, dit madame de Sourdis. Qu'entendez-vous par là?

– Du latin *indicium*, précisa, avec un peu de suffisance, le conseiller Gillot. Ce mot est entré dans le langage judiciaire et policier. C'est un signe de probabilité qui mérite qu'on s'y intéresse. Mais tous, autant que nous sommes, ici, pouvons écouter, questionner autour de nous. et déceler l'un de ces fameux indices.

– Peut-on raisonnablement incriminer les Toscans? demanda madame de Guise. Il est sûr que la mort de cette pauvre Gabrielle supprime un obstacle majeur à l'union de la princesse de Toscane et du roi Henri.

– N'oublions pas, approuva sa fille, que les Médicis sont assez portés sur l'élimination par empoisonnement. Souvenez-vous des soupçons qui ont pesé sur Ferdinand. Tout le monde a été persuadé qu'il avait empoisonné son frère et sa maîtresse Bianca Capello. Et Guiciardini, mort soudainement à Fontainebleau!

– Alors, parlons du citron de Zamet, dit l'intendant de Thou.

– Hum! Je ne crois pas trop à la culpabilité de Zamet, dont la fortune dépend davantage du roi de France que du grand-duc de Toscane. Le Lucquois entretenait d'autre part des rapports d'amitié avec Gabrielle et tirait avantage de ces liens. Non, il n'avait pas intérêt à tuer la maîtresse du roi. Et puis, l'histoire du citron me paraît tirée par les cheveux. Si vous vouliez vous débarrasser de l'un de vos invités, iriez-vous cacher le poison dans un citron?

Non, personne dans l'assistance n'aurait eu une telle idée.

— Alors? Qui a pu tuer la maîtresse du roi? demanda madame de Gourdis. Il est hélas bien vrai, ajouta-t-elle, désabusée, que la mort de ma nièce arrange beaucoup de monde. Oserais-je dire que le roi lui-même, s'il pleure sincèrement son aimée, ne peut manquer de constater que cette fin tragique le libère d'un choix que son irrésolution rendait impossible?

— J'ai rencontré ce matin mon ami Agrippa d'Aubigné, dit Nicolas Rapin. La mort de Gabrielle d'Estrées, comme nous, le surprend. Il m'a parlé de Rosny qui, pense-t-il, doit savoir des choses: «Dites à L'Estoile qu'il devrait chercher de ce côté», m'a-t-il confié. Il a eu un mot qui m'a touché: «Je suis étonné que cette femme d'une extrême beauté ait pu vivre plutôt en reine qu'en concubine, tant d'années et avec si peu d'ennemis.» Et il a ajouté: «Ses seuls ennemis auront été les nécessités de l'Etat.»

— Il faut se méfier des suppositions comme des prédictions, reprit L'Estoile. Il me souvient du récit d'un ami, je crois que c'était La Noue, qui m'a fait part des révélations d'un devin piémontais, révélations que je n'ai pas relevées.

— Et qu'a dit ce devin?

— Que jamais le mariage de madame d'Estrées ne se ferait et que, d'ailleurs, elle ne verrait pas le jour de Pâques. Il est une autre déclaration de Gabrielle qui, celle-là, figure dans mes chroniques. C'était avant le séjour à Fontainebleau. Elle voyait dans son songe un grand feu la gagner. S'étant réveillée en sursaut et grand effroi, elle voulut aussi réveiller le roi qui, las de la chasse, se retourna et lui dit de le laisser, comme elle fit, et, se levant tout doucement d'auprès lui, s'en alla pleurer dans la garde-robe.

– N'oublions pas, dit madame de Sourdis, que lorsque ma nièce ressentit une première grande douleur après avoir bu le jus de citron de Zamet elle s'écria : «On m'a empoisonnée! On m'a empoisonnée!» Et ici même, rappelez-vous, après l'office des Ténèbres, elle a renouvelé cette certitude.

– Puisque la mort de Gabrielle d'Estrées soulève tant de suspicions, ne devrait-on pas ouvrir une enquête? questionna Marie du Plessis-Lebourg.

L'Estoile sourit :

– Tous les gens qui, en haut lieu, pourraient la demander ont intérêt à ce que l'affaire tombe vite dans l'oubli. Voyez-vous les commissaires du Châtelet mettre leurs mains dans les papiers de la famille royale, questionner les dignitaires, les officiers de la garde, le roi lui-même? Non, madame, il n'y aura jamais d'enquête officielle. Pour l'histoire, Gabrielle, la belle maîtresse du roi Henri IV, aura succombé lors d'un accouchement prématuré[1].

– Mais vos doutes vous engagent à poursuivre vos recherches!

– Enquête privée, madame. Ce que je trouverai, avec votre aide peut-être, sera consigné dans mes registres qui, comme vous le savez, ne sont pas publiés.

On en resta là. Après avoir écouté un oratorio divinement interprété par Jacob Lestac, l'organiste de la chapelle,

---

1. Plus tard, les médecins s'apercevront que les horribles convulsions qui avaient précédé la mort de Gabrielle d'Estrées ressemblaient à celles qui caractérisaient l'éclampsie puerpérale, une nouvelle maladie découverte vers la fin du siècle. La thèse est plausible, mais ne sera pas retenue par Michelet, sensible aux sous-entendus de Sully et au doute de Pierre de L'Estoile. D'autant que l'éclampsie pouvait être favorisée par la présence de produits toxiques dans le corps.

chacun rentra chez soi, persuadé que la duchesse de Beaufort ne tarderait pas être oubliée.

De retour dans son bureau, Pierre de L'Estoile contourna d'un pas agile les remparts de paperasses, de livres, de rouleaux d'archives, de liasses de feuilles jaunies, de brochures écornées, d'annonces officielles et de libelles de toute sorte pour arriver à la table de chêne où étaient posés, ouverts à la page du jour, les registres où il consignait les drames, les comédies ou les farces, reflets de son époque.

Nicolas Rapin, le poète latiniste, l'ancien avocat titulaire de la charge plus honorifique que concrète de grand prévôt de la connétablie[1], accompagnait L'Estoile. Intéressé par les événements qui agitaient sans répit le royaume, il aidait le chroniqueur et lui rapportait tous les bruits qui couraient dans les milieux les plus divers. L'affaire Gabrielle captivait son attention et il avait répondu à l'invitation de son ami de venir partager son souper : «D'Aubigné a raison, avait-il dit. Il faut que nous parlions de Rosny.»

En attendant de passer à table, il se pencha sur les dernières pages du registre journal et s'amusa des dessins qui accompagnaient le récit du séjour d'Agrippa d'Aubigné à la cour. Celui-ci répétait qu'il avait bien mal choisi son moment, mais ne cessait de manifester sa curiosité à propos de la mort de la duchesse.

En suçant les os de la pintade préparée par le valet cuisinier de L'Estoile, on ne parla pas de la malheureuse Gabrielle mais des goûts culinaires du roi, de sa passion pour l'ail, mal

---

1. Nicolas Rapin était aussi lieutenant de robe courte, autre distinction honorifique.

vue de ses conquêtes, et du sucre, critiqué par son médecin du Chesne, qui répétait vainement au Béarnais que «le sucre brûle le sang, altère et noircit les dents, que sous sa douceur il cache une acrimonie très grande».

Ce n'est qu'à la fin du repas, quand le maître choisit un citron parmi les fruits d'une corbeille et l'offrit à son invité, que la conversation s'orienta sur un mode plaisant vers l'angoissante énigme :

– Vous n'êtes pas chez Zamet, pressez ce citron dans un verre d'eau sucrée en toute sérénité.

Rapin sourit :

– Oh ! Je n'ai jamais soupçonné l'Italien, mais je me pose une question : propose-t-il encore des citrons à ses hôtes ?

– Je parie que oui. Mais vous souhaitiez me parler de Maximilien de Béthune[1]… Votre ami d'Aubigné est-il crédible lorsqu'il dit que Rosny sait des choses ?

– Je n'en ai pas fait état tout à l'heure devant l'assistance, mais il semble que Rosny était au courant de ce qui allait se passer.

– Quoi ? La mort de Gabrielle d'Estrées ? Cela signifierait, nous l'avons déjà évoqué, qu'il s'agit d'un assassinat prémédité ! Mais par qui ? Et qui aurait agi pour entraîner la fin dans d'atroces souffrances de celle qu'on disait «presque reine» ?

---

1. Il s'agit de Sully, le ministre légendaire d'Henri IV. Celui-ci fut créé duc de Sully par le roi en 1606. Il a porté jusque-là le nom de Maximilien de Béthune, baron de Rosny. Rosny fut attaché dès l'âge de douze ans à Henri de Navarre. Comme lui calviniste, il l'accompagna dans toutes ses guerres, devint son ami et très tôt son principal conseiller. Comme lui, il abjura, malgré sa foi rigide, le protestantisme. Il redressa l'économie, protégea l'agriculture et le commerce. Il était à la mort de Gabrielle d'Estrées le conseiller omnipotent du roi.

– C'est toute la question. Il est certain que tout en faisant bonne figure à la favorite dont l'appui le servait, Rosny désavouait l'idée d'un mariage que le roi, après maints atermoiements, semblait prêt à accepter. Et l'inextricable situation se dénoue soudain ! Souvenez-vous des mots d'Aubigné : « Ses seuls ennemis auront été les nécessités de l'Etat. »

– Mon ami, nous tournons en rond. Nous ressassons les mêmes constatations, à savoir que la crise qui a emporté Gabrielle n'est pas naturelle. S'il s'agit d'un crime d'Etat, sauf imprévu, nous ne saurons jamais la vérité. Pourtant je ne veux pas négliger cet imprévu et vais tenter d'en savoir un peu plus sur l'affaire. Pensez-vous que je puisse rencontrer Rosny ? Afin de lui poser quelques questions auxquelles il répondra ou ne répondra pas. Ses non-réponses elles-mêmes peuvent être significatives.

– Je ne vois qu'un moyen : Agrippa qui le connaît de toujours. Je vais lui parler.

Les deux amis ne se quittèrent qu'après avoir vidé la bouteille de vin d'Orléans débouchée au début du souper. Pierre de L'Estoile, lui, resta longtemps penché sur son registre, où il transcrivit les propos échangés avec Rapin. Il n'eut pas besoin de souffler la chandelle ; celle-ci s'éteignit dès qu'il eut reposé sa plume sur l'écritoire.

Deux jours plus tard, Rapin frappait à la porte du chroniqueur :

– Eh bien, mon ami, quelles nouvelles m'apportez-vous ?

– D'abord une copie de l'édit qui démet Antoine d'Estrées de ses fonctions et nomme Maximilien de Béthune grand maître de l'Artillerie. Après la mort de sa fille, d'Estrées, cet homme avide et sans envergure, n'avait plus rien à espérer du roi. Largement indemnisé, il ne lui reste qu'à disputer l'héritage de Gabrielle. C'est pour Rosny une charge considérable et prestigieuse !

– Merci, mais c'est autre chose que j'attendais de lui.

– Je sais, mais Agrippa d'Aubigné n'a pas réussi. Rosny refuse de vous recevoir. Vous courrez, a-t-il dit, un grand danger si vous continuez à vous occuper des circonstances de la mort d'une duchesse dont l'existence ne sera bientôt plus qu'un souvenir sans importance, même pour le roi qui se rassérène et attend l'annulation canonique de son mariage avec Marguerite de Valois. Seul manque encore le consentement de cette dernière pour que le pape rende sa sentence. C'est dire que le roi est maintenant impatient d'épouser la princesse de Toscane. D'ailleurs son portrait vient d'être accroché dans l'antichambre royale.

– Mon ami, les choses sont nettes. Prudence oblige : Pierre de L'Estoile abandonne à Dieu la mémoire de madame la duchesse de Beaufort.

Personne ne pouvait penser que, trois siècles plus tard, Gabrielle ne serait pas oubliée de l'histoire, que le grand Michelet et, à sa suite, tout un courant reprendraient les thèses de Pierre de L'Estoile, que, plus tard, un chercheur remarquerait dans la correspondance des agents toscans que le chevalier Jacopo Guicciadini avait apporté à la favorite des remèdes de la part du grand-duc.

Henri IV n'en avait pas fini avec les femmes. Marguerite de Valois, qui vivait toujours reléguée dans sa montagne d'Usson, en Auvergne, négociait son accord. La reine Margot obtint finalement ce qu'elle souhaitait : elle se voyait confirmer son titre de reine et de duchesse de Valois avec des conditions financières dignes de son rang :

une pension de 100 000 livres et 200 000 écus d'indemnité. Ces affaires familiales et pontificales réglées, rien ne s'opposait au mariage du roi, et Nicolas Rapin pouvait dire à son ami L'Estoile :

– Le roi Henri va bien. On met déjà mademoiselle d'Entragues sur le trottoir, mais on ne dit point en quelle qualité. C'est le remède et le conseil du prône funèbre de monsieur Benoist[1] : un clou pousse l'autre.

Le «clou» du confesseur ne sortait pas de l'échoppe d'un savetier. Il était doré, piquant, agréable à regarder et s'appelait Henriette. Sa mère, Marie Touchet, ne portait pas un nom illustre mais, fille d'un apothicaire d'Orléans, avait été la maîtresse du jeune roi Charles IX dont elle avait eu un fils, Charles, duc d'Angoulême. Quatre ans après la mort du roi, elle avait épousé François de Balzac d'Entragues, gouverneur d'Orléans, et le couple avait donné naissance à deux filles, la marquise de Verneuil et la marquise d'Entragues. La mort de Gabrielle donna des idées aux Entragues, qui se souvinrent que le roi s'était dit charmé, lors d'un bal à la cour, l'année précédente, en admirant l'aînée, Henriette, danser le branle. La jeune fille avait vingt ans, était instruite, ne manquait pas d'esprit et constituait un appât plein d'attraits et de fraîcheur. Le roi pouvait y mordre. Il restait à organiser la mise en scène qui donnerait à Henri la curiosité de revoir la jeune danseuse.

Les charmes d'Henriette furent donc habilement vantés à la cour de Fontainebleau alors que le roi venait de quitter le deuil. L'idée était bonne : quelques jours plus tard,

---

1. Le père Benoist, curé de Saint-Eustache qui a suivi le roi depuis sa conversion, sera pour lui jusqu'en 1604 un curieux confesseur.

Henri et son ami Bassompierre se faisaient annoncer au château de Bois-Malesherbes, tout proche, où résidaient les Entragues et leurs filles. Ce jour-là, les deux complices ne firent qu'entrevoir les deux beautés. Quand ils revinrent un peu plus tard, Henriette avait été envoyée chez des parents au château de Marcoussis. Le roi l'y poursuivit, s'établit au château du Hallier quand la famille logeait tout près et, finalement, invita la jeune fille à Blois où il voulait passer l'été. L'heure était venue du marchandage : les Entragues refusèrent d'abord et se firent promettre la terre de Beaugency, où Henri pourrait venir les visiter aisément depuis Blois. Le roi, exaspéré par ce jeu, se décida à passer par les fourches caudines : il chargea Rosny de rassembler 50 000 écus à offrir à Henriette, pour lui acheter la terre de Verneuil-sur-Oise érigée en marquisat.

C'était énorme mais insuffisant. L'insatiable père exigea, au moment de céder sa fille, un engagement qui était une vraie capitulation. Le roi blêmit, hésita, regarda Bassompierre accablé et, vaincu par la passion, finit par accepter de tracer les mots effrayants : « Nous, Henri, promettons et jurons devant Dieu à messire François de Balzac que, nous donnant pour compagne demoiselle Henriette-Catherine de Balzac, sa fille, au cas où elle devienne grosse et qu'elle accouche d'un fils, alors et à l'instant nous la prendrons à femme et légitime épouse, dont nous solenniserons le mariage publiquement et en face de notre sainte Eglise. »

Contrit tout de même, le roi s'ouvrit à Rosny qui ne s'embarrassa pas de détours :

– Rendez-vous compte, Sire. C'est pure folie ! Au moment où va être signé au palais Pitti le contrat de votre mariage avec la princesse de Toscane ! Balzac a-t-il déjà ce papier entre les mains ?

– Oui, répondit Henri. Il doit, a-t-il dit, le placer dans un flacon qui sera scellé dans la muraille d'un de ses châteaux. Mais ne soyez pas inquiet, mon bon Rosny. Vous savez ce que valent les promesses de mariage. Je n'ai épousé ni Esther Ymbert, ni la comtesse de Guiche, ah ! ma belle Corisande !, ni la duchesse de Beaufort. A propos de Gabrielle, avez-vous vraiment cru que j'en ferais la reine de France ?

– Sire, il m'est arrivé de douter.

– A moi aussi… Enfin, Dieu a tranché !

Le lendemain, le roi, redevenu le « Vert Galant » de sa jeunesse, galopait vers Malesherbes où, enfin, il allait pouvoir assouvir le désir qui le poursuivait depuis si longtemps. Henriette l'attendait et lui fit don de sa virginité ; l'abominable Entragues avait veillé sur le trésor familial. Eprouva-t-elle du plaisir ? On peut en douter. Ce n'était pas d'ailleurs ce qu'elle était venue chercher dans le lit royal.

La liaison devint vite publique. Reprenant ses habitudes du temps de Corisande et de Gabrielle, Henri emmenait sa belle où qu'il allât. Chacun pouvait donc à loisir détailler les charmes et le caractère d'Henriette, et les comparer à ceux de Gabrielle. La différence était criante. Gabrielle, qui était blonde aux yeux bleus, très blanche de peau, avenante et douce, avait eu sur le roi, le guerrier au casque à plume, une influence apaisante. On dira que l'édit de Nantes lui doit quelque chose. Henriette d'Entragues, déjà desservie par l'odieux marchandage qui l'avait cédée au roi, apparut tout de suite comme une intrigante. Sa manière irrespectueuse de traiter le roi offusquait, mais elle était drôle et vive, toujours prête à lancer des piques et à rire de la mine de ses victimes. «Je ne l'aime pas, disait Louise-Marguerite de Lorraine, elle n'est pas si belle que Gabrielle, mais plus jeune et plus gaie.» C'était pourtant, la maîtresse du roi. Il fallait bien accepter celle qui, une nouvelle fois, venait de lui faire perdre la tête.

A Paris, on avait fait loger la favorite dans l'hôtel de La Force, une aimable résidence près du Louvre. L'appartement au palais viendrait un peu plus tard. Pendant que le Vert Galant honorait sa nouvelle conquête et courtisait dames et demoiselles faciles, ses envoyés à Florence signaient le traité conjugal qui allait unir une nouvelle fois les Médicis au royaume. La paix régnait, et les survivants de la grande aventure, ceux qui, de Moncontour à Saint-Denis, avaient guerroyé, ferraillé, arquebusé en se ralliant au panache du cavalier paillard, partageaient encore une fois avec lui le plaisir de ribauder.

Vint le jour d'avril 1600 où Rosny se fit annoncer chez le roi et lui annonça de sa voix un peu rude : «Sire, nous venons de vous marier.» Sully racontera qu'Henri resta un bon moment «rêvant, se grattant la tête et curant ses ongles» avant de répondre : «Je ne vous cacherai pas ma crainte, monsieur de Béthune, d'avoir affaire à une mauvaise tête qui me fera des scènes de ménage.»

Car, malgré tous les soucis qu'elle lui causait, Henri n'avait pas envie de renoncer à sa nouvelle maîtresse. D'abord, elle tomba enceinte, et le roi, la tête plus froide qu'une année auparavant entreprit de récupérer l'engagement qu'il avait inconsidérément signé. Cette fois, la lettre qu'il envoya à Henriette ne commençait pas par «Mes chères amours», mais par «Mademoiselle» : «L'amour, l'honneur et les bienfaits que vous avez reçus de moi eussent arrêté la plus légère âme du monde si elle n'eût pas été accompagnée de mauvais naturel comme la vôtre. Je ne vous piquerai davantage bien que je pusse et dusse le faire. Je vous envoie ce porteur pour me rapporter la promesse que je vous baillais à Malesherbes. Je vous en prie, ne faillez de me la renvoyer et si vous me la voulez rapporter vous-même je vous dirai les raisons qui m'y poussent, qui sont domestiques et non d'Etat.»

La famille d'Entragues ne fit pas cas de l'exigence royale, et Henriette écuma de rage en apprenant peu après que le mariage toscan était officiellement conclu. Elle choisit un moment où Henri était très entouré pour lui demander avec insolence :

– Quand arrive votre banquière?

Le roi pâlit et retrouva sa vivacité de Gascon :

– Lorsque j'aurai chassé toutes les putains de la cour!

Le comportement du roi, comme ses réactions, était imprévisible, même pour ceux qui le connaissaient le mieux. Ainsi Rosny, conseiller d'Etat et des Finances, et le chancelier de Bellièvre ne furent-ils pas surpris d'apprendre, quelques jours après, que les amants s'étaient réconciliés et qu'Henri proposait à Henriette de l'accompagner jusqu'à Lyon, première étape de la campagne qu'il entreprenait contre le duc de Savoie, devenu arrogant et belliqueux. Le voyage était de trop! Rosny intervint et fit valoir qu'Henriette d'Entragues étant près de son terme il était raisonnable qu'elle reste se reposer à Montceaux. L'enfant arrivait au mauvais moment. Le roi se voyait à nouveau pris dans les rets de ses élans inconscients.

Comme aux derniers jours de Gabrielle, Maximilien de Béthune louvoyait entre les impertinences de la favorite et les volontés de la cour de Toscane. Comment n'aurait-il pas été inquiet?

Le contrat était signé mais le bâtard, lui, attendait dans les entrailles de sa mère de prendre place dans la comédie du règne. Seuls les dieux pouvaient changer le cours du destin. Ce fut Jupiter. L'« *Optimus Maximus* », le « *Stator* », divinité qui arrête, déclencha un orage infernal sur Montceaux et alla jusqu'à lâcher la foudre dans la ruelle d'Henriette. Celle-ci ne succomba pas au feu de l'éclair, mais donna prématurément naissance à un garçon qui, ventrebleu!, n'était pas viable. C'était un mauvais coup porté à la stratégie des Entragues, mais un soulagement pour le roi, qui consola sa maîtresse en lui donnant le comté de Beaugency – que le trésor royal paya 40 000 écus.

Monsieur de Rosny rappela au roi qu'il était grand temps de s'intéresser à son mariage, ce mal nécessaire, cette seconde union dont il n'attendait rien d'agréable. En fait il était déjà marié. Tandis qu'il guerroyait autour de Chambéry et de Montmélian, le duc de Bellegarde, à la tête d'une cinquantaine de gentilshommes, fine fleur de la noblesse de France, avait porté à Florence les documents nécessaires à la célébration du mariage par procuration.

CHAPITRE IV

Don Agnolo

Dès son entrée en Vénétie, Pierre-Paul Rubens ressentit un choc. Pas au contact des grands maîtres et de leur fabuleuse peinture, qu'il attendait; il eut plutôt la révélation qu'une nouvelle vie s'ouvrait derrière le rideau laiteux de la lagune.

– Mon frère, dit-il à Déodat, tu sais que j'ai parfois prescience du futur. Eh bien, un ange bienveillant me dit que je suis mieux fait pour les grandes entreprises que pour les petits travaux, que ma vie d'artiste commence ici, dans la lumière de l'Italie, et que des événements imprévus vont bouleverser nos habitudes!

Déodat, qui ne suivait pas toujours Rubens dans ses élans lyriques, demanda si l'ange avait annoncé où ils gîteraient le soir. C'était toujours lui qui posait ce genre de questions, Rubens s'en remettant à la sagesse de son ami et aux caprices du hasard. Le hasard leur fit rencontrer ce jour-là, sur le chemin de Venise, alors qu'ils se rafraîchissaient non loin de Padoue au bord de la Brenta, un petit moine, brinquebalant sur sa mule chargée de sacs et de gibecières. Son visage s'éclaira quand il arriva à hauteur des deux Flamands occupés à crayonner l'alignement de tilleuls de l'autre côté de l'eau.

– De jeunes artistes! Que Dieu vous bénisse, dit le moine en sautant de sa monture. Laissez-moi me présenter. J'ai pris l'habit sous le nom de Don Agnolo au monastère de San Ruffino, de l'ordre des chanoines réguliers Scopetini, du nom du monastère San Donato de Scopeto.

Pierre-Paul et Déodat se regardèrent, saisis de la même pensée : comment se débarrasser de ce prêtre bavard? Mais le moine, s'il parlait un peu trop vite, en escamotant certains mots, se montra tout de suite intéressant.

– Moine je suis, mais l'art m'emplit l'âme. Je vous dirai, si cela vous intéresse, comment j'ai réussi, encore jeune, à me distinguer par mon habileté à dessiner.

Sans attendre l'assentiment des jeunes gens, il continua :

– Le cardinal Mario Grimani m'a pris à son service, surpris par l'originalité de médailles que m'avait achetées quelqu'un de sa maison. Il paraît que mon trait de plume et la minutie de mes dessins n'avaient pas d'égal. Quand j'eus orné tous les paravents et les portes du palais, la Providence m'a aidé à trouver ma voie.

– Celle de la religion? demanda Rubens.

– Non, celle de mon art.

– Racontez-nous donc cela, mon père. Nous avons, nous-mêmes, artistes débutants, tellement besoin que Dieu guide notre pinceau vers les sommets.

– Eh bien, vous vous en apercevrez, la vie n'est faite que de rencontres. Le maître Julius Dolani est venu au palais pour peindre monseigneur Grimani dans sa gloire cardinalice. Avec une grande bienveillance, il m'a enseigné l'emploi des teintes et des couleurs à la gomme et à la détrempe et, surtout, il m'a conseillé de me consacrer à l'enluminure. «Je sais, m'a-t-il dit, que la vogue des peintres miniaturistes des siècles derniers tend à s'atténuer, mais, en enluminant les livres saints, vous vous rapprocherez plus de Dieu qu'en peignant sur d'immenses toiles des scènes cent fois recopiées. J'aurais voulu être un enlumineur, mais je n'avais ni les qualités ni les yeux pour miniaturiser l'histoire. Vous, vous les avez. Mettez-les à profit et je vous promets une belle carrière.»

– A-t-il eu raison? Pardonnez notre impertinence, mais votre robe rapiécée et votre mule fatiguée ne sont pas signes d'une grande réussite, même dans la vie religieuse. Comment êtes-vous entré en religion?

Don Agnolo laissa un instant son regard se perdre dans le ciel et dit :

– Ne vous fiez pas à l'habit! Le supérieur de mon ordre porte la même robe que moi. Quant à savoir pourquoi je suis devenu moine, c'est toute une histoire, et je ne veux pas abuser de votre attention. Mais laissez-moi vous montrer quelques-unes de mes enluminures; vous saurez me dire si Julius Dolani a eu raison.

Le moine appela sa mule qui broutait un peu plus loin, tira de l'une de ses sacoches deux missels soigneusement enveloppés dans un doux tissu de laine et les tendit aux jeunes Flamands qui s'attardaient sur chaque page en s'écriant :

– C'est un trésor! Comment avec seulement l'œil et la main arriver à une telle minutie! Père, vous devriez être archevêque!

Don Agnolo éclata de rire.

– Merci, mes amis, mais je suis à mon tour curieux de voir votre travail. A en juger par les dessins que vous avez commencés, vous monterez vite les échelons de l'art.

Pierre-Paul et Déodat sortirent leurs carnets et contèrent leur voyage, des brumes du Nord au soleil du Sud.

– Et la fin de votre histoire, mon père? Nous sommes impatients de la connaître, dit Rubens.

– Elle est si incroyable que vous risquez de me prendre pour un affabulateur. Voilà! Après les conseils de Julius Dolani, je me suis consacré aux enluminures, aux petits formats et aux miniatures. Mon succès a été immédiat. J'étais demandé de partout, allais de châteaux en palais peindre la Madone, graver une *pietà* ou un christ en croix. J'ai même peint un *Jugement de Pâris* en camaïeu pour le roi Louis de Hongrie. J'étais riche et considéré, je menais une vie de rêve quand le malheur est arrivé.

– Le malheur! s'exclamèrent en même temps Déodat et Pierre-Paul.

– Oui. J'aimais voyager et m'étais laissé tenter par l'offre du prince de Valachie[1] qui me proposait une forte somme pour venir durant quelques semaines dessiner et peindre à sa cour. Ce prince, qui se faisait appeler Michel le Brave, était un homme de guerre et de conquêtes. Il avait chassé les Turcs, conquis la Transylvanie et se battait contre la Moldavie quand je suis arrivé. J'ignorais ce qui m'attendait, remontant le Danube. Le bateau me déposa dans un pays en plein désordre. Avant d'avoir pu rejoindre le prince, je fus fait prisonnier par une horde de Moldaves qui me volèrent,

---

1. Région historique de la Roumanie.

me maltraitèrent et, finalement, m'abandonnèrent affamé, avec une jambe cassée.

Pierre-Paul et Déodat regardaient, étonnés, ce petit moine, qu'ils imaginaient aisément dans une bibliothèque, penché sur un livre d'Heures, l'illustrant de sa plume légère, raconter d'une voix douce ses aventures dramatiques du bout du monde.

– Mon père, dit Rubens, vous nous touchez. Permettez-moi, s'il vous plaît, de vous dessiner pendant que vous nous conterez la fin de votre aventure. Car elle a une fin, bien sûr.

– La fin, c'est le Seigneur qui en décidera, répondit le moine. Mais, la suite, je vous en fais volontiers le récit. J'ai attendu pendant des jours qu'une bonne âme me porte secours. C'est alors que j'ai fait le vœu de me faire moine si la grâce divine me venait en aide. Je suis sorti dans un pauvre état, mais vivant, de ce calvaire et, revenu en Italie après maints périls, je suis entré au monastère de Scopeto, où l'on m'a soigné et où je jouis, merci mon Dieu, de la quiétude et du repos de l'esprit. Lorsque j'eus retrouvé un état de santé convenable, je me remis à enluminer des ouvrages sacrés. Maintenant, je vais d'un monastère à l'autre, je peins à mon gré des miniatures et des œuvres de plus grandes dimensions. Récemment, j'ai orné non loin d'ici un grand antiphonaire de fines peintures représentant entre autres l'apparition du Christ en jardinier à la Madeleine.

– Vous ne songez pas à vous fixer, mon père ? Il ne doit pas manquer de seigneurs qui vous accueilleraient à leur cour ?

– Pour l'instant, la vie d'enlumineur errant – l'appellation n'est-elle pas charmante ? – me convient, mais peut-être répondrai-je un jour à l'invitation du cardinal Grimani. J'ai envie de connaître Rome où, paraît-il, on apprécie mon travail. Tout cela, mes jeunes amis, me tourneboule l'entendement, et voilà pourquoi je préfère pour l'instant m'en aller vagabonder de monastère en monastère et laisser où je passe la trace de quelques coloriages.

Pierre-Paul, imité par Déodat, avait, durant le récit, dessiné le narrateur. Ils avaient saisi ses gestes, ses traits tour à tour souriants, enflammés, émouvants. Quand ils eurent terminé, ils offrirent au moine leurs pages les plus réussies.

– Voulez-vous, mon père, accepter de choisir parmi ces croquis d'apprentis? Notre maître Otto Vénius nous disait : «Dessinez, dessinez! Quand on a dessiné quelqu'un ou un paysage, on ne l'oublie jamais!» Nous ne vous oublierons pas, mon père.

Don Agnolo, touché, essuya une larme avec le dos de son pouce :

– Merci mes amis. C'est un beau cadeau que vous me faites. Je vais conserver précieusement l'un de ces dessins et, moi non plus, je n'oublierai pas la conversation de deux jeunes Flamands rencontrés sur le chemin de Venise.

Il choisit naturellement la planche des crayonnés de Rubens, mais, attentif aux réactions des autres, remarqua le sourire désabusé de Déodat, et ajouta aussitôt :

– Je vais, si vous le permettez, garder aussi ces dessins que votre compagnon a fort bien réussis. Mais l'échange entre artistes est une vieille coutume : je voudrais que chacun de vous emporte un souvenir de moi.

Don Agnolo ouvrit une seconde sacoche et en tira une dizaine de feuilles couvertes de miniatures plus délicates, plus éclatantes de couleurs les unes que les autres. Les deux garçons exprimèrent leur confusion. Comme Pierre-Paul semblait admirer particulièrement un parchemin, le moine précisa :

– C'est la feuille d'essai de *La Tentation*, qui ouvre le livre d'Heures du cardinal. Prenez-la, c'est peut-être ce que j'ai fait de mieux. Enfin, jusqu'à présent, car un artiste fait des progrès jusqu'à son dernier coup de pinceau…

Pensif, il éloigna puis rapprocha la feuille comme pour mieux voir son Eve au paradis :

– Je dis cela, mais c'est faux en ce qui me concerne. Mes yeux me trahiront. Brûlés avant l'âge par la lumière du Ciel. La miniature use le regard de ceux qui ont choisi de la servir.

Un voile de mélancolie flotta un instant sur le groupe. Don Agnolo le dissipa en éclatant de rire :

– L'heure n'est pas à la tristesse, encore que notre séparation approche. Mais on peut peut-être la retarder. Où allez-vous manger et dormir ce soir ? A la belle étoile ? C'est risqué, et les nuits sont fraîches. Mes amis, si vous le voulez, suivez-moi jusqu'au monastère des capucins qui est à une lieue et où je vais m'établir, le temps d'orner quelques pieux ouvrages. Le supérieur et les moines seront heureux de vous accueillir.

– Merci, père. Nous comptions nous arrêter un peu plus loin dans une auberge, mais acceptons volontiers votre offre, répondit Déodat.

– Ne serait-ce que pour rester un peu plus longtemps en votre compagnie, ajouta Pierre-Paul. Vous prendrez peut-être le temps de nous parler de Venise, que nous allons découvrir demain. Pour nous, c'est un grand jour, notre premier vrai contact avec l'art et les artistes italiens !

– Vous avez raison. Venise est la plus triomphante des cités. Dans le domaine de la peinture en particulier. C'est là, dans leur lumière, qu'il faut découvrir Giovanni Bellini, Giorgione, Titien, Le Tintoret, Véronèse...

Les deux garçons passèrent au monastère des Tormi la plus agréable des soirées. L'abbé Lubienna, le supérieur, était amateur d'art. Il les questionna longuement sur les artistes flamands dont il possédait quelques dessins, ainsi qu'une gravure de la *Trinité*, le splendide tableau de Jan Van Eyck.

Bénis par l'abbé, embrassés par Don Agnolo, Pierre-Paul et Déodat quittèrent leurs hôtes le lendemain matin à la première heure. Le moine leur lança alors qu'ils étaient déjà en selle :

— Je vous souhaite de bonnes rencontres !

— Jusqu'à maintenant, nous n'avons pas été malchanceux, dit Déodat à l'attention de son compagnon en libérant Roma, qui s'élança au côté de Pinceau.

— C'est vrai ! répondit Pierre-Paul. Que Dieu continue de veiller sur nous ! C'est bien beau d'être dans la plus belle cité du monde, de se dire que le fils d'un pauvre teinturier, Le Tintoret, y a peint des chefs-d'œuvre, encore faut-il s'y loger, et se nourrir... La peinture y est reine, mais on ne nous attend pas, pauvres apprentis étrangers que nous sommes. Enfin, croyons à notre bonne étoile !

— Tu oublies que j'ai peu utilisé mes lettres de banque et que l'associé de mon père, signor Arnolfi, va nous recevoir. J'ai pour lui un ordre le priant de mettre à ma disposition l'argent qui me serait nécessaire. Cela nous permettra de manger, le temps de devenir les successeurs des Bellini !

— Je t'ai dit que je ne voulais pas vivre aux dépens de ta famille...

– Eh bien, pour ménager ton amour-propre, considère cela comme un prêt. Tu me rendras cet argent quand nous serons revenus à Anvers, toi célèbre et moi honnête artiste amateur.

– Bon, mais pense plutôt à ce qui nous attend dans quelques heures : le palais des Doges, San Marco, le Grand Canal et toutes ces églises peuplées de chefs-d'œuvre. Mais avant cet éblouissement il nous faudra mettre nos montures en garde. On ne circule pas à cheval sur les canaux ni dans les rues étroites de la cité lacustre !

– Nous devons aussi penser à nous habiller ! Nous ne pouvons décemment pas circuler en ville dans nos hardes de voyage, sales et usées. Cela m'amuse assez de me vêtir à l'italienne. Et toi ? Les Vénitiens sont, paraît-il, très élégants !

Rien n'est facile pour des étrangers qui débarquent à Venise, cette ville si singulière. Pierre-Paul et Déodat en firent l'expérience dès leur arrivée. Ils s'attendaient à tomber en extase devant les ors de la basilique : la route de Vérone aboutissait à un bourg triste et nauséabond, posé sur un marécage.

– Mais où est Venise ? réussit à demander Déodat à un bonhomme qui traînait sa carcasse sur la place et ne souhaitait rien d'autre qu'aider son prochain contre quelques pièces de monnaie.

L'individu, attifé d'une blouse autrefois blanche et d'un chapeau à larges bords, sourit et, dans un jargon mêlé de latin, d'italien et d'allemand qui, curieusement, ressemblait à celui auquel avaient recours les voyageurs, répondit :

– Vous n'êtes pas à Venise. Venise s'étend plus loin, de part et d'autre du Canal Grande. Vous n'y parviendrez pas à cheval.

Finalement, l'homme au chapeau se révéla providentiel. Il dénicha, à deux pas, l'écurie où Pinceau et son compagnon furent laissés aux soins d'un palefrenier sourd et muet qui, en quelques gestes, fit comprendre aux deux Flamands que leurs montures seraient bien nourries.

L'homme, qui avait dit s'appeler Marco, s'offrit ensuite d'aider les voyageurs à porter leurs volumineux bagages jusqu'au canal. Déodat lui montra une lettre où figurait l'adresse du signor Arnolfi. Marco répondit par un gracieux mouvement de rameur et leur indiqua un embarcadère où quelques barques attendaient. « Gondola, gondola ! » dit-il. Les garçons avaient entendu parler de ces curieux bateaux aux extrémités recourbées. « C'est en gondole qu'il faut découvrir Venise ! » avait dit le maître Otto Vénius. C'est en gondole qu'ils regardèrent, éblouis, se dérouler le fabuleux ruban des palais vénitiens dont le rameur, vêtu de noir comme sa gondole, annonçait les noms au passage. « Palazzo Vendramin, palazzo Foscarini, Ca'd'Oro, palazzo Bandolin… » et, enfin, le Rialto, une arche unique de bois curieusement construite sur trois rangées d'escaliers et de boutiques.

– Voici le palazzo Arnolfi, fit Marco, en désignant une bâtisse ocrée, qui, sans rivaliser avec les plus grandes demeures, ouvrait sur l'encre luisante de l'eau trois étages de fenêtres en ogive ourlées de marbre.

Avec une adresse infinie, le gondolier glissa le nez retroussé de sa nacelle entre les robustes pilotis alignés comme des gardes devant le palais et amarra contre l'étroit embarcadère de planches. La tête grisée de parfums nouveaux, pris d'un délicieux vertige dû au balancement de la gondole, les deux amis sautèrent sur le ponton. La porte de bois du signor Arnolfi était ornée d'une simple pancarte :

«Draperies de tous pays». Marco débarqua les sacs et les sacoches qui constituaient le bagage des jeunes gens, qu'il salua d'un large coup de chapeau :

– Ma mission est terminée. Si vos seigneuries sont satisfaites, un ducaton fera l'affaire pour payer le gondolier Pasquale et ma modeste personne.

La somme ne parut pas excessive aux deux amis trop contents si vite d'être parvenus à bon port. Avant de frapper à la porte, Déodat tira de l'une des sacoches leurs deux chapeaux flamands, soigneusement roulés, et leur ajusta la plume blanche de goéland, signe de leur appartenance à la gilde de Saint-Luc :

– Nos chapeaux sont les derniers témoins encore convenables de l'élégance flamande. Nous en saluerons gracieusement le signor Arnolfi et sa famille.

Une minute plus tard, ils étaient en présence de leur hôte, dans une pièce qui occupait tout le rez-de-chaussée de la demeure et pleine de balles de tissus, de pyramides de rouleaux, de sacs débordant de fourrures d'hermines, de martres et de renards :

– C'est ici l'endroit où sont conservés les tissus les plus précieux de la maison. Tout le reste est dans nos magasins de la Drapperia, au Rialto voisin. Dans les étages se trouvent le bureau de la banque et les appartements de la famille. Montez, je vais vous présenter la signora Arnolfi et vous montrer vos chambres. Elles sont tout en haut. Vous aurez ainsi une vue plongeante sur le marché.

– Nous comptions trouver par vos soins une bonne auberge. Nous ne voudrions en aucun cas vous déranger, dit Déodat.

– *Nò e pòi nò!* Vous allez loger ici. Je dois d'abord vous remettre une lettre que monsieur Van der Mont, sachant que vous deviez passer chez moi, m'a fait parvenir par le courrier rapide de notre banque. Les événements, hélas!, sont navrants. Votre père est très malade. Le message qui m'était destiné laisse entendre qu'il vous souhaite près de lui pour vous mettre au courant des affaires.

– Mon Dieu, est-ce si grave? demanda le garçon en blêmissant.

– Il faut espérer que non. Je suis désolé de vous accueillir avec de si mauvaises nouvelles. Monsieur Van der Mont est un ami de longue date et nous avons beaucoup d'intérêts communs. Inutile de vous dire que, si vous deviez seconder votre père, mon aide et mon amitié vous seraient acquises.

Déodat ouvrit en tremblant le pli que lui tendait son hôte. Ses traits se crispèrent au fur et à mesure de sa lecture. A la fin, il donna la lettre à son ami en disant d'une voix blanche :

– Oui, c'est grave, je vais devoir retourner à Anvers.

Pierre-Paul, ému, déchiffra l'écriture de monsieur Van der Mont, bien faite pour rédiger les virements et les ordres de banque : «Mon cher fils, trois semaines après ton départ pour l'Italie, j'ai été pris de malaises et ai eu recours aux bons soins de notre médecin Bommel. C'est le cœur qui a faibli, dont les battements trop lents me causent une grande fatigue. Les drogues que Bommel m'ordonne ne font pas d'effet et me donnent de pénibles douleurs d'estomac. Je suis navré de devoir interrompre ce voyage à peine commencé. Mon ami Arnolfi organisera ton retour, que je souhaite le plus rapide possible. J'ai en effet besoin de toi. Je dois songer à te mettre au courant des affaires, afin que tu sois prêt à me succéder si Dieu me rappelait. Ta mère est admirable et me soutient comme elle le peut. Elle aussi a hâte de te voir rentrer à la maison. Que Dieu te garde, mon cher fils ! »

Pierre-Paul ne savait que dire à son ami en plein désarroi. Arrivés joyeux à Venise quelques heures plus tôt, ils se trouvaient soudain complètement désorientés. C'était pour Déodat l'inquiétude, le chagrin, la fin du rêve. Pour Rubens, la compassion, ldes projets fraternels mûris le long des grands chemins.

Le signor Arnolfi laissa un moment les deux amis partager leur tristesse, puis dit à Déodat :

– Votre père ne souhaite pas vous voir reprendre seul la route du retour. Je partage, comme sans doute votre ami, la même opinion. Un courrier devait partir le mois prochain pour Lyon, Paris et Anvers. Eh bien, il prendra la route avec vous aussitôt que possible et fera d'abord étape à Anvers. C'est un habitué du trajet. Le plus long sera de rejoindre Bâle. Là, vous prendrez le bateau, embarquerez vos montures et descendrez le Rhin. Dans ce sens, la voie fluviale est de loin la plus rapide. En quatre jours, cinq au plus, vous serez à Cologne, et Anvers ne sera plus loin… Eusèbio, c'est le nom de votre prochain compagnon de voyage, connaît chaque tournant de la route et tous les péages sur le fleuve. Je vous confie à lui comme je le ferais de mon fils.

Déodat remercia chaleureusement le drapier banquier :

– Je vous devrai, signor Arnolfi, une infinie reconnaissance. J'ai hâte de répondre à l'attente de mon père et suis à votre disposition. C'est avec déchirement que je quitterai Venise et mon cher Rubens qui va perdre, sinon un brillant élève, du moins un ami très cher.

– Si notre hôte, dit Pierre-Paul, n'avait pas organisé ton retour avec tant de sollicitude et d'efficience, je serais sans hésiter reparti avec toi. Jamais je ne t'aurais laissé repartir seul!

– Toi, tu dois poursuivre le voyage en toute sérénité! C'est ton avenir de grand peintre qui est en jeu. Je sais que Rubens sera un nom célèbre lorsque tu rentreras au pays. Je vais te laisser les lettres de change qui me restent et monsieur Arnolfi te prêtera les ducats nécessaires pour subsister quelques mois. Jusqu'à ce que tu puisses vivre de ta peinture, ce qui, j'en suis sûr, ne saurait tarder. Je te répète, avant que tu n'invoques je ne sais quelle raison de refuser, qu'il s'agit d'un prêt!

Emu, Pierre-Paul serra Déodat contre lui. Le signor Arnolfi les fit revenir aux nécessités du moment:

– Je crois qu'il est temps, mes amis, de vous laver de la poussière de la route. Gasparo, le valet, va vous montrer votre chambre et l'endroit où vous pourrez faire vos ablutions. Il vous portera un peu plus tard des habits propres et du linge pour vous changer… Non, ne me remerciez pas. L'hospitalité est de tradition chez les Vénitiens, et c'est en plus pour moi une douce obligation de recevoir chez moi le fils de mon ami Van der Mont et son compagnon. Les vêtements sont les miens ou ceux de mes fils. Ils sont maintenant les vôtres.

Cinq minutes plus tard, Pierre-Paul et Déodat s'ébattaient comme des gosses dans un grand baquet d'eau tiède.

– Je ne nous savais pas aussi sales! dit le premier en frottant le dos de son compagnon.

– Moi non plus! Regarde ces pantalons bouffants et ces pourpoints galonnés d'or que le diligent Gasparo vient d'apporter!

– Ma parole, ce sont des habits de fête!

– Les Vénitiens, dit-on, vivent dans une fête perpétuelle. Allons-y pour la fête! s'écria Rubens en se reprochant aussitôt cette démonstration de bonne humeur. Pardonne-moi d'avoir oublié un instant que tu es dans l'affliction.

– Mais non, mon ami. Moi aussi je viens de me surprendre à rire. Mon père, un joyeux Anversois, n'aimerait pas me voir répandre tristesse et humeur chagrine. Jusqu'à preuve du contraire, il est en vie. Je refuse de pleurer mon père alors qu'à l'heure actuelle il est peut-être guéri.

– Alors, endossons nos vestes dorées… Regarde, l'étoffe en est de belle qualité et fait honneur à la maison.

Les deux compagnons choisirent leur vêtement parmi les plus discrets. Rubens tenta de conserver son chapeau flamand qui, vraiment, détonnait dans l'ensemble vénitien.

– Il est temps, dit Déodat, de descendre retrouver la famille Arnolfi.

Autant le père était mince et prompt dans ses mouvements, autant la signora était imposante. Son visage, en revanche, était d'une rare finesse. Sa bouche bien dessinée, son nez parfait et sa chevelure blonde et ondulée rappelaient telle Madone de Raphaël, faisant oublier les formes un peu trop généreuses du buste. A son côté se tenait une jeune fille d'une quinzaine d'années à qui la nature avait offert le visage éblouissant de sa mère et la sveltesse de son père.

Le signor Arnolfi les présenta aux deux Flamands en précisant :

– Nous avons aussi deux fils qui ne sont pas en ce moment à Venise. L'aîné, qui m'aide dans les affaires, est à Gênes, où nous avons une importante succursale; le plus jeune est à Crémone, où une famille de luthiers, les Amati, fabrique, paraît-il, les meilleurs violons du monde. Il faut dire qu'Andrea est un passionné de musique. Il ne s'intéresse pas du tout à nos négoces mais joue divinement. Il a eu pour maître à Modène le grand Marco Uccellini et pense progresser avec un instrument du luthier Amati[1].

Le drapier parlait avec fierté de son fils musicien :

– J'avais rêvé d'avoir un artiste dans la famille, un peintre… C'est un virtuose et un compositeur, j'en suis ravi, ma femme aussi.

– Quel dommage, dit celle-ci, qu'Andrea ne soit pas là. Il vous aurait joué à la façon de son maître Uccellini une sonate où le violon est appelé à sonner comme une trompette.

Pierre-Paul faillit dire que, si on aimait entendre de la trompette, il n'était peut-être pas très logique d'utiliser un violon, mais il se tut. A table, il fut placé à côté de la jolie Cornèlia ; Déodat, près de la signora Arnolfi. Rubens craignait que la tristesse ne marque le repas, mais le drapier était d'un naturel enjoué et Déodat réussit à oublier, un temps, son inquiétude. Les deux compères durent raconter les péripéties de leur chevauchée, leurs rencontres, la façon dont ils avaient pu communiquer avec les gens. Cornèlia demanda à voir les carnets de dessins et supplia les deux peintres, avec une grâce à damner le doge, de faire son portrait. Ils s'y engagèrent naturellement et Rubens dit qu'il voulait, le lendemain, peindre le palais Arnolfi, le pont du Rialto et le marché.

– Il faudra seulement que j'aille acheter des couleurs. Y a-t-il un bon marchand à Venise ?

---

1. Il fallait être riche pour acquérir un violon de Nicola Amati, petit-fils d'Andrea, le fondateur de l'école crémonaise que la famille illustrera jusqu'au XVIIIᵉ siècle. C'est dans l'atelier de son maître, Nicola Amati, que Stradivarius créera ses premiers violons, vers 1665.

Cornèlia sourit :

– Ne savez-vous pas, monsieur Rubens, que Venise est la ville des couleurs? On prétend que la peinture à l'huile y est née, mais je crois que la Flandre revendique aussi cet honneur. Il y a au moins dix marchands entre San Marco et le Rialto. Je vous mènerai demain chez le signor Bartolomèo dans le quartier de la *Merceria*. C'est un personnage étonnant. Je vous ferai en même temps découvrir des églises et des palais qui recèlent les plus beaux chefs-d'œuvre de la peinture vénitienne. Avec moi, vous ne passerez pas à côté des neuf petites toiles de la *Légende de sainte Ursule*, de Carpaccio. Je les adore!

Elle avait prononcé ce dernier mot les lèvres arrondies sur de petites dents étincelantes comme des perles. Pierre-Paul reçut la vision comme un baiser. Quand on se quitta, en lui disant bonsoir, il glissa à l'oreille de Cornèlia : «Vous ne savez pas, mademoiselle, le plaisir que j'aurais à vous peindre!»

Montés dans leur chambre, Pierre-Paul prit son ami par les épaules :

– Tu as été courageux, Déodat. A ta place, je ne sais pas comment je me serais comporté.

– Ce n'est pas du courage, mon cher Pierre-Paul, c'est de la sagesse. En face d'événements que l'on ne peut contrôler, il faut réagir, fractionner la vie comme se partagent les champs dans la campagne. En ce qui me concerne, il y aura bientôt Anvers, mon père et des larmes, peut-être; mais, pour quelques jours encore, il y a Venise, et je veux vivre comme si nous allions continuer notre beau voyage. Je compte sur toi pour ne plus faire allusion aux nouvelles que j'ai reçues!

– Promis, mon frère ! Permets-moi seulement de te dire que je t'admire !

Ils ouvrirent alors toute grande la fenêtre et contemplèrent en silence les toits de Venise éclairés par la lune. En contrebas, les eaux maintenant sombres du Grand Canal que la signora Arnolfi, comme les vieux Vénitiens, appelait *Canalazzo*, vivaient un moment exquis.

– Regarde, dit Rubens, ces falots qui vont sur l'eau une gondole à la main. Ce sont les fées du Grand Canal…

Les fées et leurs lanternes se suivaient dans un doux clapotis. Certaines égrenaient dans leur sillage les notes de cordes grêles. D'autres barques lançaient vers l'Ours et le Chariot des complaintes amoureuses.

Les deux amis restèrent ainsi longtemps, pleins d'un silence qu'aucun d'eux ne voulait rompre. Quand, enfin, le canal se tut, ils s'allongèrent sur le grand lit qui sentait l'orange.

– Bonne nuit vénitienne, mon frère, souffla Pierre-Paul. Demain, Cornèlia nous emmène découvrir quelques-uns des trésors de sa ville. Nous ne pouvions espérer guide plus charmant. Ne rêvons pas pourtant, elle sera escortée par sa mère. Pas une famille patricienne ne lâcherait dans Venise une vierge en liberté !

Au matin du lendemain, à peine étaient-ils descendus de leur pigeonnier qu'ils trouvèrent madame Arnolfi et Cornèlia au pied du débarcadère, prêtes pour l'excursion. Les jeunes Flamands découvrirent avec étonnement la vie matinale du canal, les barques, les trières, et même les lourds vaisseaux de commerce chargés à plein bord de toutes les denrées qui peuvent circuler dans une ville florissante.

Madame Arnolfi avait revêtu une élégante robe simple, coupée dans un riche tissu. Sa fille, elle, était couverte des pieds à la tête d'un manteau bleu foncé dont la sévérité surprit les jeunes gens, qui l'avaient vue chez elle, la veille au soir, dans une tenue légère et décolletée. Ni perles ni bijoux, une collerette de dentelle pour seul ornement. Cornèlia restait pourtant bien jolie dans son habit de sœur de la Charité. Elle le savait, s'assurant d'un regard que les garçons l'avaient remarquée avant de les inviter à rejoindre sa mère dans la barque familiale. La luxueuse gondole des Arnolfi ne ressemblait que par sa forme et sa couleur d'oiseau noir à celle du rameur Pasquale qui les avait conduits la veille. Des cuivres brillants comme l'or garnissaient les bords, la *prova*[1] luisait au soleil et les sièges sculptés étaient rembourrés de coussins aux couleurs de la famille.

– J'ai l'impression que notre gondole vous captive plus que nous ! dit Cornèlia en riant.

Les Flamands se récrièrent un peu honteux et complimentèrent la mère et la fille :

– La délicate dentelle noire qui encadre votre visage d'ange est d'une grande recherche, dit Déodat. Madame votre mère porte la même. Est-ce la mode à Venise ?

– Allons, n'imitez pas l'Arétin qui a écrit, comme le répète à tout bout de champ mon couturier, lequel se croit lettré : «Sous le voile noir transparent de la Vénitienne on croit voir un ange du ciel.» Je ne suis ce matin que votre ange gardien. Nous allons d'abord chez un vieux Vénitien qui devrait vous intéresser, monsieur Rubens : votre marchand de couleurs.

---

1. La proue de la gondole est ornée, depuis l'origine, d'un fer luisant découpé symboliquement en forme de corne, celle dont le doge est coiffé.

La gondole commença sa marche serpentine entre les bateaux qui se suivaient et se croisaient sur le canal. La signora Arnolfi et Cornèlia leur désignaient les palais, tous différents et superbes, qui défilaient sous leurs yeux.

– Nos visiteurs, dit la signora Arnolfi, découvrent toujours avec émerveillement cette partie du Grand Canal qui mène à la lagune, jusqu'au pied de la piazzetta San Marco.

– Voici la Dodagna di Mare, continua Cornèlia. La construction en est récente et vient d'être inaugurée par le doge. Tout ce qui arrive à Venise par cette imposante flottille de galères et de nefs que vous voyez ancrées au large est déchargé et taxé sur ce quai. Ce n'est pas par hasard si le globe doré qui surplombe la Douane de mer est coiffé de la statue de la Fortune.

La gondole accosta à quelques pas de deux hautes colonnes de granit qui semblaient monter la garde devant le palais ducal et la basilique.

– Ces colonnes sont les symboles de Venise, expliqua madame Arnolfi. Elles sont surmontées l'une du lion de saint Marc, l'autre de la statue de Saint Théodore, les deux patrons de la ville. Elles marquent, comme a dit un poète dont j'ai oublié le nom, la limite entre le fini et l'infini.

– Venise est-elle le fini ? demanda Rubens.

– Notre étrange cité, qui a subi tant de bouleversements et en connaîtra d'autres, qui doit lutter jour après jour contre l'érosion par l'eau saumâtre de la forêt de pilotis sur laquelle elle est bâtie, ne sera jamais finie.

– Comme vous aimez votre ville ! s'exclama Déodat.

– Comme tous les Vénitiens, mon ami. Vous l'aimerez aussi quand vous aurez découvert quelques-uns de nos trésors. Après un premier contact avec la Basilique, poursuivit madame Arnolfi, nous nous engagerons, à pied, dans les *calli* et les *campielli* de la ville labyrinthe. Surtout, ne nous perdez pas de vue. Si vous étiez obligés de demander votre chemin, on vous répondrait en vénitien : «*Lei vada sempre dritto*», allez toujours tout droit. Et vous finiriez dans les eaux d'un canal. Aller tout droit, pour les Vénitiens, c'est suivre les grandes voies même si elles sont tortueuses…

Cornèlia empêcha les deux jeunes gens de s'attarder trop longtemps devant les ors des mosaïques de San Marco et les entraîna, au nord de la place, vers une impressionnante tour carrée où le lion de saint Marc trônait sur un fond de lapis-lazuli.

– Voici la tour de l'Horloge, dit-elle.

En effet, au-dessus du porche, un immense cadran comptait les heures de l'éternité vénitienne. La jeune fille précisa :

– Les aiguilles indiquent aussi les phases de la lune et le mouvement du soleil d'après les signes du zodiaque. C'est un mécanisme unique que toutes les villes d'Italie et même d'Europe nous envient.

Au moment où ils allaient passer le porche, le bruit profond d'une cloche leur fit lever les yeux. Sur la terrasse de la tour, deux géants battaient le bronze de leurs pesants marteaux.

– Ce sont les deux *Mori* qui rythment le temps, dit Cornèlia. Passer sous le *portico* au moment où les *Mori* sonnent l'heure porte bonheur. Alors, *òcci allégri*! Entrons dans le cœur de Venise par la Mercería. Si l'on en suit les méandres grouillants, on arrive au Rialto.

Ils n'allèrent pas jusque-là et quittèrent rapidement la voie tortueuse bruissant d'échoppes, de boutiques de tissus, d'ateliers d'artisans, pour pénétrer, à droite, dans une *calle* plus étroite, qu'une inscription gravée dans la pierre annonçait comme la «rue de la Femme-Honnête». Devant l'étonnement des jeunes gens, Cornèlia expliqua en riant :

– C'est l'un des mystères de Venise : les rues, quand elles ne portent pas le nom d'un saint ou d'une famille ancienne du quartier, peuvent avoir d'étranges dénominations. Vous trouverez ainsi un peu plus loin la «rue des Assassins». Derrière cela, il y a bien entendu une histoire, mais tout le monde l'a oubliée. Enfin, nous voilà arrivés chez le vieillard qui m'est le plus cher, après mon grand-père : le signor Bartolomèo. Je ne vous en dis pas plus, préférant vous laisser découvrir ce personnage de légende.

Ils entrèrent dans une salle éclairée par une baie donnant sur un petit canal bordé de maisons étroites. Ces dernières portaient toutes des numéros à trois chiffres. Pierre-Paul s'en étonna.

– Encore une originalité de Venise, expliqua madame Arnolfi. Le numérotage des maisons se fait par quartier. Du chiffre 1, on progresse jusqu'à l'infini, enfin, jusqu'au quartier suivant, dans le désordre des rues. Je vous montrerai une *calle* qui n'a pas plus de cinq toises de long et dont l'unique adresse porte un numéro à quatre chiffres !

Les murs du magasin du signor Bartolomèo étaient garnis d'étagères chargées de fioles, de carafes, de boîtes étiquetées de noms bizarres ou faisant référence à des pays inconnus. Soudain, comme au théâtre, un personnage fluet, enveloppé dans un long tablier couvert du mélange de toutes ses couleurs, surgit d'une porte et entra dans le décor. Difficile de lui donner un âge : sa barbe blanche, gonflée comme le nuage d'un plafond du Tintoret, cachait l'essentiel de son visage, dont on ne distinguait que deux yeux d'un vert pâle et des lèvres esquissant un sourire très doux.

– La signora Arnolfi! s'écria-t-il. Et la signorina Cornèlia! Quel heureux vent vous mène dans mon antre? Comment se porte le signor Arnolfi?

– Bien, monsieur le seigneur des couleurs, répondit la jeune fille.

– Oh! Il ne reste guère que vous, délicieuse fleur du jardin de Venise, à m'attribuer ce titre! Quelle raison aurait-il de survivre dans une ville qui a perdu ses grands artistes?

– Mais il y a encore des peintres à Venise! Des peintres pour vous acheter les meilleurs pigments et les couleurs les plus pures du monde!

– Il reste certes à Venise des gens qui mettent de la peinture sur une toile. Mais que pèsent les moins médiocres d'entre eux auprès des maîtres qui m'ont fait confiance toute leur vie et qui, pour rien au monde, n'auraient accepté de garnir leur palette ailleurs que chez Bartolomèo...

– Ne me dites pas qu'ils vous ignorent...

– Hélas. Les jeunes achètent aujourd'hui n'importe quoi chez n'importe qui. Le marchand Pelizzi de Florence vient même d'ouvrir boutique dans le quartier de San Giovanni Crisostomo! Les malheureux ne se rendent pas compte que les tableaux peints avec les couleurs qu'il leur vend se fendilleront avant qu'ils aient eux-mêmes le temps de vieillir! Ah, ce n'est pas Le Titien ni Véronèse qui auraient pris ce risque!

– Comment, monsieur, vous avez vendu des couleurs au Titien et à Véronèse? demanda Rubens.

– Oui, pardi. Et aussi à Tintoret! Tous les grands, morts aujourd'hui, étaient des amis avant d'être des clients. Ils venaient, dans cet atelier, oui, là où vous vous trouvez, choisir leurs couleurs, nous demander de composer avec eux une teinte nouvelle, de chercher un vernis particulier. Tenez, le fameux vert Véronèse est né sur ce comptoir!

Pierre-Paul et Déodat auraient écouté des heures le vieux magicien des nuances qui s'interrompit pour demander :

– Mais qui êtes-vous, jeunes gens, qui semblez vous intéresser aux artistes de Venise? Vous avez un curieux accent.

Cornèlia s'empressa de répondre :

– Ce sont de jeunes peintres venus de Flandre découvrir nos grands artistes et prendre modèle sur leur génie. Le père de monsieur Van der Mont est un associé et un ami de mon père. Son ami, monsieur Rubens, doit peindre mon portrait avant de partir pour Florence et Rome. Il a besoin de couleurs et je lui ai dit qu'il n'en trouverait pas de meilleures que chez vous.

– Ainsi, vous venez de Flandre, le pays de Jan Van Eyck, ce génie qui a découvert le moyen de peindre à l'huile sans que les teintes s'altèrent en séchant!

– Notre maître Otto Vénius nous a raconté cette histoire mais sans nous en donner de détails, dit Rubens. Voulez-vous nous la conter?

– Van Eyck allégeait l'huile cuite, que les peintres mélangeaient depuis l'Antiquité à du jaune d'œuf ou à de la colle, en y délayant de l'essence de térébenthine, substance qu'il avait découverte en distillant la résine liquide qui coule des troncs de certains conifères. C'est un peintre sicilien, Antonello de Messine, qui est allé chercher à Bruges, chez maître Van Eyck, la formule secrète, et l'a rapportée en Toscane[1].

---

1. *Cf.* Jean Diwo, *Au temps où la Joconde parlait*, Flammarion.

Sans elle, la peinture italienne n'aurait jamais pu égaler celle des peintres flamands.

– C'est presque incroyable ! dit Rubens. Parler de Titien et de Véronèse avec quelqu'un qui les a connus, vous vous rendez compte !

– Asseyez-vous dans ce fauteuil, devant le comptoir. Tintoret aimait s'y installer quand il venait parler couleurs avec le vieux Bartolomèo, puis avec moi. Et Véronèse ! Je me rappelle que mon père, invité par un membre de la Segreteria, m'a emmené à une cérémonie dans la bibliothèque nicéenne du palais des Doges. Elle venait d'être décorée par les plus grands peintres de Venise, dont Véronèse, qui y avait peint une allégorie de la musique reconnue comme la meilleure par les procurateurs. Je le revois encore recevant du vieux Titien la chaîne d'or qui récompensait son œuvre !

Deux jours plus tard, Déodat fit ses adieux à Venise. Rubens et Cornèlia, dissimulée par sa capuche, l'accompagnèrent à bord de la gondole des Arnolfi jusqu'à Santa Chiarra, où l'attendait Eusèbio Cardini, son futur compagnon de voyage. Installé à côté de Cornèlia, Déodat ne pouvait cacher sa détresse. En face d'eux, Pierre-Paul restait muet, le regard perdu dans les eaux vertes. En vain la jeune fille essayait-elle de les intéresser aux palais qui défilaient de chaque côté du Canal. Pour Déodat, Venise appartenait déjà au passé… Quant à Rubens, il savait qu'il allait devoir oublier les joies du vagabondage partagées avec son ami.

Le décor triste de l'antichambre de Venise les ramena à la réalité en même temps qu'à la terre ferme. Eusèbio les attendait au débarcadère en compagnie de l'inévitable Marco, qui les salua de son chapeau crasseux :

– Signor, permettez que je charge les bagages sur votre jument, que vous allez retrouver en admirable santé. Elle a été soignée et bien nourrie, comme je vous l'avais promis. Alberto! cria-t-il. C'est mon *aussiliàrio*, ajouta-t-il.

Un gamin arriva aussitôt, tenant Roma par la bride et une seconde monture toute harnachée qui, d'évidence, était destinée au courrier de la banque.

– Ma brave Roma, dit Déodat, je t'avais baptisée du nom d'une cité illustre que le destin nous empêche de connaître, mais te sentir chaude et fougueuse entre mes jambes va m'aider à oublier ce rêve inachevé.

Quand Marco eut bouclé les sacoches et vérifié la mise en place des rênes et des étriers, Déodat se jeta dans les bras de son ami.

– Allons, il faut partir! dit Eusèbio. Nous devons, selon les ordres du maître, respecter l'itinéraire et les horaires du courrier. Rassurez-vous, c'est au moins la dixième fois que j'emprunte la route de la banque. Monsieur Arnolfi vous a confié à moi et je vous mènerai sain et sauf à Anvers. Dites-vous que vous allez chevaucher quelques semaines avec un ami.

– Je sais que monsieur Van der Mont ne pouvait avoir de meilleur guide que vous, Eusèbio, dit Cornèlia. Je vous souhaite à tous deux bon voyage.

Déodat, qui n'avait pu cacher son affliction à bord de la gondole, avait retrouvé sa vaillance. Il sourit à Cornèlia et l'embrassa en lui glissant : «Je reviendrai.» Pierre-Paul aida son ami à se mettre en selle et lui serra encore une fois la main :

– Bon courage, mon frère. Ta pensée ne me quittera pas tout le temps que je serai en Italie. C'est pour toi que je vais essayer d'y devenir un vrai peintre !

– Allons ! dit Eusèbio, en lâchant son cheval sur la route de Trévise.

Déodat ajusta son vieux chapeau flamand retrouvé et piqua doucement de l'éperon Roma, qui, contente, s'offrit un petit galop. Déodat ne se retourna pas.

Cornèlia tendit son mouchoir de dentelle à Pierre-Paul qui avait les yeux pleins de larmes :

– C'est triste, mais on ne peut rien contre le destin, le consola-t-elle en l'entraînant vers la gondole.

Rubens l'arrêta :

– Attendez, j'aimerais dire bonjour à Pinceau qui languit dans son écurie. C'est le meilleur des chevaux et nous avons encore du chemin à faire ensemble. Je vais vous le présenter. Aimez-vous les chevaux ?

– Oh, vous savez, ce n'est pas le moyen de transport le plus pratique à Venise ! Hormis le quadrille doré qui, au-dessus du porche de la Basilique, semble prêt à sauter sur les pigeons de la place Saint-Marc, les chevaux sont interdits de séjour dans les *calli* et les *campielli*. A propos des chevaux de Saint-Marc, je vous conterai leur fantastique histoire. Pourquoi pas pendant que je poserai devant votre chevalet ? Vous n'avez pas oublié, j'espère, que vous me devez un portrait ?

– Non, mon beau modèle, je n'ai pas oublié. Mais vous prenez un risque : à part quelques dessins d'école et un portrait de ma mère, je ne me suis jamais vraiment hasardé à l'exercice.

– Je n'ai aucune crainte, j'ai vu vos croquis de voyage !

– Ma chère, entre une silhouette crayonnée à un tournant de route et un portrait posé, peint à l'huile, il y a une grande

105

différence! Je crains vraiment de trahir votre beauté et la fraîcheur de votre teint.

Déodat et Eusèbio étaient déjà loin sur la route poudreuse de Padoue et de Vérone alors que Pierre-Paul et la jeune Arnolfi voguaient doucement vers le Rialto, accompagnant du haut du corps les balancements sinueux de la gondole. Ils restaient silencieux, guettant sans se l'avouer l'instant où le mouvement syncopé de la rame les rapprocherait au point d'établir entre eux un bref contact. Quand la barque toucha, dans un crissement, le ponton du palais Arnolfi, Pierre-Paul tressaillit et se tourna vers Cornèlia. Elle souriait, les paupières mi-closes, la bouche entrouverte, et le jeune homme s'imagina qu'elle pensait aux instants qu'ils allaient partager.

Le portrait était un bon prétexte pour justifier l'hospitalité des Arnolfi. Pierre-Paul l'accepta sans trop de scrupules et retrouva avec bonheur la chaleur d'une vie familiale, embellie par la présence de Cornèlia. La jeune fille ne quittait guère de la journée son hôte, elle prenait plaisir à lui servir de guide, accompagnée parfois de sa mère, parfois seule, mais travestie en religieuse, et à poser pour lui l'après-midi. Elle avait transformé l'un des salons de l'étage en atelier, posé un chevalet dans la lumière du Canal et rangé sur une table les pigments, les poudres et les flacons rapportés de chez Bartolomèo. Le blanc de melinum, le sil attique pour les jaunes, la sinopis pour les rouges et le noir d'Atrament voisinaient dans des godets. L'essence de térébenthine exhalait des effluves qui ne surprenaient plus le peintre, mais enivraient Cornèlia.

Le vieux marchand de la Merceria avait offert à Pierre-Paul, «en hommage à l'art flamand», une palette mille fois couverte et mille fois grattée qui, même nettoyée et lissée, restait imprégnée de couleurs passées, legs de l'ancien propriétaire. Bartoloměo affirmait que la palette avait appartenu au Tintoret. Cela faisait sourire Pierre-Paul. Pourtant, lorsqu'il mélangea pour la première fois du vert pur et de l'ocre sur le vieux bois, il lui sembla que l'autoportrait du maître, admiré la veille à l'église de la Madonna dell'Orto, s'inscrivait dans les marbrures floues de la palette.

Voilà qui touchait au surnaturel. Rubens, troublé, s'interrogea : «Et si c'était vrai? Et si le grand Tintoret m'envoyait un signe d'encouragement en me permettant de glisser mon pouce avec confiance dans l'ouïe de la palette qui l'a accompagné tant d'années durant?»

– A quoi pensez-vous? demanda soudain Cornèlia, qui s'appliquait à tenir la pose.

– Au Tintoret, qui m'a peut-être transmis, par la grâce de Dieu, sinon une parcelle de son génie, du moins un soutien bienveillant.

– Avec la palette du Tintoret et un modèle exceptionnel, vous devriez faire un chef-d'œuvre!

Ils rirent ensemble avant que Pierre-Paul replonge dans son travail. Concentré, il ne répondait plus maintenant que par monosyllabes au bavardage de Cornèlia. Il savait d'expérience que, une fois entré dans son sujet, il devait réussir à saisir rapidement dans son ébauche, non pas le détail des traits mais l'expression du visage dans son entier, sous peine de compromettre la qualité de son œuvre.

Au bout d'une heure, il était rassuré : l'audace et la gaîté du regard qui caractérisaient la nature de Cornèlia ne lui échapperaient pas.

– Merci, signorina. C'est fini pour aujourd'hui… Qu'il est difficile de peindre la perfection! ajouta-t-il en plaisantant.

Si vous aviez les oreilles pointues, un nez crochu et une bouche trop grande, mon travail serait beaucoup plus aisé.

– Quittez donc cette idée de perfection de mon visage. Disons que mes parents m'ont dotée de traits agréables, c'est déjà beaucoup et je leur en sais gré. Racontez-moi plutôt que vous avez du plaisir à m'écouter, que vous ne me prenez pas pour une sotte, que vous appréciez en moi autre chose que mes yeux verts. Je sais qu'ils s'harmonisent délicieusement au blond vénitien de mes cheveux, mais le jour où vous l'avez dit, je vous aurais giflé. Et puis, je vous trouve bien distant depuis le départ de Déodat!

Pierre-Paul, surpris, en resta bouche bée, sa palette à la main. Il avait le sentiment d'être ridicule devant cette jeune beauté qui lui reprochait de ne pas la trouver assez intelligente. Lui faisait-elle vraiment des avances? Il se reprit alors qu'elle s'approchait pour voir le résultat de cette première journée de pose :

– Non, vous ne regarderez pas! fit-il en la repoussant assez brutalement avant de recouvrir le tableau d'un châle qui se trouvait sur un fauteuil. C'est trop tôt, vous seriez déçue par ce travail de préparation, et je ne veux pas vous décevoir.

La tristesse envahit le beau visage. Le jeune homme poursuivit :

– Si je ne veux pas vous décevoir, c'est que j'éprouve pour vous de l'affection. Comment croire qu'un garçon de mon âge, formé à apprécier le beau, résisterait à votre charme? Maintenant, oubliez ce que je viens de vous dire. Je suis l'hôte et l'obligé de vos parents. Je me dois de les respecter. Et vous aussi, petit cœur tendre prêt à fondre devant le premier peintre venu du Nord!

L'escarmouche de la première séance n'altéra pas les relations entre les jeunes gens, qui continuaient à courir ensemble canaux et *calli* à la recherche de chefs-d'œuvre susceptibles d'être copiés par Pierre-Paul. Celui-ci aurait préféré user de l'huile, mais le matériel était lourd et encombrant. Et puis, la copie d'un tableau de Véronèse ou de Bellini était une œuvre de longue haleine et son temps était compté.

– Une année, peut-être deux, me seraient nécessaires pour copier les œuvres essentielles de Venise, dit-il un jour à Cornèlia alors qu'ils se reposaient quai des Zattere, après que Pierre-Paul eut dessiné les *caorlini* qui naviguaient sur la Giudecca[1].

– Pourquoi ne resteriez-vous pas ? rétorqua-t-elle. N'êtes-vous pas tenté de devenir un maître dans cette ville qui a vu triompher les meilleurs et manque cruellement de génies ? Peut-être n'avez-vous pas envie de me supporter plus longtemps ?

– Vous parlez comme une petite fille gâtée qui ne se soucie guère des autres. Ni de ses parents, ni de moi. Si je devais me fixer à Venise, ce ne pourrait être qu'après avoir effectué le voyage de Florence, de Rome et des autres berceaux de la peinture italienne. Mon programme est fixé depuis des années et rien ne le fera changer. Votre portrait est achevé, ou presque. Il est, par bonheur, assez réussi. Je vais faire encore celui de votre mère, comme je le lui ai promis, puis reprendrai ma route en pensant à la sylphide qui m'a appris Venise.

---

1. La *caorlina*, aujourd'hui équipée d'un moteur, transporte encore à Venise les légumes et diverses marchandises. C'est un bateau d'une quinzaine de mètres dont la poupe et la proue sont identiques.

La jeune fille éclata en sanglots :

– Mais vous ne voyez pas que je vous aime ? Comment pourrai-je vivre sans vous ? Nous nous entendons bien, je vous admire, je vous amuse, nous rions ensemble, je suis pour l'artiste une bonne auxiliaire et serais pour l'homme du Nord une femme gaie comme l'Italie.

En fait de gaieté, elle pleura de plus belle.

La fraîcheur et la beauté de la jeune Cornèlia n'avaient évidemment pas laissé Pierre-Paul insensible. Il avait été, plusieurs fois, sur le point de répondre à ses avances un peu puériles, mais, toujours, avait refusé de se laisser entraîner dans une amourette risquée. Aujourd'hui, la situation devenait embarrassante. Il fallait faire quelque chose, trouver les mots qui apaiseraient ce chagrin dont il ne se sentait pas coupable.

Il la prit dans ses bras, ce qu'il s'était promis de ne jamais faire, et la consola comme il put, maladroitement. Il se sentait piégé. Ses mots ne faisaient que redoubler les pleurs de la jeune fille. Ce n'est qu'en caressant son visage, en glissant ses doigts dans ses cheveux décoiffés, en baisant doucement ses mains qu'il réussit à la calmer. Il la garda encore un moment contre lui, en se félicitant du fait que le quai des Zattere fût désert à cette heure et qu'aucune connaissance des Arnolfi ne reconnût la fille de la famille qui sanglotait dans ses bras :

– A votre âge, douce Cornèlia, les chagrins passent vite. Surtout lorsqu'ils n'ont pas de motif sérieux. Marcher vous fera du bien. Cachez votre jolie frimousse sous votre capuche et rentrons. Surtout, séchez vos larmes.

– Pourquoi ? Que cela peut-il bien vous faire que je sois malheureuse ?

– Vos larmes ruinent le plaisir que j'éprouve à être près de vous. Et puis, pleurer vous enlaidit! Je n'ai certes qu'une ou deux touches à poser sur vos yeux pour les faire flamboyer et achever ainsi votre portrait. Mais je veux voir briller vos prunelles!

Il pensait l'apaiser, elle regimba :

– Je me moque de mon portrait. Emportez-le pour le montrer à vos conquêtes! Vous pourrez leur dire : «C'est une jeune Vénitienne que j'ai bien fait souffrir.»

– Vous êtes une sotte! Si vous saviez comme il me serait plus facile de vous traiter comme une femme adulte au lieu de vous respecter, vous et vos parents. Mais vous êtes encore une enfant!

Elle ne répondit pas et resta silencieuse tout le chemin du retour.

– Je vous attends pour la dernière séance de pose, dit Rubens lorsqu'ils furent arrivés.

– Je vous ai dit que votre peinture ne m'intéressait pas!

Elle se réfugia dans sa chambre et Pierre-Paul Rubens se retrouva seul, un peu désemparé devant le chevalet et la chaise vide qui lui faisait face. Il soupira, retira le voile qui couvrait la toile et s'assit, le coude sur le genou, le regard fixé sur ce visage qui n'avait pas quitté ses pensées depuis des semaines. Si la jeune beauté de Cornèlia éclatait bien sur la toile, si la ressemblance était parfaite, son image lui parut soudain fade. Le format réduit, la représentation en buste du modèle et l'absence d'un fond anecdotique n'étaient pas à la hauteur de ses conceptions artistiques, loin en tout cas du niveau auquel il aspirait.

La matinée avait été éprouvante, l'évaluation honnête de son talent était un désenchantement. Il eut soudain envie de détruire son œuvre. C'était son premier portrait, et il eût été miraculeux qu'il réussît un chef-d'œuvre. Maintenant que le tableau était terminé, les défauts lui en sautaient aux yeux et son cerveau analysait avec une certitude étonnante comment il entreprendrait le prochain : un format très grand, une représentation en pied avec un habillement méticuleusement choisi et, enfin, un fond qui serait un tableau dans le tableau. Comment avait-il pu peindre Cornèlia, fille d'une très ancienne famille vénitienne, sans évoquer dans la perspective quelque scène de la lagune ?

Tout à l'heure, c'était Cornèlia qui ne voulait plus voir son portrait, maintenant c'était le peintre qui n'y trouvait que des défauts. L'apparition de la jeune femme rendit sa sérénité à Pierre-Paul. Elle s'était rafraîchi le visage, poudrée de rose, peignée soigneusement et avait revêtu une charmante robe indienne de soie imprimée.

– Voulez-vous, monsieur Rubens, excuser mon attitude de ce matin ? demanda-t-elle en préambule. Vous m'avez dit que j'étais une sotte et vous aviez raison. L'idée de votre départ, qui semble prochain, m'a soudain désespérée. Depuis que je vous connais, je ne peux m'empêcher de songer tristement à la vie qui m'attend. De quelle sorte de mari vais-je devoir m'accommoder ? Mes parents sont gentils, mais j'appartiens à une famille d'argent, et ce sont les fortunes que l'on marie !

– C'est un peu partout pareil, ne croyez-vous pas ?

– Non. Vous serez un peintre célèbre et vous épouserez la femme de votre choix. Vous la prendrez peut-être riche, mais vous l'aimerez. Moi, il m'est insupportable de penser que je peux rayer l'amour de mon avenir.

– Ne dites pas cela. Rien n'est moins sûr que le pire. Comme je connais vos parents, ils ne vous marieront pas contre votre gré. Il y a sur la lagune beaucoup de beaux garçons!

– Vous avez raison, amour inaccessible! Vivons ces derniers jours le plus gaiement possible. Mes yeux, m'avez-vous dit, vous causent du souci. Ne les manquez pas, c'est ce que j'ai de mieux!

Pour la première fois de la journée ils sourirent, et Rubens prit sa palette :

– Non, ne posez pas. Approchez seulement vos yeux que j'y noie mon talent...

Là, il éclata de rire :

– Vous rendez-vous compte de la façon dont je parle? Quelle pompe! Quel ridicule! Si Déodat m'entendait, il n'aurait pas fini de se payer ma tête!

Cornèlia se plaça en face de Pierre-Paul et ils se regardèrent longtemps, les yeux dans les yeux. On ne saura jamais qui, le premier, avança son visage. Le fait est que leurs lèvres s'unirent.

Ils restèrent un long moment enlacés et Cornèlia murmura, comme une confidence :

– J'en avais envie depuis si longtemps!

Le peintre bredouilla une gentillesse en pensant que Cornèlia n'en était pas à son premier baiser. Cette constatation ne l'étonna pas trop. Un peu ivre, il reprit bien vite son pinceau : des bruits de pas résonnaient dans le couloir. En entrant, la signora Arnolfi trouva que sa fille avait les joues bien rouges. Rubens épargna à cette dernière une réponse en annonçant :

– Madame, le portrait de mademoiselle Cornèlia est achevé. J'espère qu'il sera de votre goût. Il n'y manque qu'une

113

pointe de vénéda sur les pupilles, pas au milieu, mais très légèrement à gauche pour l'œil droit, à gauche pour l'autre.

– Qu'est-ce donc que le vénéda? demanda madame Arnolfi, qui ne comprenait rien à cette cuisine.

– Tout simplement un mariage de noir et de blanc. Très peu de blanc.

Pierre-Paul mélangea sur un coin de sa palette le jais des gondoles au lait de l'innocence, en préleva une gouttelette sur la pointe de son pinceau et la déposa avec une extrême délicatesse sur chaque prunelle.

– Constatez la magie, dit-il en prenant du recul. Le regard a capté de ces deux touches minuscules une expression qui fait éclater la personnalité de Cornèlia. Ce petit rien manquait à votre portrait, signorina. Si ce tableau, que j'aurais aimé plus grand, plus réussi, plus proche de votre beauté, vous plaît, je vous l'offre en affectueux hommage.

La jeune fille essuya quelques pleurs, mais c'étaient des larmes de joie.

– Merci maître! C'est le plus beau cadeau que j'aie jamais reçu. Permettez-moi de vous embrasser, en signe de gratitude.

Elle s'avança et déposa un baiser sonore sur sa joue.

Pierre-Paul pensait qu'il devenait raisonnable de mettre fin à son séjour vénitien. Il lui restait une promesse à tenir avant de quitter des hôtes qui ne lui avaient ménagé aucune généreuse attention : le portrait de la bonne madame Arnolfi. Pour ne pas se relancer dans la longue patience d'une peinture, il lui proposa de le réaliser à la craie blanche et noire, un procédé qu'il maîtrisait parfaitement.

La signora prit donc la place de sa fille sur la chaise du salon atelier. Le portrait aurait pu être achevé en quelques

114

heures si Pierre-Paul, afin de ne pas paraître trousser le travail à la diable, n'avait fait durer la pose pendant trois jours. Il ne regretta d'ailleurs pas ce prolongement car madame Arnolfi se révéla, au fil de la conversation, d'une grande culture. Elle parla de Venise mieux que ne l'avait fait sa fille, questionna Rubens sur son pays, sa famille, ses projets. Le dernier jour, elle surprit même l'artiste en parlant de Cornèlia :

– Je vous suis reconnaissant d'avoir été loyal envers nous.

– Mais pourquoi, madame, n'aurais-je pas été loyal envers votre famille qui a été si accueillante ?

– Vous comprenez fort bien ce à quoi je fais allusion. J'ai tout de suite remarqué que Cornèlia était éprise, et j'ai craint de vous voir succomber à sa beauté exceptionnelle et à son charme dont, je connais ma fille, elle sait parfaitement jouer. L'intimité que j'ai permise entre vous était risquée, mais elle a rendu Cornèlia heureuse et je pense qu'elle ne vous a pas déplu, même si elle a pu vous paraître frustrante. Vous avez compris qu'une union n'était pas envisageable entre vous. C'est bien de cela que mon mari et moi-même vous sommes reconnaissants. Vous resterez pour Cornèlia un merveilleux souvenir, son portrait la suivra toute sa vie et, quand vous serez célèbre, elle sera fière de dire : « Rubens m'a peinte au temps où j'étais jeune. »

Emu plus qu'il n'aurait voulu le montrer, Pierre-Paul remercia madame Arnolfi de sa confiance :

– J'éprouve, vous l'avez compris, une grande affection pour Cornèlia, et c'est un doux regret que je vais emporter dans le long voyage de la couleur, celui qu'ont accompli avant moi les Titien, les Véronèse, les Tintoret et tous les grands artistes de Venise.

– Comme j'aurais aimé, monsieur Rubens, vous voir entrer dans notre famille ! Mais les lois morales qui gouvernent notre société sont hypocrites. Les femmes n'acquièrent leur indépendance qu'une fois mariées, souvent même de façon excessive. Mon mari et moi avons heureusement des idées larges et décidé de laisser à Cornèlia, sans que cela se voie trop à l'extérieur, une liberté qui lui a permis une jeunesse heureuse. Votre arrivée l'a troublée, mais, comme je vous l'ai dit, vous avez eu la noblesse de ne pas la compromettre. Bientôt, nous lui trouverons un bon mari. Notre fortune nous permet de ne pas faire jouer l'argent dans notre choix.

– Merci, madame, de me témoigner votre estime. Puis-je vous demander si monsieur Arnolfi sera présent ce soir au souper ? Je ne veux pas attendre le dernier jour pour le remercier de sa générosité.

– Oui, il sera là. Je voudrais faire de ce repas une petite fête au cours de laquelle vous nous offrirez les portraits que vous avez si magistralement réussis. Mon fils, qui vient de donner à Vicence un concert auquel participait La Todi, l'illustre cantatrice portugaise, est de retour. Il nous jouera quelque chose sur son nouveau violon.

CHAPITRE V

La cour de Mantoue

Pierre-Paul avait décidé de passer son après-midi à la Ca'd'Oro, le magnifique palais des Contarini. Grâce au signor Arnolfi qui comptait la famille au nombre de ses clients, il avait obtenu l'autorisation de venir copier, tant qu'il lui plairait, les tableaux des grands maîtres vénitiens exposés dans les salons dorés de la maison. Rubens avait ainsi commencé à copier une œuvre de Carpaccio qu'il considérait comme un modèle, le portrait en pied d'un chevalier affichant par son armure étincelante l'élégance et l'insouciance caractérisant le véritable gentilhomme. La perspective bistre où était campé le beau chevalier intéressait particulièrement Pierre-Paul, qui retrouvait dans chaque partie du tableau le souci du détail propre à Vittorio Carpaccio. L'armure, des fleurs, des animaux, un cavalier, un faucon qui tournoyait sous les nuages, le tout savamment distribué, illustraient une habileté qu'il se jura d'atteindre avant de retourner à Anvers.

Il dessinait le cavalier à la tenue chamarrée qui, au fond du paysage, lance à la main, paradait devant une maison fortifiée, quand un homme de belle prestance, qui semblait avoir ses habitudes dans le palais Contarini, se posta derrière lui et le regarda dessiner. Après quelques instants, il interpella Rubens :

– Vous avez, monsieur, un joli coup de crayon. Maniez-vous aussi le pinceau ?

– Oui, monsieur. J'ai commencé à peindre dans mon pays, la Flandre, et suis venu en Italie découvrir les génies de Venise, de Florence et de Rome. J'ai des ambitions, mais je reconnais que je ne suis encore qu'un apprenti.

– Un apprenti qui ne le restera pas longtemps ! Comptez-vous rester plusieurs mois à Venise ?

– Non, mais je ne vois pas en quoi mes projets vous intéressent.

L'homme, qui arborait un air supérieur avec son collet en mouflon de Sardaigne et sa moustache bouclée aux deux pointes, ne parut pas entendre la réflexion peu aimable de Rubens et poursuivit :

– Sa Seigneurie serait peut-être intéressée par votre jeune talent.

– Sa Seigneurie ? reprit Pierre-Paul, intrigué.

L'importun se rengorgea en redressant sa moustache qui avait tendance à flancher sur le côté droit :

– Mon nom est Adòlfo Scarpagnino. J'appartiens à la maison du prince de Gonzague, Vincent Ier, en qualité d'aide de camp. A Venise depuis deux semaines chez le comte Foscari, cousin du prince, nous allons repartir incessamment. Sa Seigneurie tient une cour royale à Mantoue. C'est un grand collectionneur, un ami des arts. Il aime s'entourer de poètes et d'artistes. Les plus grands maîtres, Mantegna, Jules Romains, Le Corrège, se sont honorés de travailler pour lui. S'il juge bon de vous inviter à la cour, votre fortune est faite. Si vous le voulez, je fais part dès ce soir de notre rencontre au duc. Vous pourrez venir lui présenter quelques-unes de vos œuvres.

Peindre dans une cour, c'était être vraiment peintre! Jamais le jeune Rubens n'aurait cru possible une si prompte promotion. Retrouvant son sourire, il remercia chaleureusement l'obligeant aide de camp et accepta avec enthousiasme sa proposition.

– Fort bien, mon ami. Où puis-je vous informer de la décision du duc?

– Au palais Arnolfi, près du Rialto, répondit Rubens.

– Le banquier? Vous travaillez pour les Arnolfi?

– Oui, j'ai cet honneur.

– Ah! Cela jouera en votre faveur.

Le soir venu, la maison Arnolfi était en émoi. Pierre-Paul fut prié de se retirer dans sa chambre pendant que Cornèlia dressait la table dans le salon Vivarini, ainsi dénommé en l'honneur d'un triptyque peint au siècle précédent par Antonio Vivarini, représentant la Vierge entourée des saints. Le meilleur tableau de la maison, les autres n'étant que de médiocres copies de Piazzetta et de Longhi.

Rubens profita de cette attente pour choisir, parmi les dessins, les croquis et les ébauches colorées qu'il avait faits durant son séjour à Venise, ceux qu'il montrerait au duc de Mantoue. Sans se faire trop d'illusions sur l'aboutissement des propositions mirobolantes de l'aide de camp, il se prit à rêver. Il décida pourtant de ne rien dire à ses hôtes de sa rencontre à la Ca'd'Oro. Il finissait de trier ses dessins quand Cornèlia vint le chercher :

— On vous attend pour souper, monsieur l'artiste. Mais que faites vous ? Vous admirez vos œuvres ?

— Je serais bien incapable de porter un jugement sur mon travail. Je range simplement des souvenirs, la mémoire de Venise que j'emporterai dans mes sacoches. Pour moi, c'est un bien précieux !

En se penchant, Cornèlia aperçut, posés sur un coin de la table, une dizaine de dessins, les uns au crayon, les autres au pastel ou à la craie :

— Mais c'est moi ! s'écria-t-elle en regardant avec attention chacune des feuilles. Dieu, que tous ces dessins me plaisent. Si je n'avais peur de vous fâcher, je vous avouerais que je les préfère à mon portrait, que j'adore pourtant. Quand m'avez-vous surprise courant, riant, mangeant un abricot, recoiffant mes mèches rebelles ? Je n'ai jamais remarqué que vous me poursuiviez un crayon à la main.

— C'est ici, dans le silence de la nuit, que j'ai animé mes souvenirs. J'ai aimé, après la journée de pose, vous faire aller et venir dans la vie. Ces dessins, vous savez, sont pour moi plus importants que mes études studieuses ou mes croquis du Rialto et des essaims de gondoles sur le Grand Canal. Ils vont rester mon souvenir le plus cher de mon séjour.

— Offrez-m'en un, s'il vous plaît. Il m'appartiendra bien davantage que mon portrait, dont la destinée est de laisser passer le temps accroché à un mur.

— Prenez celui que vous voudrez, deux, même, si vous avez du mal à choisir. Ce sera sans doute mon dernier cadeau.

— Non. Vous me devez encore quelques baisers volés aux contraintes de la société vénitienne. Mais ne me décoiffez pas! N'avez-vous pas remarqué que j'ai passé tout l'après-midi à me faire belle?

Il la prit dans ses bras et savoura longtemps la douceur de ses lèvres. C'est elle qui se dégagea :

– Quelle cruelle impression, murmura-t-elle, que celle d'un amour qui finit avant d'avoir commencé! L'autre jour, en pensant à vous bien sûr, je me prenais à regretter de ne pas être placée dans un couvent.

– Dans un couvent? Pourquoi donc?

– La vie des religieuses, c'est comme cela, est ici infiniment plus libre que celle d'une riche jeune fille à marier. Malgré toutes les défenses de la Seigneurie, la clôture est peu respectée dans les monastères, le désordre y est permanent. On y donne, dit-on, des fêtes où se conduisent des intrigues amoureuses. Vous voyez, mon cœur, il nous eût été plus facile de nous aimer si j'avais été une nonne, jolie pécheresse prompte à s'esquiver en jupe courte et en casaque ouverte sur la place Saint-Marc! Mais je ne suis pas une religieuse mondaine menant entre deux offices une vie dissolue. Et il nous faut maintenant descendre retrouver la sage obéissance familiale.

Dans le salon d'apparat, qui donnait par des fenêtres à colonnades sur le Grand Canal, la table les attendait, somptueusement parée, éclairée par des chandeliers de Murano, chargée de toutes les fleurs de la vallée de la Brenta, de flacons, de coupes, ddorées, de couverts vermeils[1]. Rubens en béait d'admiration, quand la signora Arnolfi entra au bras

---

1. Cette profusion de cuillers, de couteaux et de fourchettes étonnait les voyageurs. Leur usage, en dehors de Venise, était peu répandu. Montaigne écrivait qu'il se servait rarement d'une fourchette; un siècle plus tard, Louis XIV en jugeait encore l'usage superflu.

de son époux. L'élégance raffinée de sa robe à l'audace mesurée faisait valoir ses rondeurs, le fard discret de son visage jouait en harmonie avec le blond de sa coiffure, ce blond vénitien à la mode que les perruquiers avaient tant de mal à réussir. Cornèlia, son sourire retrouvé, alla chercher son frère qui jouait du violon dans une pièce voisine. Le jeune Andrea, plus ami des notes que des chiffres de banque, était grand, les cheveux très longs retombant sur ses épaules un peu frêles. Rubens, attentif à la physionomie des gens comme s'il devait peindre leur portrait, remarqua que sa figure était toute en profil, à cause de son nez très busqué.

On fêtait l'achèvement des portraits de madame Arnolfi et de sa fille. C'était aussi un souper d'adieu. La date du départ de Pierre-Paul n'était pas fixée, mais on la savait prochaine, et monsieur Arnolfi devait quitter Venise le lendemain pour un voyage en Lombardie.

Quand tout le monde fut assis, Rubens ayant été placé entre les deux femmes de la maison, madame Arnolfi demanda aux serviteurs qui avaient fini de répandre de l'eau de rose sur les mains des convives de présenter les tableaux. Ils revinrent bientôt, portant les portraits comme le saint sacrement. La maîtresse de maison avait réservé une surprise aux convives : elle avait, dans l'après-midi, fait encadrer les œuvres. La sculpture et l'or, si prisés des Vénitiens, mettaient en valeur les deux portraits, au point que Pierre-Paul, jouant la modestie, déclara que les cadres étaient plus beaux que ses tableaux. Ils étaient, en tout cas, d'un goût plus criard.

Le souper débuta selon la tradition vénitienne. On présentait dans un long plat de faïence un esturgeon de Pesaro, une bête magnifique, quand le gondolier qui montait la garde devant le portail annonça :

– Un messager du duc de Mantoue vient d'apporter ce pli destiné au signor Rubens.

C'était si inattendu que la conversation cessa aussitôt et que les yeux se fixèrent sur Pierre-Paul. On savait que Vincent Ier était, pour un temps, l'hôte de la famille Foscari, qu'il n'était pas un parangon de vertu, qu'il était joueur et fréquentait Margherita Emiliani, la plus belle des courtisanes de la Lagune. Mais Venise en avait vu d'autres, et comme le prince souverain de Gonzague était aussi un homme de goût, grand connaisseur d'art et qu'il avait acheté durant son séjour des œuvres de grand prix, la haute société passait sur ses excès si fréquents dans les palais du Grand Canal. Mais que pouvait donc vouloir ce grand personnage à Pierre-Paul, jeune peintre flamand inconnu ?

Le garçon comprit qu'avant de prendre connaissance du pli et d'assouvir sa curiosité il devait une explication à ses hôtes. Avec aisance, il raconta comment un aide de camp du duc de Mantoue l'avait abordé quelques heures plus tôt.

– Je ne vous ai rien dit parce que cette histoire me paraissait sans avenir. Je l'avais d'ailleurs oubliée quand ce message m'est parvenu.

– Qu'attendez-vous pour le lire ? demanda Cornèlia. N'êtes-vous donc pas curieux ?

– Si, mademoiselle, mais je suis aussi poli. M'autorisez-vous, madame, à prendre connaissance du message qu'on vient de me remettre ?

– Mais oui, monsieur Rubens ! Nous sommes aussi impatients que vous de savoir où la destinée va vous mener lorsque vous quitterez Venise.

Sans hâte, le jeune homme fit sauter le cachet de cire qui fermait le rouleau de beau papier parcheminé. Son visage s'éclaira. Il lut tout haut : « Sa Seigneurie le prince souverain de Gonzague, duc de Mantoue, me donne l'ordre de prévenir le peintre Pierre-Paul Rubens qu'il l'invite à se présenter demain à deux heures de l'après-midi au palais Foscari sur le Grand Canal. Il apportera quelques-unes de ses œuvres, dessins, copies, portraits. Signé : l'aide de camp, Scarpagnino. »

– Votre affaire me semble bien engagée, dit Arnolfi. Je connais le prince. La Banque a parfois traité avec lui. C'est un être assez vaniteux, joueur et beau viveur. Son immense fortune lui permet de sacrifier à sa passion pour les arts. Il entretient d'excellents artistes à sa cour, la plus brillante d'Italie. Qu'il désire ramener dans ses bagages un jeune peintre de talent me paraît bien dans l'esprit de ce prince fantaisiste. Je crois réellement que vous avez une chance d'être celui-là.

– Merci, monsieur Arnolfi. Mais je n'ose croire à la fortune qui permettrait à l'apprenti que je suis d'entrer si vivement dans le métier.

– Demain, vous serez fixé. Ah! Tout à l'heure, je dois avoir un entretien avec vous.

Le souper ne ressemblait en rien aux banquets monstrueux donnés par certains nobles vénitiens où, comme le racontait un ambassadeur en revenant de la cité des Doges, « il y avait des pâtés d'aigles noirs parés, prêts à s'envoler, des faisans qui paraissaient vivants, des paons blancs garnis de la roue de leur queue ; il y avait aussi des statues en massepain représentant Hercule et le Pont du Rialto… » Non, il s'agissait d'un repas simple et chaleureux, offert à l'ami qui partait, une réunion familiale. On pria Andrea de couronner le festin en jouant le nouveau violon qu'il avait rapporté de Crémone.

Le cadet des Arnolfi ne se fit pas prier et alla chercher un coffret artistement travaillé en marqueterie[1]. Avec un respect presque sacerdotal, il posa la boîte sur une table et l'ouvrit. Il en tira, non pas un violon comme tout le monde s'y attendait, mais un paquet de forme allongée, enveloppé dans une étoffe de soie blanche, qu'il déplia pour mettre au jour un sachet de douce flanelle. Le violon était dedans. Andrea l'en tira avec les précautions d'une mère démaillotant son bébé :

– Voilà la merveille, dit-il. Au dire des meilleurs luthiers de l'*Isola* de Crémone[2], c'est l'un des plus beaux violons sortis de leurs ateliers. Plus beau que ceux du jeu de six instruments livré à la bande des violons du roi de France !

Chacun voulut se saisir un instant du chef-d'œuvre de Nicolo Amati, en caresser les formes exquises, passer son doigt sur les voussures vernies, faire vibrer la chanterelle sous l'œil inquiet de son propriétaire. Andrea annonça qu'il allait jouer un compositeur allemand, quasiment inconnu en Italie mais dont l'œuvre semblait écrite pour les violons du maître Amati :

– Cela se nomme *Le Couronnement de Marie*, une passacaille pour violon seul.

Andrea rectifia légèrement l'accord et commença à jouer. Dès les premiers mouvements de l'archet, son visage d'ordinaire doux et calme prit les traits de l'exaltation la plus intense. C'était un autre homme que celui qui bavardait tranquillement l'instant d'avant. Ses yeux prenaient la teinte

---

1. La *cassetta du conserva*, boîte protectrice, était à Crémone un véritable objet d'art marqueté ou sculpté dans l'atelier de lutherie.
2. L'*Isola* était le quartier des luthiers crémonais. Il existait encore au début des années trente, quand Mussolini le fit raser pour construire un marché.

de l'or clair du violon, son visage restait beau, mais se déformait et se reformait au rythme de la musique qu'il vivait comme un acte d'amour.

Le jeune homme jouait réellement bien. Quand il reposa son archet, tout le monde applaudit.

– Je trouvais votre frère sympathique ; maintenant que je l'ai entendu jouer, je l'admire profondément, glissa Rubens à l'oreille de Cornèlia.

Et il ajouta bêtement :

– J'aurais aimé être son beau-frère.

Elle le regarda, courroucée :

– Est-ce de l'inconscience ou de la cruauté ? Si vous avez dit cela pour ne pas vous faire regretter, vous avez gagné !

Il cherchait comment excuser sa bévue quand Andréa reprit son violon et annonça une *canzonnetta* de Monteverdi. Pierre-Paul voulut alors prendre la main de la jeune fille, mais elle le repoussa.

La soirée dura. On parla de musique et de peinture. Monsieur Arnolfi révéla qu'il allait lancer une nouvelle *galeazza* de cinq cents tonneaux dans le prochain convoi du Levant, « la plus grande galère de Venise », puis se leva en entraînant Pierre-Paul dans un coin reculé de la pièce.

– Quel que soit le résultat de votre visite au duc de Mantoue, dit-il, je crois que vous comptez bientôt poursuivre votre voyage. Avant de partir moi-même pour la Lombardie, je dois m'acquitter d'une mission que m'a confiée votre ami Déodat. Voici les lettres de change qu'il m'a chargé de vous remettre afin que vous puissiez continuer votre périple italien comme s'il avait pu rester avec vous.

Pierre-Paul, plein de confusion, bredouilla qu'il lui était impossible d'accepter un tel don. Arnolfi l'arrêta :

– Déodat avait prévu votre refus. Il m'a dit de vous rappeler qu'il s'agissait d'un prêt remboursable à votre retour en Flandre. Cela ne choque pas le banquier que je suis. A votre place, je ne repousserais pas l'offre d'un ami qui veut vous aider à devenir le grand peintre qu'il aurait rêvé d'être. J'ajoute qu'en cas de nécessité vous pourrez vous adresser à l'un des bureaux de notre banque. Il me reste, mon ami, à vous souhaiter bonne chance. Nous vous regretterons. Ma femme vous avait adopté et ma fille, il me semble, ne vous détestait pas.

Il avait accompagné ces derniers mots d'un petit sourire qui agaça Pierre-Paul. Comment cet homme pouvait-il prétendre que son départ ne le libérait pas d'une inquiétude irritante !

Le geste généreux de Déodat ne le surprenait pas. Son ami lui avait répété que son abandon obligé ne devait pas gêner la poursuite du voyage commencé à deux. Par délicatesse, il avait laissé à l'associé de son père le soin de lui remettre les lettres de crédit. Rubens se jura de ne jamais oublier cette marque de fraternité. Pierre-Paul était raisonnable. Il se dit que la chance lui souriait alors, mais qu'il lui fallait appliquer la leçon cent fois répétée d'Otto Vénius : «Si vous bénéficiez un jour de circonstances favorables, sachez qu'aucune protection ne peut remplacer le talent et le travail. C'est vous et vous seul qui ferez votre succès.»

Le lendemain, les *Mori* de la tour de l'Horloge frappaient les deux coups de l'après-midi quand une gondole des Arnolfi déposa Pierre-Paul au ponton du palazzo Foscari, dans la courbe du Canal. Deux gardes en tenue de parade, armés de hallebardes, l'accueillirent, qui l'aidèrent à débarquer les portraits encadrés des dames Arnolfi et trois cartons contenant des dessins et quelques peintures. Un laquais prit la relève et pria Pierre-Paul d'entrer et de monter jusqu'au deuxième étage, où Sa Seigneurie l'attendait.

Son cœur battit plus vite quand un autre valet lui ouvrit la porte d'un majestueux salon : son œil curieux d'artiste reconnut deux immenses Véronèse et des statues de Donatello, probablement, ou de Verrocchio. Suffoqué par tant de beauté, le jeune homme resta figé sur le seuil, mais une voix venue d'un profond fauteuil tourné vers le Canal le pria d'avancer.

– Approchez, jeune homme ! Venez admirer avec moi l'encre luisante du Canal dont la surface ressemble aujourd'hui, avec les pinceaux de lumière qui éclairent les vagues, à la palette d'un peintre ou encore à une peau de tigre…

Pierre-Paul s'approcha, oubliant le petit discours qu'il avait préparé, et dit avec la franchise qui faisait son charme :

– Votre Seigneurie est un poète. C'est un don du ciel !

Il n'est pas si simple de plaire à un prince. Sans le savoir, en laissant simplement parler son cœur, Rubens venait de faire la conquête de Vincent Ier, duc de Mantoue. Celui-ci eut tout de suite envie de connaître ce garçon au charme encore juvénile, qui lui avait fait le plus grand des compliments en lui attribuant un titre qui ne figurait pas dans le parchemin nobiliaire des Gonzague, celui de poète.

– Merci, monsieur, d'avoir répondu à l'invitation de mon aide de camp. Il vous a vu travailler et j'ai confiance en son goût. Nous allons le faire venir et vous me présenterez quelques-uns de vos travaux.

– Ils sont peu nombreux, Votre Seigneurie, car il y a peu de temps que je suis arrivé à Venise. Je suis flamand, d'Anvers. Pour ne pas vous mentir, je suis encore un apprenti.

– Nous verrons, nous verrons. Tenez, montrez-moi ces tableaux que vous cachez sous un linge.

Pierre-Paul défit le paquet des portraits et les exposa, face à la fenêtre, sur les bras de deux fauteuils. Le Prince se leva et s'arrêta devant eux, s'approcha, recula, changea l'orientation de la toile, regarda attentivement le pastel.

– Qui est-ce? demanda-t-il, faisant comme si Scarpagnino ne lui avait rien dit.

– Madame et mademoiselle Arnolfi, qui sont mes hôtes à Venise.

– Le portrait aux pastels de madame est très réussi, poursuivit le prince. J'estime que les artistes n'utilisent pas assez cette technique. Quant à mademoiselle Arnolfi, est-elle aussi jolie au naturel que sur son portrait?

– Beaucoup plus belle, Votre Seigneurie. Je m'avoue mécontent de mon travail.

– Je ne suis pas de cet avis, c'est au contraire un beau tableau! Montrez-moi maintenant vos dessins. Ah, voilà Scarpagnino. Que pensez-vous de ces portraits, mon ami?

– Ces portraits me plaisent beaucoup et confirment que je n'ai pas mal jugé monsieur Rubens, dont je n'ai pu apprécier que le coup de crayon.

Le prince regarda attentivement les fusains, les crayonnés de copies et les croquis de voyage.

– Vous êtes, monsieur Rubens, un apprenti qui savez tout faire.

– Qui essaye de tout faire, Votre Seigneurie.

– Ne soyez pas trop modeste. Si vous acceptez, je vous prends à ma solde, je vous emmène à Mantoue, à ma cour où ont travaillé pour moi les plus grands peintres, les plus grands sculpteurs. Vous copierez des œuvres que j'aimerais voir dans mes collections. Je vous confierai peut-être aussi la tâche de réaliser une vieille idée : peindre les plus belles femmes, leurs portraits enrichiront mes galeries. Vous conviendrait-il donc d'être peintre à la cour de Vincent de Gonzague, duc de Mantoue et de Monteferrat?

Sa chance ne l'avait donc pas trahi! Pierre-Paul ferma une seconde les yeux et les rouvrit pour être sûr qu'il n'avait pas rêvé. Non! Le prince en pourpoint de velours rouge galonné d'or était bien là, souriant, affable, et il venait de lui proposer de venir peindre à sa cour. Etrangement, cette offre qui, il s'en rendait compte, constituait une étape capitale sur le chemin de sa réussite, ne le perturbait pas. Au contraire, elle le rendait davantage confiant dans sa destinée. Calme, assuré comme s'il s'agissait d'accepter une promenade en gondole, il répondit :

– Votre Seigneurie est trop bonne. Aidé par ses conseils éclairés, je ferai tout pour devenir un artiste digne de sa renommée et de sa cour prestigieuse.

– Eh bien, voilà une affaire entendue. Nous partirons après-demain de bonne heure. Scarpagnino, vous prévoirez un cheval pour monsieur Rubens.

– S'il plaît à Sa Seigneurie, je préférerais garder la bonne bête qui m'a mené d'Anvers jusqu'ici, mais un cheval pour porter mon attirail d'artiste me serait utile.

– Faites déposer ici votre bagage. Je veillerai moi-même à ce qu'il soit acheminé, dit l'aide de camp.

C'était donc la fin de l'aventure vénitienne. Pierre-Paul rentra au palais Arnolfi et remit les portraits des dames à leurs propriétaires. Le maître était parti pour la Lombardie, elles étaient seules et assaillirent leur hôte de questions : «Alors?

130

Le duc a-t-il apprécié votre travail? Partez-vous pour Mantoue? Quand nous quittez-vous?» Il raconta son entrevue sans manifester de joie apparente, dit combien le duc avait apprécié leurs portraits et annonça qu'il quitterait avec beaucoup de regrets le palais Arnolfi dès le surlendemain.

La signora soupira, et Cornèlia toussa pour cacher son émotion.

– Peut-être, dit-elle, passerez-vous par Venise lorsque vous retournerez à Anvers? Vous ne nous avez pas dit combien de temps vous comptiez rester à Mantoue.

– Le temps ne compte maintenant que pour mon art. J'ignore quand je reviendrai à Venise, mais soyez sûres que mon plus cher désir sera de vous revoir.

Le soir, au souper, Pierre-Paul s'étonna que Cornèlia ne fût pas assise à sa place habituelle. Madame Arnolfi expliqua qu'elle avait dû partir pour assister sa grand-mère, tombée malade dans leur maison de Torcello.

– Je ne la reverrai donc pas? demanda le peintre.

– Non, cher Pierre-Paul. Et c'est peut-être mieux ainsi…

Le jeune Flamand ne répondit rien. Ils parlèrent de Venise, de ses fondateurs, de ses artistes. Madame Arnolfi était intarissable. Elle raconta la place Saint-Marc qui, à l'origine, se trouvait au milieu des canaux et servait de potager aux religieuses du monastère voisin de San Zaccaria; elle expliqua comment des marchands vénitiens avaient rapporté le corps de saint Marc, enlevé dans une église d'Alexandrie, et comment l'évangéliste, à la place de saint Théodore, dompteur de dragons, jusque-là saint vénéré de la lagune, était devenu le patron céleste de la ville.

Il était déjà tard quand madame Arnolfi remplit une dernière fois les verres de liqueur et commença à conter l'histoire de Nicolas Barattieri, l'architecte dont l'exploit était d'avoir su dresser les deux colonnes de porphyre de la Piazzetta, des colonnes qui attendaient, couchées sur le port depuis plus de dix ans, qu'on trouve le moyen de les mettre sur pied. Ce maître d'œuvre, à qui l'on devait déjà l'édification du premier pont du Rialto, en bois, avait été autorisé, en récompense, à ouvrir entre les deux colonnes le comptoir de jeux de hasard qui ferait sa fortune.

Grisé par la liqueur et la faconde de dame Arnolfi, Pierre-Paul gravit lentement les marches qui menaient à sa chambre. Pour se rafraîchir l'esprit, il s'accouda à la fenêtre et sombra dans le vertige de la nuit vénitienne. Une gondole, en fendant les eaux du Grand Canal, lui rappela la dernière soirée passée avec Déodat. Où pouvait être à ce moment l'ami si cher ? Il devait avoir passé la montagne. Peut-être, à bord du bateau qui descendait le Rhin, regardait-il dans la nuit les vagues du fleuve en pensant aux gondoles ? Tandis que les vapeurs de l'alcool se dissipaient lentement dans les brumes du canal endormi, Pierre-Paul contemplait le ciel à la recherche des constellations dénombrées en complicité de Déodat. L'air était doux, il ne pensait à rien, pas même à la nouvelle vie qui l'attendait à la cour du seigneur de Mantoue.

Combien de temps resta-t-il ainsi, le regard perdu dans les étoiles ? Longtemps, estima-t-il, lorsque de légers coups frappés à sa porte le ramenèrent à la réalité. Qui pouvait à cette heure souhaiter lui parler ou entrer dans sa chambre ? Il répondit machinalement : « Voilà ! » et alla ouvrir. La surprise le tira tout à fait de sa rêverie. Dans l'ouverture de la porte se dessinait la silhouette de Giorgina Arnolfi, tenant à la main un bougeoir qui faisait chatoyer les plis d'une ample tunique de soie mauve. Elle souriait, pas du tout embarrassée, à un Pierre-Paul interloqué et muet.

– Eh bien, monsieur Rubens, laissez-moi entrer !

Il s'effaça et dit, en ayant l'impression d'être le plus niais des hommes :

– Bonjour madame.

– Bonjour à cette heure ? Bonsoir et pourquoi pas bonne nuit ! Que faisiez-vous donc encore habillé ?

– J'admirais le Grand Canal endormi. Je rêvais aux étoiles, je suivais du regard les rares gondoles qui serpentent encore dans les eaux sombres.

– Eh bien, goûtons ensemble cette Venise nocturne dont l'adorable silence fait oublier le tintamarre de la journée.

Elle le prit par le bras et l'entraîna jusqu'à la fenêtre, où elle se plaça près de lui. Il ne savait pas si c'était un pli de soie ou de chair qui l'effleurait, mais il se sentait bien et n'avait pas envie de se reculer. Alors c'est elle qui se rapprocha et mit sa joue contre la sienne. C'est elle aussi qui murmura à son oreille :

– Vous êtes étonné ? Pourquoi ? Nous sommes seuls. Mon mari n'est pas là, mon fils non plus, qui est parti jouer du violon à San Zeno Maggiore, l'une des plus vieilles églises d'Italie. C'est loin, à Vérone. Vous vous demandez pourquoi je suis montée jusqu'à vous ? J'étais assaillie par la mélancolie, je ne pouvais pas m'endormir, j'avais peur… Et puis j'ai pensé que vous étiez là, au-dessus de moi, et que vous pourriez m'aider à vaincre mon angoisse. Déjà je me sens mieux, mon cœur bat encore un peu vite mais il se calme. Tenez, sentez.

Elle prit la main de Pierre-Paul et la plaça sur son sein, qui était doux et généreux. Par un hasard bien organisé, la tunique de madame Giorgina se dégrafa et le jeune peintre put apercevoir dans la pénombre les formes agréables, un peu grasses comme celles des femmes de la Flandre. C'est vrai que madame Arnolfi leur ressemblait plus qu'aux Vénitiennes, souvent minces et même sèches. Il pensa à sa mère. N'auraient été ses cheveux blond-blanc et son visage plus rond, elle aurait ressemblé à Giorgina, qui était plus jeune mais moins belle.

Soudain, il se rendit compte que cette comparaison était indécente, mais madame Arnolfi l'avait, d'une poigne décidée, entraîné vers le lit et le déshabillait en lui disant d'une voix rauque, fort étrangère à celle de la patricienne du Grand Canal :

– N'aie pas peur, mon petit peintre. Laisse-toi faire. Tu verras que mon *sapricante de marito* a bien tort d'aller dépenser ses ducats sous les baldaquins roses des courtisanes !

Rubens se réveilla tard le lendemain. Il eut un peu de mal à se remémorer les détails de sa nuit, dont le désordre du lit attestait l'évidente folie. Il se demanda, un peu inquiet, en descendant préparer son bagage, ce qui se passerait quand il rencontrerait madame Arnolfi. Elle était justement dans le salon en train de guider son valet qui accrochait le portrait de Cornélia. Elle se tourna, très digne, serrée dans un corsage allongé en pointe et les cheveux bruns relevés en arceau. Elle sourit à Pierre-Paul comme elle l'avait toujours fait le matin depuis qu'il habitait la maison :

– Vous voyez, monsieur Rubens, j'accroche le portrait de ma fille. Le mien sera en bonne place dans ma chambre. Je crois que vous devez déposer vos bagages au palais Foscari. Notre gondolier peut s'en charger.

– Merci, madame. Si vous le permettez, j'aimerais l'accompagner. Ce sera peut-être ma dernière promenade dans ce Venise que vous avez eu la bonté de me faire connaître.

134

– Faites comme il vous plaira, monsieur Rubens.

Sans faire la moindre allusion à son comportement de la nuit, elle s'en retourna, digne comme sur son portrait, pour vaquer à ses occupations de grande dame vénitienne.

Elle prit congé de son hôte le lendemain avec beaucoup d'attention, mais sans montrer le moindre émoi. Rubens se demanda dans la gondole qui le menait au point de ralliement de la troupe princière s'il n'avait pas rêvé sa nuit de débauche. Le papier plié qu'il trouva dans sa poche le fixa. C'était un bref message non signé : «Merci pour ce que nous sommes seuls à savoir. Bon voyage.»

* *
*

Pinceau avait retrouvé avec bonne humeur son métier de cheval et l'affectueuse autorité de son maître. Habitué à galoper en solitaire ou auprès de Roma, il avait un peu regimbé à s'insérer dans l'escorte du duc de Mantoue, mais la poigne de Pierre-Paul l'avait vite fait rentrer dans le rang, entre le barbe de l'aide de camp et la jument balzane d'Annibal Chieppio, le secrétaire d'État du duc. Sous des dehors sévères, celui-ci cachait un caractère plaisant. Il se montrait curieux de tout et, dès le départ, avait fait parler Pierre-Paul sur sa vie, le pays flamand et ses conceptions de l'art, dont il était visiblement grand connaisseur.

– Sa Seigneurie engage généralement à sa cour des artistes de grand renom. Sans vous froisser, ce n'est pas votre cas. Pour ma part je trouve heureux qu'il fasse confiance à un jeune talent. Vous l'avez conquis par les quelques œuvres que vous lui avez présentées et aussi par un charme, un don de sympathie qui vous ouvriront bien des portes. Je vous souhaite bonne chance!

A Mira, sur la route qui longe le canal de la Brenta, le chef d'escorte ordonna une pause pour faire boire les chevaux. Pierre-Paul, que son crayon démangeait, s'écarta un peu du groupe, tira un carnet de sa poche et dessina Annibal Chieppio conversant avec des officiers. Ces croquis enlevés lui avaient été souvent utiles et un moyen habile de se faire valoir, art où il excellait aussi. Au bout de cinq minutes, c'était bien le secrétaire d'Etat du prince en manteau de voyage, petite plume au chapeau, dague au côté, qui avait envahi la page blanche. Rubens fouilla encore dans sa poche pour en extraire un petit bout de craie, au moyen duquel il souligna quelques traits. Ah, ces fulgurantes traces blanches qu'il laissera comme une signature sur la plupart de ses œuvres, et dont il disait qu'elles changeaient tout! Avant de remonter en selle, Pierre-Paul offrit son crayonné à Annibal Chieppio, qui le remercia chaleureusement et montra le croquis alentour, comme s'il s'agissait d'une œuvre du Titien.

– Tu vois, mon bon Pinceau, comment on peut se faire des amis à l'aide d'un crayon et d'un morceau de craie! dit-il en caressant le nez de son cheval.

Au cours de l'étape, le duc vint plusieurs fois à sa hauteur et eut des mots aimables. Pierre-Paul se dit qu'il faisait bon à chevaucher sans avoir à se préoccuper d'un gîte où passer la nuit.

Au bout de trois journées d'un voyage plaisant, au cours duquel Pierre-Paul put faire la connaissance de quelques nobles, personnages importants de la cour, des ordres fusèrent, la troupe se remit en rang et les préposés sortirent les oriflammes. «On approche de Mantoue», dit Scarpagnino à

Rubens. Après la traversée du petit village de Gazzuolo, la route longeait un bras du Mincio encombré de roseaux. Lacs, marais, brume, tout semblait gorgé d'eau sur cette rive. Ce n'était pas la partie la plus agréable du trajet. Les moustiques qui pullulaient dans cette chaleur humide agaçaient les bêtes et les cavaliers. Scarpagnino prévint Pierre-Paul.

– A cette saison, les moustiques sont la plaie de Mantoue. Heureusement, Sa Seigneurie, qui s'est séparée de ses astrologues, a gardé son alchimiste Gappieri. Ce dernier prépare actuellement une lotion magique contre ces épouvantables petites bêtes.

– Pourquoi le prince a-t-il renvoyé ses astrologues ?

– Pour Galilée, que le prince tient en haute estime. Galilée lui a recommandé de ne pas prêter foi aux prédictions des devins et des magiciens.

– J'ai entendu parler de Galilée en Flandre. Mon maître disait que c'est un génie. Est-il venu à la cour ?

– Plusieurs fois. Sa Seigneurie aura plaisir à vous dire que Galilée a découvert les lois du mouvement pendulaire en observant le balancement d'un lustre à San Andrea.

Le campanile de la basilique réfléchissait au loin les rougeurs du soleil d'automne. Les cavaliers passèrent bientôt le pont-levis et parvinrent dans la cour d'honneur du palais ducal, un ensemble de bâtiments enchevêtrant leurs tours carrées, leurs créneaux, leurs caponnières.

– C'est immense ! s'exclama Pierre-Paul après un rapide tour d'horizon.

– Le peintre-architecte Jules Romains, répondit Annibal Chieppio, a restauré, rebâti et réuni ces magnifiques édifices à l'origine disparates, laissés par le duc François et sa femme Isabelle d'Este. Cela paraît grand, certes, mais comment abriter autrement les deux mille tableaux, les cinq cents statues et les vingt mille objets rassemblés par la dynastie des Gonzague!

Le duc Vincent, prince de Mantoue depuis treize années, perpétuait avec passion les traditions de ses ancêtres. Pierre-Paul s'attendait à une cour fastueuse, il découvrit une munificence si démesurée qu'il passa une partie de sa première nuit à décrire par lettre à sa mère et à Déodat quelles merveilles il avait entrevues avant le souper. Comme il le rapporta, le duc s'était montré prévenant et généreux, lui offrant d'emblée qu'on lui prépare une nouvelle garde-robe :

«"Vous irez, mon cher, dès demain chez mon tailleur! Dites-lui de vous couper sans tarder un habit digne de votre fonction à la cour, plus deux autres pour suivre. Faites savoir à Scarpagnino, mon aide de camp, ce dont vous pourrez en outre avoir besoin. D'ores et déjà, je vous propose de vous installer dans l'atelier du fils Fourbus, qui vient de partir après avoir terminé le plafond de la chambre des Muses. Autre chose, vous vous exprimez à peu près correctement en italien, mais votre accent est exécrable. Faire des progrès vous sera utile. Ah! Je vous ai observé en route, vous êtes un bon cavalier, vous chasserez avec nous."

«Vous imaginez, ma chère mère, poursuivait Pierre-Paul, combien je suis heureux. Mais cette vie fastueuse qui m'est offerte n'est rien à côté des travaux de peinture dont je vais être chargé. Le duc m'a dit que je pourrai bientôt voyager, me rendre à Florence et à Rome pour copier les Titien, les Tintoret et progresser dans le métier. J'ai hâte de retrouver mes pinceaux et d'installer mon atelier, qui est ouvert à la lumière d'un vallon agreste.

138

«Je n'ai eu de votre part qu'une seule réponse à mes lettres depuis mon départ et je ne sais quand vous recevrez celle-ci. Pour me répondre, le mieux est de vous adresser à la banque de la famille Van der Mont. Déodat était bien triste d'être obligé de rentrer!

«Embrassez toute la famille, dites à la jolie Pauline de Lalaing que je pense à elle et que je lui écrirai bientôt. Croyez, ma chère mère, à toute la tendresse de votre fils.»

En cachetant sa lettre, Pierre-Paul songea que sa mère, là-bas, sur les bords de l'Escaut, serait heureuse de savoir qu'à défaut d'être resté, comme elle le souhaitait, page à la petite cour de Marguerite de Ligne-Arenberg, il vivait maintenant à Mantoue dans la société des princes.

Il ne lui fallut pas longtemps pour évoluer à son aise dans le domaine biscornu du château de Mantoue. Habillé de neuf pour la vie quotidienne, pour la chasse, pour les concerts dirigés par le maître de chapelle – qui n'était autre que le grand Monteverdi –, le jeune Flamand n'en finissait pas de découvrir de nouvelles manifestations d'opulence. Vincent de Mantoue et sa femme Leonore avaient à leur solde comédiens, faiseurs de vers et musiciens qui entretenaient un perpétuel déroulement de fêtes, de spectacles et de carrousels enchanteurs. Quelle avait été sa surprise d'apprendre qu'on avait réservé à une famille de nains un corps de logis entier, comprenant chambres, réfectoire et chapelle, le tout aux dimensions appropriées!

Jour après jour, Annibal Chieppio et Scarpagnino initiaient le jeune Flamand aux usages de la cour et lui faisaient découvrir les beautés que recelaient les murailles rébarbatives du palais ducal. La duchesse montrait avec fierté

139

les «petits appartements» aménagés jadis par la duchesse Isabelle d'Este : une suite de pièces décorées avec un goût exquis, donnant toutes sur le lac et la terre de Virgile[1]. Pierre-Paul fut ébloui par l'immense bibliothèque ornée de fresques, aux murs couverts d'armoires et d'étagères où des générations de Gonzague avaient rassemblé les livres les plus précieux de la chrétienté. Le jeune peintre visita encore la salle *delle Virtù*, consacrée aux gloires et aux actes officiels des Gonzague, où trônaient les statues des grands ancêtres. C'est pourtant à la *Camera degli Sposi*, magnifiquement décorée par les œuvres de Mantegna, qu'il donna sa préférence.

Le duc insistait sur la part qu'avait prise Jules Romains, aux temps de son grand-père et de son père, à l'embellissement du palais. «Mantoue n'est pas la ville des Gonzague, c'est la ville de Jules Romains!» disait-il en riant. Pierre-Paul approuvait, mais ne pouvait pourtant s'empêcher de penser, en son for intérieur, que le peintre et architecte Giulio Pipi, dit Jules Romains, s'était laissé prendre au piège de la grandiloquence. Pierre-Paul jugeait exagéré l'emploi des stucs et du rouge dans les fresques. Décidément, ce n'était pas l'artiste qu'il avait envie de copier! Il le fera tout de même à la demande du prince.

Mantegna, en revanche, l'inspirait. L'une des premières copies, à l'huile, de Rubens, fut donc celle du *Triomphe de César*. Le duc Vincent en tira une satisfaction si vive qu'il nomma officiellement peintre de la cour Pietro-Paolo Rubens.

Cet acte assurait l'avenir du jeune Flamand. Résidant à Mantoue, il pouvait quitter la cour quand il le désirait. Le duc, de surcroît, comme à tout peintre de cour, ne lui inter-

---

1. Virgile est né près de Mantoue, au village d'Andes.

disait pas de travailler pour d'autres mécènes, à condition qu'il donnât la priorité à ses commandes. C'était pour un si jeune homme une opportunité exceptionnelle d'apprendre et de faire connaître son talent.

Mais le jeune Flamand devait d'abord se familiariser avec un milieu très différent de celui où il avait vécu jusqu'alors et faire sienne l'éducation d'un seigneur appelé à côtoyer jour après jour les grands de la principauté. Cet apprentissage, il le menait avec facilité, sans fausse note, faisant preuve d'intelligence, et grâce à sa jolie tournure, qui lui attirait les sympathies. Le tact de Pierre-Paul, sa belle humeur, sa discrétion lui permirent d'évoluer rapidement au sein de cette cour sans commettre d'impairs et, surtout, sans susciter de jalousies. Il n'ignorait pourtant pas que sa situation changerait du jour où il commencerait à faire de l'ombre à d'autres artistes de la cour.

Pierre-Paul peignait, certes, mais disposait d'assez de loisirs pour cultiver ses relations mondaines. Il trouvait intéressant de s'initier aux choses de la politique et de la diplomatie, et utile de se perfectionner dans l'étude des langues, l'italien surtout. Parmi les protégés de Vincent vivait aussi à la cour le musicien préféré de ce dernier, Claudio Monteverdi, avec qui Rubens entretenait des liens amicaux. Sans goût particulier pour la musique, il n'en écoutait pas moins avec plaisir les madrigaux à cinq voix que Claudio composait pour le prince. Un autre lien les rapprochait : la Flandre, où, quelques années auparavant, Monteverdi avait accompagné avec un petit orchestre le duc de Mantoue, à Spa exactement, la station thermale de Liège. Le musicien en avait rapporté d'intéressantes indications sur les musiques du Nord, relevant notamment qu'on y décelait des traces de musique antique, pourtant oubliée depuis plus de quinze siècles. Monteverdi avait aussi eu le bonheur d'admirer les grands peintres flamands, Pierre Bruegel notamment, dont il avait rapporté des gravures. Enfin, le compositeur était l'époux d'une jeune chanteuse, Claudia, dont le sourire éclairait le monde des artistes protégés de la cour. Elle venait d'avoir un enfant dont Rubens était le parrain.

Pour l'heure, Pierre-Paul remplissait ses cartons d'études d'animaux. Il n'avait que quelques pas à faire pour trouver ses modèles au domaine de la Virgiliana, où les Gonzague entretenaient une ménagerie, célèbre dans toute l'Italie, abritant des éléphants, des chameaux, des girafes et tous les grands fauves, en particulier des lions d'Afrique. Pierre-Paul en avait peint un superbe et menaçant à l'intention du duc. La plupart du temps, il réservait ses travaux aux coulisses de ses cartons, songeant plutôt à l'avenir. Il avait en effet en tête une grande toile, *Daniel dans la fosse aux lions,* et une série de *Chasses*[1].

Le duc, qui se réjouissait de ses réparties, mettait souvent à l'épreuve les connaissances de son protégé, dont il aimait venir suivre en silence le travail à la ménagerie. Pierre-Paul, qu'à la cour on appelait « *il Famengo*», gagnait chaque fois de nouveaux titres d'estime dans le cœur de son prince. «Il me rend visite comme à ses tigres et à ses éléphants, rapportait Rubens, en riant, à Monteverdi. Quand il a admiré ses fauves durant dix minutes, il vient me regarder tenir mon crayon.»

Un jour, Vincent interrompit pourtant la séance de son peintre :

– Mon cher Rubens, je vais vous emmener en voyage. Je sais que vous brûlez d'envie de connaître Florence, eh bien,

---

1. Tableaux qu'il peindra bien plus tard.

je vous emmène au mariage de ma belle-sœur, Marie de Médicis, qui va épouser Henri IV, le roi de France! Il serait exagéré de parler de mariage d'amour, mais cette union arrange le grand-duc de Toscane, qui pense trouver, avec le royaume de France, un rempart efficace contre l'Espagne toute-puissante, et installée déjà à Milan. Henri, lui, y voit un moyen de redorer ses finances. Après le scandale de la mort de sa maîtresse, la belle Gabrielle, il lui faut donner une reine au pays, une mère pour des héritiers légitimes.

– Votre Seigneurie est bien bonne de me tenir ce langage. La politique m'intéresse. S'il n'avait été question pour moi de peindre, j'aurais, comme mon père, aimé la diplomatie.

– C'est d'un peintre que j'ai besoin, répondit le prince en souriant. Bien que le mariage soit célébré par procuration, le roi se trouvant à l'heure actuelle en Savoie où il met au pas le duc Charles Emmanuel, il donnera lieu à des cérémonies fastueuses. Je connais votre habileté à saisir sur le vif les scènes de la vie. Je veux que vous dessiniez la cérémonie qui se déroulera à la cathédrale de Sainte-Marie-des-Fleurs. Cet événement a sa place dans notre histoire nationale. Vous sentez-vous prêt à remplir cette mission?

Rubens n'hésita pas. Bien qu'il n'eût encore jamais exécuté d'œuvre mettant en scène des personnages illustres, l'occasion était trop belle:

– Votre Seigneurie peut compter sur mon dévouement. Je lui promets un tableau digne de figurer dans la collection du grand-duché de Mantoue.

– Ah! Sachez que j'emmène également votre ami Monteverdi. Je veux qu'il voie le spectacle qu'a commandé le grand-duc à son directeur de la musique, Jacopo Peri. C'est, dit-on, une merveille pour l'ouïe et pour la vue.

CHAPITRE VI

Les Médicis en France

Le pape avait projeté de se rendre en Toscane afin de donner sa bénédiction à la future reine de France, mais, fatigué, il avait renoncé à ce déplacement et désigné son neveu, le cardinal Aldobrandini, pour le représenter. C'est lui qui dit la messe, le 5 octobre, dans la cathédrale de Florence, avant de prendre place à la droite de l'autel, sous un dais brodé d'or. Marie de Médicis, le visage perdu dans les dentelles au milieu des trois cents jeunes Toscanes vêtues d'une même robe blanche, priait sous un autre dais. Sur un signe de l'évêque Belozzi, maître des cérémonies, elle se leva et, conduite par Bellegarde, vint se placer à droite du cardinal Aldobrandini, tandis que le grand-duc se mettait à sa gauche.

Ferdinand de Bellegarde présenta la procuration du roi Henri qui lui permettait d'épouser, en son nom, la princesse de Toscane. Le cardinal avança la bulle du pape l'autorisant à procéder au mariage. Deux prélats lurent alors les documents à haute voix, et le cardinal Aldobrandini déclara unis par les liens du mariage Marie de Médicis et le duc de Bellegarde, en lieu et place du roi de France.

Dans les coulisses de ce faste jour, de ces costumes de cour et d'église, de ces tentures armoriées, Pierre-Paul Rubens, adossé à une colonne du chœur, dessinait sur un carton la scène mémorable qui se déroulait à dix pas de lui. Son regard allait de l'un à l'autre, et le crayon suivait, rapide quand il ombrait un personnage de hachures, lent lorsqu'il traquait les traits d'un visage. La vue d'ensemble de la cérémonie mise en place, l'artiste prit un autre carton et s'intéressa au visage des acteurs. Bellegarde, roi pour une heure, aux traits durs et allongés, fut dessiné en deux coups de crayon, le cardinal au visage poupin et aux gestes révérencieux, croqué en courbes rebondies. La mariée donnait, semblait-il, plus de soucis à Pierre-Paul, qui hésitait, se reprenait, estompait de l'index un arrondi trop accentué, griffonnait le tout avant de recommencer.

– Je n'aimerais pas avoir à faire le portrait de cette Médicis, confia l'artiste à Scarpagnino, dépêché pour l'aider et qui tenait le carton à dessin. Qu'a-t-elle vraiment des Médicis? De son père elle a reçu la haute stature, mais sans doute doit-elle à mère, une Habsbourg, ce front bombé et cette bouche lippue.

L'aide de camp ne commenta pas ces propos irrespectueux et se contenta de dire qu'il trouvait la figure très ressemblante. La cérémonie prenait fin. L'héritière des Médicis, au bras du duc de Bellegarde, remontait dans les éclats de l'orgue l'allée de la cathédrale. Juvénile, émue, fragile, la mariée sans époux était attendrissante. Pierre-Paul se dit qu'il avait été injuste. En rangeant son carton et ses « accessoires de talent », comme il appelait son attirail de crayons, de gommes et de fusains, il souffla à Scarpagnino :

– Elle est tout de même bien belle…

Rubens ne pouvait alors imaginer que, vingt-cinq ans plus tard, Marie de Médicis, reine de France, lui demanderait de peindre une série monumentale représentant les principales scènes de sa vie.

Pour l'heure, Florence célébrait le mariage par des fêtes nombreuses et grandioses. D'un côté, le petit peuple, prompt à acclamer sa princesse qui allait porter en France le charme et le génie de la Toscane, de l'autre, le tourbillon officiel de manifestations qui devaient laisser des souvenirs inoubliables. Le soir de la cérémonie, le palais Pitti fut le théâtre d'un bal magnifique, suivi d'un fabuleux souper où l'on présenta les viandes sous forme d'animaux sauvages : lions, girafes et même un crocodile ! Amateurs de machines à transformations, les Florentins allaient de surprise en surprise. Ainsi Adolfo Sirastillo, l'architecte et metteur en scène de la fête, avait-il fait en sorte qu'à l'heure du dernier service la table de la reine se séparât en deux, libérant une seconde table, sortant du sol, chargée de fruits, de dragées, de confitures et de friandises variées. Elle fit place, plus tard, à une troisième, couverte de coupes de fruits frais, où deux fontaines encadraient une cage qui libéra mille petits oiseaux. La Renommée, figurée par une superbe jeune fille, descendit alors du ciel, accueillie par un orateur qui célébra les mérites du grand-duc. Quand la messagère de Zeus eut regagné ses nuages, seize vierges représentant les seize villes de la Toscane vinrent s'incliner devant Marie.

De sa table, qu'il partageait avec Claudio Monteverdi et d'autres artistes, Pierre-Paul avait une vue d'ensemble sur la salle. Il put ainsi dessiner les principaux tableaux de cette fête mémorable[1].

Une semaine plus tard, Marie quittait sa chère Florence pour Livourne où elle devait embarquer à destination de Marseille en compagnie de la grande-duchesse Christine, du secrétaire d'Etat Belisario Vinta, de sa chambrière particulière Leonora Galigaï et d'un jeune seigneur florentin, Concino Concini. Pise fit au cortège de Marie un accueil chaleureux. Joutes sur l'Arno, repas somptueux en plein air, illuminations, feux d'artifice et réjouissances populaires marquèrent le passage de l'enfant chérie de la Toscane, devenue reine de France.

Hormis les intimes, sa suite comptait plus d'un millier de personnes, des officiers, des gardes, des domestiques et du personnel de la trésorerie chargé de convoyer les 350 000 écus de la dot. Elle avait aussi tenu à emmener la famille Ruggieri, prévoyant qu'elle ne trouverait pas, en France, d'artificiers magiciens aussi prodigieux.

La jeune femme, si elle avait reçu une bonne instruction dans les belles lettres et la peinture, n'emportait pas que ce plaisant bagage. Médicis avant tout, elle n'ignorait pas grand-chose de la sinistre réputation de sa famille. Elle savait que son grand-père, Cosme Ier, fondateur de la dynastie, s'était approprié le pouvoir et avait régné en tyran; que son père,

---

1. Vingt-deux ans plus tard, l'humaniste français le seigneur de Peiresc, qui assistait à la fête, rappellera dans une lettre à son ami Rubens les fastes dont ils avaient été les témoins.

pour obtenir la reconnaissance d'un titre usurpé, avait épousé, en versant 100 000 ducats aux Habsbourg, l'archiduchesse Anne d'Autriche, sa mère. Elle savait aussi que l'oncle Ferdinand, qui avait succédé à son père et venait de la marier, suivait la même politique d'intrigues. Une femme de chambre lui avait raconté que son autre oncle, Pierre, avait poignardé sa femme Eléonore et que, quelques jours plus tard, sa tante Isabelle avait été étranglée par son mari, Paolo Giordano Orsini. Elle n'ignorait pas non plus que la Toscane ne tenait son rang en Europe que grâce à la banque Médicis. Pour survivre à un tel climat, elle avait dû, très jeune, s'habituer à la dissimulation et à l'absence de scrupules. C'est donc en portant le poids d'un lourd passé que Marie quitta la Toscane, depuis Livourne, le 17 octobre au soir.

Quelques heures avant que les premiers coups de rames éloignent du port l'imposant vaisseau, elle reçut, d'un messager arrivant de France, une lettre du roi Henri : «Ma femme, aimez-moi bien; et ce faisant vous serez la plus heureuse des femmes. J'ai pris les eaux de Pougues, de quoi je me suis très bien trouvé. Comme vous désirez la conservation de ma santé, j'en fais ainsi de vous et vous recommande la vôtre, afin qu'à votre arrivée nous puissions faire un bel enfant qui fasse rire nos amis et pleurer nos ennemis.»

Marie, qui comprenait mal la langue de ses futurs sujets, se fit lire cette lettre par la grande-duchesse et dit que les Français, le roi en tout cas, avait, pour parler des choses de l'amour, beaucoup à apprendre des Italiens.

Il avait fallu des heures pour installer tous ses gens à bord des dix galères à vingt-sept rames affrétées par la Toscane, par Malte, par le Vatican et par la République de Gênes. Marie et sa suite rapprochée embarquèrent les dernières à bord de la *Royale*, décorée de la ligne de flottaison à la dunette de sculptures et de motifs sertis de pierres rares. Sur la coque, les armes de la France et de la Toscane étincelaient au soleil couchant.

La reine et ses intimes étaient logés à l'arrière dans des cabines aux parois de marqueterie et garnies d'un dais de brocart écarlate brodé d'or. De la cuisine aux lits de fourrures, tout était organisé pour assurer un confort, inédit sur les galères, et la sécurité des biens et des personnes. Il n'était pas imaginable, compte tenu de la qualité des passagers, de la fortune enfouie dans les cales et des intrusions toujours possibles de barbaresques, de s'engager en pleine mer et de gagner directement Marseille. Dès le deuxième jour, d'ailleurs, la vigueur des vents et la hauteur des vagues obligèrent à s'en tenir à une navigation au plus près des côtes. On fit donc de multiples escales : Viareggio, La Spezia, Chiavari, puis Gênes, où la tempête immobilisa la flotte royale neuf jours d'affilée.

Les journées semblaient longues à bord de la *Royale*. Dans les cabines exiguës réservées à la petite cour de Marie de Médicis, on trompait l'ennui en jouant aux cartes. Les enjeux étaient gros. Virginio Orsini, l'ami d'enfance de la jeune reine, et le sulfureux Concino Concini, joueurs habiles et tricheurs à l'occasion, gagnaient une petite fortune aux dépens de la grande-duchesse Christine. On bavardait aussi beaucoup, en ne ménageant pas les absents. Le soir, place était laissée au destin. On faisait alors appeler Graggioni l'astrologue, que Marie écoutait commenter à l'infini son thème astral. L'habile devin trouvait alternativement des motifs d'angoisse ou d'espérance. Parfois, encore, la grande-duchesse enseignait quelques rudiments de français à Marie.

Enfin, le ciel s'éclaircit et, sans autre souci qu'une fausse alerte aux brigands turcs, la flottille passa au large de Nice, propriété de la Savoie, et, après une dernière escale à Toulon, parvint enfin à Marseille au bout de vingt-quatre jours d'une navigation languissante.

Il était midi en ce jour du 9 novembre 1600 quand, pour saluer l'arrivée de la reine, tonnèrent les canons des inexpugnables remparts. Il fallut attendre quatre heures que s'achèvent les manœuvres d'accostage pour que Marie pût enfin quitter le bord. Les Marseillais célébrèrent l'honneur fait à leur ville par un accueil enthousiaste. Guirlandes, tapisseries et drapeaux ornaient les maisons dont l'ocre des façades rappelait aux Toscans celui de leur terre.

C'est une reine souriante qui foula le sol de France dans les cris de bienvenue. Bien plus tard, le jeune dessinateur de la cathédrale de Florence, devenu le grand Rubens, magnifierait l'instant glorieux. Pierre de L'Estoile, qui savait tout des événements importants sans y avoir assisté, décrira Marie «vêtue d'une robe de drap d'or, coiffée haut à l'italienne, ses nœuds justes avec les cheveux sans poudre, le visage sans fard, la gorge un peu ouverte avec un rang de grosses perles[1]».

Au bout du tapis déroulé jusqu'au quai, la reine Marie espérait trouver, bien qu'il ne se fût pas fait annoncer, son protecteur et seul vrai refuge sur cette terre inconnue. Mais le roi, qui avait prolongé jusqu'à l'indécence sa présence auprès d'Henriette d'Entragues, ne se trouvait pas à Marseille et avait envoyé le chancelier de Bellièvres et le duc de Guise l'accueillir. Ces derniers étaient chargés d'annoncer

---

1. Cité par Jean-Pierre Babelon dans son important ouvrage, *Henri IV*, paru chez Fayard.

à la nouvelle reine de France que, retenu par la guerre de Savoie et la prise du fort Sainte-Catherine, face à Genève, il l'attendrait à Lyon, ville vers laquelle il se dirigeait sans tarder. Il était en réalité encore dans les bras de sa favorite, qui avait exigé de l'accompagner en campagne et menaçait maintenant de montrer la promesse de mariage au nonce Aldobrandini, qui devait négocier la paix. Encore une fois on frisait le scandale. Ce ne serait que la veille de l'arrivée du cardinal que le roi, se pliant aux volontés du Conseil, ferait embarquer Henriette sur un bateau chargé de la conduire le plus loin possible sur l'autre rive du lac du Bourget.

En l'absence de son roi, la reine fut présentée aux notables de la ville, aux représentants de la Maison du roi, aux magistrats, aux échevins. Le soir, une brillante réception lui fut réservée à l'hôtel de ville. Entre-temps, la grande-duchesse de Toscane avait officiellement remis la reine et la dot à la France en la personne du chancelier de Bellièvres. Agacée de n'avoir pu rencontrer le roi Henri, la grande-duchesse décida de ne pas continuer le chemin jusqu'à Lyon et de se rembarquer pour Livourne sur les galères d'escorte. Seul resta Belisario Vinta, qui devait discuter avec le roi et ses ministres de l'installation de la reine.

Le lendemain, le cortège royal prit la route d'Aix, où le Parlement vint en corps à sa rencontre. Au cours de la réception à l'hôtel de ville, on présenta à Marie un poète qui s'était fait un nom dans la cité des comtes de Provence, des cours d'amour et des universités lettrées. Il s'appelait Malherbe et remit à la souveraine une *Ode à la reine sur sa bienvenue en France*, deux cent trente vers qui allaient faire sa fortune et marquer le début d'une nouvelle école littéraire. La reine remercia et demanda à l'auteur de bien vouloir déclamer quelques strophes. Malherbe ne se fit pas prier et, de sa voix de basse qui convenait au lyrisme de sa poésie, commença :

La voici la belle Marie
Belle merveille d'Etrurie
Qui fait confesser au soleil
Quoi que l'âge passé raconte
Que du ciel depuis qu'il y monte
Ne vint jamais rien de pareil

Les Grâces parlent par sa bouche,
Et son front témoin assuré
Qu'au vice elle est inaccessible
Ne peut que d'un cœur insensible
Etre vu sans être adoré.

Enfin, la dernière strophe fut acclamée par l'assistance :

Par vous un Dauphin nous va naître,
Que vous-même verrez un jour
De la terre entière le maître,
Ou par armes ou par amour.

Une ode, si gracieuse soit-elle, ne fait pas le printemps. Et l'on était fin novembre. Une pluie glaciale avait surpris la suite royale qui se dirigeait maintenant vers Avignon. La douceur de l'automne toscan était loin et l'armée de la reine, avec ses cent chariots, ses femmes de chambre, ses laquais, ses gardes, ses officiers, ses secrétaires, ses artificiers et ses escouades d'indispensables, grelottait. Dans son carrosse, heureusement fermé à l'italienne, Marie eut soudain peur.

Peur du ciel sombre et furieux, peur de ces Français certes accueillants, mais qui avaient chez les Italiens de bonne souche mauvaise réputation, peur de cette langue qu'elle ne maîtrisait pas et qui allait l'isoler, peur aussi peut-être de ce mari qui, pour être roi, n'en était pas moins un Gascon brutal et sans manières, converti de surcroît. Elle s'emmitouflait dans son manteau de loup en soupirant quand des cris parvinrent de l'avant de la colonne.

– Je vais voir, dit Belisario Vinto, qui l'accompagnait dans la voiture. Ne bougez surtout pas. Attendez-moi.

Il remonta la file de carrosses et de chariots maintenant arrêtée et atteignit les cavaliers de la garde française qui, avec la *guardia* italienne, veillaient sur la sécurité de la reine et de sa suite.

– Que se passe-t-il ? demanda le secrétaire d'Etat. Sommes-nous attaqués ?

– Non, répondit le capitaine français. C'est le franchissement du gué sur la Durance qui se passe mal. Suivez-moi, Excellence.

Ils s'avancèrent et recueillirent l'ambassadeur de Florence, Baccio Gaccio Giovannini ruisselant des pieds à la tête.

– J'ai dû descendre de carrosse, car les chevaux refusaient d'entrer dans l'eau tumultueuse. J'ai été entraîné par le courant. Mes gens, heureusement, m'ont secouru. Un laquais s'est, paraît-il, noyé, et de nombreuses personnes de qualité ont failli être emportées. Qu'allons-nous faire, capitaine ?

– J'ai envoyé chercher de l'aide dans les villes voisines. Nous allons sécuriser le passage. Ce sera long, mais tout le monde passera.

– Et la reine ?

– Elle franchira le gué sur une litière.

La traversée dura quatre heures. Il faisait presque nuit quand les derniers membres de la suite traversèrent la Durance, laissant sous bonne garde des voitures endommagées et une partie des bagages.

Le lendemain, le convoi repartit sous un beau soleil et gagna sans encombre Avignon où les jésuites qui régentaient la ville papale avaient préparé une réception grandiose pour la reine et pour le roi. Ils furent désolés de l'absence de ce dernier, car c'est bien pour lui qu'ils avaient imaginé dans les rues des théâtres, des estrades, des arcs de triomphe ornés d'emblèmes et de devises basés sur le chiffre 7. Content de sa trouvaille un peu enfantine, le R.P. Valadier, général des jésuites, expliqua à Marie qu'un père avait découvert au cours de ses recherches de bien curieuses coïncidences. Sérieux, il expliqua :

– Il y a sept lettres dans Bourbon, le nom de famille du roi, qui est âgé de sept fois sept ans. Il est le neuf fois septième roi de France depuis Pharamond. Il a vaincu à Arques, en septembre, le 21, trois fois septième jour, à Ivry, en mars, au jour deux fois sept, et son armée était divisée en sept escadrons…

L'érudit ecclésiastique avait encore dans sa barbe un beau troupeau de sept, qu'il fit défiler devant la noble assistance. Marie, qui comprenait mal le français mais s'y entendait en chiffres, fut ravie et demanda une copie de cette merveille pour l'offrir elle-même au roi.

La reine était impatiente de gagner Lyon. Mais, avant Valence, la pluie ralentit une nouvelle fois la lourde colonne florentine. Heureusement, une surprise l'attendait

155

à destination. Le maître général des Postes, chargé par le roi d'acheminer personnellement ses messages d'amour, était porteur d'une lettre annonçant l'arrivée d'Henri IV à Lyon le 10 décembre. La reine avait éprouvé tant de déconvenues qu'elle craignait un nouveau faux bond, mais la solennité et la liesse qui marquèrent son entrée à Lyon le 3 décembre la rassurèrent. Pour la première fois, elle eut l'impression qu'elle était la reine de France et plus seulement celle de son clan de Florentins.

A la porte de la ville, elle fut accueillie par le gouverneur, les principaux magistrats et le nonce du haut clergé. Après les harangues de bienvenue, c'est en litière au dais bleu parsemé de fleurs de lys que Marie de Médicis se rendit à l'archevêché où elle devait résider. Comme à Avignon, mais entourée d'encore plus de monde et d'enthousiasme, elle traversa la ville à travers une foule joyeuse, longeant les maisons chamarrées de tentures et d'oriflammes, dont les fenêtres s'éclairèrent comme par enchantement dès que tomba la nuit.

De nouvelles manifestations officielles l'attendaient à l'archevêché. Les salons regorgeaient de notables. Les ambassadeurs du roi d'Espagne, de l'archiduc Albert et de l'infante Isabelle lui apportèrent l'hommage de leurs grands pays. Oui, elle était bien la reine de France ! Sa fierté l'eût sans doute abandonnée si elle avait pu entendre les chuchotements qui, d'oreille en oreille, faisaient circuler les bruits les plus divers à propos de l'arrivée du roi, de ses adieux, bien sûr provisoires, à la marquise de Verneuil, et du cadeau qu'il lui avait fait pour éviter le scandale dont elle le menaçait : un collier de diamants dont le prix augmentait en passant d'un groupe à un autre. Ces bruits n'étaient en rien méchants, car le roi Henri était admiré pour sa bravoure, ses victoires et la bonté familière qu'il avait gardée de son premier état de chef de parti. On regrettait pourtant, sinon les passades continuelles, à tout le moins les amours publiques et indécentes qui, depuis son avènement, avaient dissipé tant d'argent et mis en danger son royaume, sa famille et sa propre personne. Dans ce gâchis, la jeune reine Marie de Médicis apparaissait un peu comme un espoir, non qu'on crût qu'elle pût changer le roi, mais plutôt qu'elle l'engageât à faire montre de plus de décence. On attendait aussi qu'elle donne un dauphin à la France.

Cette fois, le calendrier ne déçut pas Marie. Monsieur de Brienne, le secrétaire du roi, laissa entendre qu'Henri serait en avance de vingt-quatre heures, mais qu'il arriverait discrètement, sans escorte officielle ni trompettes. Le 9 au soir, on n'en savait pas plus. La reine commençait à souper, vers huit heures, en la seule compagnie de madame de Nemours, chargée de l'instruire des habitudes françaises, quand l'entrée soudaine dans la pièce de La Varenne lui apprit que le roi était arrivé. Elle pâlit, se leva et se dirigea vers sa chambre sans se rendre compte que, dans le couloir, Henri IV, encore botté, caché derrière l'imposant Bellegarde, la regardait avec curiosité, jugeant de son port de taille et de sa démarche aisée. Dans la chambre, le chanoine Braccio Giovannini, l'ambassadeur de Toscane, attendait la jeune femme pour lui annoncer l'arrivée du roi. Il avait à peine fini sa phrase qu'Henri frappait à la porte en annonçant : «C'est le roi!»

Déjà il était auprès d'elle. Emue, Marie s'agenouilla. Henri la releva aussitôt, la prit dans ses bras sans trop de ménagement et l'embrassa «sur tous les côtés de la figure», comme le rapporta madame de Nemours. Le roi déclara alors qu'il avait soif et qu'il mangerait bien quelque chose. Le temps qu'on apporte les rafraîchissements et quelques mets du Béarn, la chambre s'était garnie de visiteurs, dont Leonora Caligaï, Virginio Orsini et Belisario Vinta, curieux de découvrir ce roi guerrier et bon vivant dont les frasques stupéfiaient le monde.

– Asseyez-vous, madame, dit le roi, en mordant dans une cuisse de poulet. Permettez-moi de vous dire que vous dépassez de beaucoup en beauté le portrait que vous avez eu la bonté de m'envoyer. Il a suffi de ces quelques instants pour que je vous découvre des traits qui indiquent la fermeté et la sagesse.

Le roi, très en verve malgré la longue chevauchée de la journée, raconta comment la guerre qu'il venait de mener contre le duc de Savoie, qu'il appelait «le duc sans Savoie», l'avait empêché d'accueillir la reine à Marseille. Celle-ci écoutait son roi avec dévotion. Elle aurait voulu lui dire qu'on lui avait parlé en Toscane de ses triomphes et qu'elle était fière d'être l'épouse d'un héros, mais les quelques mots de français qu'elle connaissait ne le lui permettaient pas. Après avoir bien préparé sa phrase, elle finit tout de même par ânonner : «Sire, je veux tout savoir de vos batailles.» Avec l'accent, c'était délicieux. Le roi rit et promit qu'il lui raconterait la longue course aux batailles qui l'avait fait roi. Puis il dit qu'il était fatigué. La compagnie comprit qu'il voulait rester seul avec Marie.

Le lendemain, les indiscrétions plongeaient dans la satisfaction Italiens et Français. «*Le cose erano passato finalmente benissimo*», put écrire Vinta au grand-duc de Toscane. Le secrétaire d'Etat avait été présenté au roi dans la matinée.

Selon le protocole, il avait embrassé son genou et lui avait transmis les salutations empressées du duc et de la duchesse. Il l'avait complimenté sur sa santé et lui avait dit combien ses victoires allaient droit au cœur des Florentins. Au terme de sa harangue, il avait demandé à être reçu officiellement afin d'achever l'accomplissement de sa mission diplomatique.

L'après-midi, Henri IV, qui, comme les grands oiseaux, ne pouvait vivre qu'à l'air libre, entraîna Marie et quelques-uns de ses amis florentins à l'abbaye d'Ainay pour en admirer les splendides jardins. Ils s'y promenèrent jusqu'à la tombée de la nuit, le roi témoignant à son épouse mille galanteries qui la faisaient rire. Le retour se fit au son des cris de la foule jusqu'à l'archevêché où, pour la première fois, Marie, assise à la droite du roi, honora sa charge à la cour de France.

Elle aurait bien voulu quitter les murs sévères de l'archevêché et découvrir ses nouveaux palais, le Louvre, Fontainebleau, Blois et Chenonceaux où avait séjourné sa grand-tante Catherine. Mais il restait à célébrer le mariage réel, la procuration de Florence ne tenant lieu que de garantie. Pour diverses raisons le roi se montrait impatient, mais il fallait attendre la venue du cardinal Aldobrandini, qui avait célébré la cérémonie de Florence et devait, au nom du pape, parachever ces noces à épisodes. Le nonce arriva enfin le 14 décembre et fit, le lendemain, son entrée solennelle, qui n'intéressa guère les Lyonnais. En revanche, le 17, la cathédrale Saint-Jean et les rues environnantes étaient noires de monde.

Personne mieux que Belisario Vinta ne pouvait raconter ce mariage dont il avait suivi depuis le début toutes les péripéties. C'est ce qu'il fit le soir même dans la dépêche qu'emporta dès le lendemain le messager du grand-duc :

«Cette après-midi, le légat a chanté dans l'église cathédrale une grand-messe solennelle, accompagné par la Musique du roi. Les cardinaux de Joyeuse, de Gondi et de Gesvres, en habits de cérémonie, siégeaient sur un banc richement tapissé, juste derrière le cardinal Aldobrandini, qui officiait sous un dais. La cathédrale débordait de monde. Il y avait le Grand Chancelier avec tous les conseils et tous les secrétaires d'Etat, l'internonce du pape, le seigneur De Taxis, ambassadeur d'Espagne, et celui de Venise, Marino Cavallo.

«Le roi et la reine étaient arrivés accompagnés de trompettes, de tambours et de fifres au milieu des cris de joie de tout un peuple auquel le roi Henri faisait jeter des pièces d'argent frappées exprès pour le mariage. J'en envoie une à Votre Altesse, qui m'a été donnée par le Grand Chancelier.

«Leurs Majestés étaient placées sous un haut dais en face de l'autel. Le roi, peu soucieux à l'ordinaire de son vêtement, avait fait toilette. Il portait un pourpoint et des chausses de peau blanches à bordures d'or. Sa collerette brodée et rabattue par une broche d'or était constellée de diamants. Sur le pourpoint était retenu un manteau de velours noir sur lequel brillaient les colliers des ordres de Saint-Michel et du Saint-Esprit. Il était encore coiffé d'un petit chapeau fort galant garni de plumes de héron. Le roi ne portait pas de couronne. On m'a dit qu'il ne la porte que deux fois : pour le sacre et lorsqu'il est conduit à la sépulture.

«Quant à votre chère nièce, elle était bien belle dans le manteau royal semé de lys d'or. Elle n'aurait pu se mouvoir jusqu'à l'offertoire sans l'aide du prince de Conti et du duc de Montpensier. La duchesse de Ventadour et la comtesse d'Auvergne soutenaient la traîne avec des dames de moins haute relevée. Elle arborait avec une grâce infinie la couronne royale, se comportant avec modestie, dignité, et en même temps d'une façon si aimable et si gaie vis-à-vis de tout le monde que sa charmante distinction ne suscita que des éloges. La messe finie, le roi et la reine, se tenant par la main, s'agenouillèrent devant le légat, qui prononça certaines prières sur leurs Majestés. La cérémonie, qui avait commencé à trois heures, finit très tard. Le légat et tous les cardinaux allèrent manger avec Leurs Majestés, mais le dîner se joignit au souper. On dansa au palais et dans les rues. Le peuple avait un si grand désir que la reine ait des enfants que le bruit courait déjà qu'elle était enceinte [1]. »

Un mois passa ainsi, entre fêtes, jeux, et tractations avec le cardinal Aldobrandini, porteur des ouvertures de paix du duc de Savoie. Henri IV ne participait pas personnellement à ces interminables délibérations. «Mon métier, disait-il, est de gagner les batailles, pas d'en négocier les profits !» En fait, il accomplissait parfaitement son métier de roi, et ses ministres admiraient la qualité de ses jugements. Ce n'est que le 17 janvier qu'il apposa sa signature, à côté de celle du cardinal, au bas du traité de Lyon qui mettait fin à l'état de guerre envers la Savoie. Le duc Charles-Emmanuel abandonnait à la France la Bresse, le Bugey, le pays de Gex et le Valromey. Il conservait en revanche le marquisat de Saluces qu'Henri IV aurait bien mis dans son escarcelle.

Le roi rongeait son frein. Cette vie sans fantaisie coupée seulement de parties de chasse lui pesait, et il lui tardait de

---

1. Dépêche du chevalier Vinta du 18 décembre 1600. Citée par Michel Carmona dans son ouvrage, *Marie de Médicis*, paru chez Fayard.

retrouver d'autres plaisirs. Honorer la reine n'était pas pour lui une besogne contraignante, et il confiait volontiers à ses proches qu'elle était un meilleur morceau qu'il ne l'avait pensé. Il la traitait d'ailleurs avec beaucoup d'égards. N'eût été la barrière de la langue, qui limitait les plaisirs de la conversation, le mariage aurait paru une totale réussite si l'entourage italien de la reine n'avait commencé d'irriter le roi. Il voyait d'un mauvais œil cette colonie florentine encombrer les couloirs et se montrer, à peine arrivée, avide de faveurs. L'un de ces messieurs, le cousin chéri Virginio Orsini, tournait de si près autour de la reine qu'il fut prié de rentrer en Toscane. Un autre protégé de Marie inquiétait le roi. Plus roué, plus ambitieux, plus intelligent aussi, Concino Concini, dont l'ambassade de France avait signalé la mauvaise réputation, était entré dans les bonnes grâces de Marie en briguant la main de Leonora Galigaï, l'inséparable confidente qui la parait et la coiffait mieux que personne, qui l'avait accompagnée durant toute sa jeunesse et dont elle ne pouvait se passer. Le roi n'avait pas autorisé ce mariage qui faisait la risée de la cour, car la Galigaï était laide, mais il n'avait pas réussi à renvoyer l'intrigant[1].

Cet entourage italien le gênait et Marie l'agaçait par ses manies de vieille fille. Le souvenir d'Henriette d'Entragues recommençait à tourmenter Henri. Il savait qu'en renouant il s'exposerait à des avanies, qu'il serait à nouveau l'objet de chantage, que ses ministres, Béthune le premier, ne manqueraient pas de critiquer sa façon de vivre. Mais quoi ? Etait-ce

---

1. Le roi finira par consentir à ce mariage six mois plus tard, en juillet, et le couple partagera les faveurs de la reine jusqu'à jouer un rôle très important dans la politique de la France.

sa faute s'il était trop esclave des femmes, s'il était le jouet de ses propres passions? Henriette l'attendait du côté de Fontainebleau, il en était sûr. Il savait aussi que ce n'était pas cette petite Médicis, sortie à vingt-neuf ans à peu près inculte de son palais Pitti qui l'empêcherait de mener la vie de chevaucheur de batailles et de maîtresses qui avait toujours été la sienne. Pourtant, était-il encore le soudard d'une époque, déjà lointaine, de violence et de peur? Son peuple, qu'il aimait par-dessus tout, appréciait son caractère naturellement doux et familier. Il n'avait non plus oublié sa mère, Jeanne d'Albret, qui, à la cour de Navarre, lui composait de si beaux poèmes.

Le 21 janvier, ce fut un souverain d'humeur joyeuse qui quitta l'archevêché de Lyon, saluant la reine d'une large envolée de son panache blanc. Il la laissait sous la protection du connétable de Villeroy, avec la recommandation de ne presser ni le départ ni le voyage vers Paris de la suite italienne.

Accompagné de son escorte de douze fidèles, dont certains s'étaient battus à Arques et à Ivry, le roi Henri chevaucha gaiement jusqu'à Roanne, où il prit la rivière. A Briare, des chevaux frais attendaient et la joyeuse colonne s'arrêta dans l'auberge de la poste. Un homme à la mine réjouie se leva de la table où il buvait sa pinte de vin et s'inclina respectueusement devant le roi :

– Que Sa Majesté permette à l'un de ses plus loyaux sujets, vigneron de son état, de lui souhaiter la bienvenue dans sa bonne ville de Briare et de profiter de l'honneur qu'elle lui fait pour la prier de considérer avec bienveillance un projet qui tarde à se réaliser : le canal de Briare qui doit relier la Loire à la Seine par le Loing.

Le roi aimait parcourir ses provinces et converser avec le peuple paysan qui constituait, Rosny[1] le lui répétait assez, la grande richesse du pays. «Ecouter un laboureur, disait-il, m'est souvent plus profitable qu'entendre pérorer certains de mes conseillers.» La face de bon vivant et la façon franche de s'exprimer de l'homme de Briare n'étaient pas pour lui déplaire. Il lui demanda son nom, le questionna sur le canal et se dit que Rosny lui avait sûrement parlé de ce projet qui devait favoriser grandement l'économie de la région. Une fois encore, Henri IV montra son talent, sa bonté, son esprit et sa bienveillance, qualités qui faisaient qu'on l'aimait partout où il passait.

– Monsieur Gaillard, dit-il, votre roi, comme ses ministres, n'ignore rien de ce canal dont le creusement sera long et difficile. Je puis vous dire que les travaux commenceront au printemps de l'année prochaine[2].

Le vigneron, stupéfait, se confondit en remerciements et voulut baiser la main du roi, qui le releva et l'invita à s'asseoir à sa table.

– Ventre-saint-gris, vous faites du bon vin dans ce pays! Il nous met en gaieté, n'est-ce pas, mes compagnons?

Les compagnons avaient comme lui goûté à toutes les cuvées de France et de Navarre. Leur acquiescement valait parole d'orfèvre. Le roi, très en joyeuseté, demanda à l'homme auquel une nouvelle rasade avait rendu son aplomb:

– Vous vous appelez bien Gaillard?

– Pour vous servir, Majesté.

---

1. Maximilien de Béthune, baron de Rosny, n'est pas encore duc de Sully.
2. Premier grand canal de France, le canal de Briare sera construit entre 1606 et 1642.

– Eh bien, quelle différence y a-t-il entre «gaillard» et «paillard»?

Le villageois but une gorgée et sans hésiter répondit :

– La largeur d'une table, Votre Majesté.

Le roi éclata de rire. Il n'y avait rien de tel qu'une bonne repartie pour le mettre en joie :

– *Diou Biban!* s'exclama-t-il. L'esprit se cache dans les plus petits villages!

Après quelques dernières plaisanteries, l'escadron royal se remit en selle, gagna Montargis, puis Fontainebleau. Henri pensait y retrouver Henriette, mais la marquise n'était point là. C'est chez elle, à Verneuil, qu'il la trouva le lendemain, aguichante, curieuse et déjà agressive.

– Alors, Sire, comment s'est passé ce mariage avec la Florentine? L'usurpatrice est-elle appétissante? Si vous voilà ici, c'est sans doute qu'elle ne m'a pas si bien remplacée! Eh bien, je suis comme vous m'avez laissée, sur le bord du lac, et n'ai rien oublié de vos engagements. Mon père conserve toujours dans son coffre une certaine promesse de mariage. Moi, je garde le premier poème que vous m'avez fait tenir. Je le sais par cœur. Voulez-vous que je vous en rappelle une strophe?

Sans attendre la réponse, elle récita :

> *Le cœur blessé, les yeux en larmes,*
> *Ce cœur ne songe qu'à vos charmes.*
> *Je vous offre sceptre et couronne;*
> *Mon sincère amour vous les donne.*
> *A qui puis-je mieux les donner?*
> *Roi, trop heureux sous votre empire,*
> *Je croirai doublement régner*
> *Si j'obtiens ce que je désire.*

– Voilà ce que vous m'écriviez, continua-t-elle. Et aujourd'hui ? Oserez-vous m'aimer jusqu'à me faire le fils qui, selon votre engagement, deviendra le dauphin lorsque vous aurez répudié votre banquière ?

Henri se fâcha et laissa échapper le chapelet de jurons béarnais dont il avait l'habitude :

– Madame, vous vous égarez. Sachez que je vous chasserai si vous ne respectez pas la reine que je pars retrouver sans attendre.

Il ne quitta pourtant pas Verneuil. Rattrapé par ses démons, il aima, promit, osa. A la fin du mois, Henriette lui annonça qu'elle était enceinte. La situation, stabilisée par l'orage providentiel de Monceau, allait à nouveau devenir intenable. Le roi, inconscient, ne s'émut pas. A Rosny qui se lamentait, il répondit simplement :

– Vous savez bien que je n'épouserai pas la marquise ! Je crois en ma bonne étoile. Si la marquise est enceinte, la reine l'est aussi et a une bonne avance sur elle.

– Et si elle accouche d'un garçon et la reine d'une fille ?

– Dieu veille sur la fille aînée de l'Eglise et, bientôt, nous fêterons la naissance d'un dauphin !

Dix jours plus tard, l'arrivée de la reine était annoncée à Nemours. Henri fit seller les chevaux pour aller à sa rencontre. Il fut lui-même surpris du plaisir qu'il éprouva en retrouvant son épouse et lui fit part des solennités prévues pour son entrée à Paris. Elle traverserait la ville sur une litière. De la porte Saint-Victor elle serait conduite au palais des Gondi, où elle passerait la nuit. Le lendemain, le roi la mènerait à la Foire Saint-Germain, puis chez Zamet, «un Italien devenu plus parisien que les Parisiens», à l'Arsenal chez Maximilien de Béthune et, enfin, avant de gagner le Louvre, chez le premier président de la Cité.

On avait prévenu Marie que le Louvre n'était pas d'un abord aimable. L'intérieur, avec ses suites de salles vides, lui parut pire qu'elle ne l'avait imaginé. Heureusement, elle avait sa compagnie italienne pour mettre un peu de gaîté dans ces salons sombres et tristes! En fait, elle allait s'apercevoir que les appartements qu'on lui avait réservés sur la Seine au premier étage du «vieux corps d'hôtel» pouvaient être agréablement aménagés. Et puis, comme le lui avait dit le roi, on ne vivait pas toute l'année au Louvre : il y avait Saint-Germain, Fontainebleau et les merveilleux châteaux du Val de Loire.

Les Parisiens, toujours prêts à faire la fête, avaient reçu leur reine avec chaleur, regrettant seulement l'absence d'arcs de triomphe et la pauvreté du feu d'artifice. De L'Estoile nota le fait dans son registre et révéla que c'était le roi qui, trouvant excessives les sommes engagées depuis l'arrivée de la reine à Marseille, avait écarté les dépenses inutiles.

Marie était une femme active. Transformer l'austère demeure des rois de France en appartements accueillants, tendre les froides murailles de ses tapisseries apportées de Florence, acheter des meubles, car le palais n'en possédait que fort peu, remplissait d'aise la Florentine, comme l'appelait Henriette. Le mariage en effet n'avait pas écarté la marquise de Verneuil, qui apparaissait à la cour sans que le roi y trouvât à redire. Elle avait même exigé de son amant d'être présentée à la reine! Henri éprouva sans doute un plaisir pervers à la rencontre incongrue de ces dames, toutes deux enceintes, en effet, de ses œuvres.

La scène se passa chez Gondi, en présence d'une nombreuse assistance. Le roi, l'œil malicieux, conduit Henriette vers la reine :

– Cette femme, la marquise de Verneuil, dont on vous a sans doute parlé, a été ma maîtresse et veut devenir votre humble servante.

L'assistance regardait avec effarement cette scène messéante et guettait avec gourmandise le comportement des deux rivales. Marie, digne, hautaine, ne montra pas sa surprise. Le visage d'Henriette, en revanche, trahit une gêne qui perça au moment où elle s'inclina devant la reine. Pas assez respectueusement, pensa le roi, qui lui courba violemment la tête pour l'obliger à baiser le bas de la robe de la nouvelle reine.

Ainsi naquit un étrange mariage à trois. Pour en faciliter l'harmonie, Henri s'accommodait de la présence des Italiens et jouait aux cartes avec Concini. Henriette, elle, entretenait de bons rapports avec Leonora Galigaï, devenue dame d'atours de la reine, et usait de son influence sur le roi pour essayer de permettre son mariage. La marquise ne rechigna pas quand le roi, appelé en Limousin, où des troubles avaient éclaté, décida d'emmener la reine avec lui, une occasion de lui faire connaître Blois et Poitiers en attendant ses couches.

A la fin de ce voyage, au cours duquel le roi se montra fort empressé, le terme approchant, Marie gagna Fontainebleau où elle avait choisi d'accoucher. Elle avait parlé de faire venir une sage-femme de Florence, celle qui l'avait mise au monde, mais le roi avait imposé la compétente Louise Bourgeois. Pendant que la reine attendait sagement sa délivrance dans le bel automne qui dorait le parc et la forêt, le roi décida de se rendre à Verneuil voir comment se portait son autre femme. Il eut encore le temps de faire un saut à Calais pour montrer aux Espagnols qu'il ne se désintéressait pas du conflit qui les opposait aux Hollandais, avant de regagner Fontainebleau. On avait transformé le grand cabinet octogonal en chambre hospitalière, enlevé les meubles inutiles, recouvert de draps blancs les tapisseries et les tableaux. C'est là qu'Henri trouva la reine qui, au milieu des femmes de sa maison, attendait courageusement son épreuve.

Le 27 septembre, il était dix heures du soir quand madame Bourgeois jugea le moment venu de faire entrer ceux qui, selon les règles de la monarchie, devaient assister à l'accouchement de la reine, les premiers étant les princes de sang, Conti, Soissons et Montpensier qui, en l'absence d'un dauphin, avaient pu un instant caresser l'espoir d'accéder au trône. Rêve déçu : madame Bourgeois, dont c'était le jour de gloire, annonça que la reine venait de mettre au monde le petit mâle légitime tant espéré.

Un grand cri de joie accueillit la nouvelle. Le roi, ému, embrassait ceux qui étaient à ses côtés et pleurait des larmes «grosses comme des petits pois», dira la sage-femme. Puis il s'agenouilla près du lit de la reine, lui prit la main et la combla de douces paroles. Derrière la porte, tout le palais attendait. Repoussant madame Bourgeois qui protestait, Henri IV ouvrit les deux battants : «Laissez, laissez, ils ont le droit de voir l'enfant. Le dauphin appartient à tout le monde!»

La France n'avait pas connu de dauphin depuis quarante ans. C'est dire que l'enthousiasme fut immense. Il répondait à la lettre du roi, adressée à toutes les autorités du royaume : «Entre tant de miraculeux témoignages de l'assistance divine que l'on a pu remarquer en notre faveur depuis l'avènement, il n'y en a aucun qui nous ait fait ressentir plus vivement les effets de sa bonté que l'heureux accouchement de la reine, notre chère et très aimée épouse et compagne, qui vient de mettre au monde un fils. »

Il fallait un parrain munificent pour l'enfant promis au trône de France. Ce serait le pape Clément XVIII, qui envoya aussitôt un nonce extraordinaire, le cardinal Maffeo Barberini, témoigner de l'affection pontificale. Ce dernier apportait dans ses bagages des langes bénis, les mêmes que ceux que Clément VII venait d'envoyer pour saluer la naissance de l'infante Anne d'Autriche, fille de Philippe II d'Espagne, qui deviendrait reine de France en épousant Louis XIII.

Et la marquise ? Dans la liesse qui avait suivi la naissance, le roi n'avait pas jugé bon de lui donner signe de vie. Ce n'est que le 6 octobre qu'il lui fit porter cette courte lettre : « Mon cher cœur, il me semble qu'il y a un siècle que je vous ai laissée. Pourvoyez au moyen d'abréger notre exil. Ma femme se porte bien. Et mon fils, Dieu merci ! Il a crû et a rempli de moitié en cinq jours. Bonjour mes chères amours. Gardez bien ce que vous avez dans le ventre et aimez bien toujours votre menon qui vous baise un millier de fois les mains et la bouche. »

Henriette, qui rageait d'être devancée par la reine, mit quelque temps à répondre à ce délicat faire-part. Mais le roi ne pouvait demeurer longtemps loin de sa marquise, qu'il recommença à visiter entre deux lettres où il clamait son amour, vantait la beauté de son fils et annonçait avoir chassé le cerf en compagnie de la reine, qui se portait très bien. Madame de Verneuil répondait en disant qu'elle avait besoin d'argent, ce à quoi il répondait : « Zamet, mon cher cœur, vous baillera ce que vous voudrez. »

La date de l'accouchement approchant, Henri se borna à une correspondance débridée, agrémentée de commentaires qui ne pouvaient être agréables à la favorite, tels que : « Mon menon, j'ai un extrême désir de vous voir, mais ce ne sera que ne soyez relevée, car je ne puis commencer ma diète que dimanche à cause de l'ambassadeur de Savoie qui vient me faire jurer la paix. Je vous renvoie cette lettre après l'avoir montrée à la reine. Elle en a ri. Au jeu de reversis, elle m'a dit hier qu'elle était grosse à nouveau. Voilà toutes les nouvelles de Saint-Germain. »

Le 4 novembre, un mois après la naissance du dauphin, un courrier vint informer le roi que la marquise avait mis au monde un garçon nommé Gaston[1]. Il n'en fut pas autrement touché, en tout cas moins ému qu'à la naissance du dauphin.

Henri IV se flattait de maintenir ses deux ménages, le légitime et l'illégitime, en bonne harmonie, comme il y était naguère arrivé avec l'insouciante Marguerite ou avec « La Fosseuse », la discrète baronne de Fosseux. Mais la reine Margot avait trop à se faire pardonner pour ne pas être indulgente. C'était plus difficile avec Marie, violente et jalouse comme une Italienne, que les railleries de la marquise de Verneuil irritaient. Elle ne supportait plus d'être appelée « la banquière », ni que l'on se gausse de sa façon de parler le français. Elle se consolait en pensant qu'elle avait la meilleure part du roi. Henri se montrait tendre, dans la vie de tous les jours comme dans le *lètto matrimoniale* dont on n'ouvrait les grands rideaux de velours que le matin. Il n'y

_____

1. Nommé d'abord Gaston, puis Henri, duc de Verneuil, l'enfant d'Henriette d'Entragues sera légitimé en 1603. Destiné à l'Eglise, il sera pourvu dès l'âge de sept ans, à la demande de son père, de l'évêché de Metz.

avait qu'un ménage, le sien, qu'elle menait avec un instinct quasi animal, veillant à ce que le roi ne s'ennuie jamais chez lui. Après la chasse, il y avait les cartes, la promenade, la compagnie de quelques familiers devant la grande cheminée du salon Médicis, autant de petits plaisirs... bourgeois qui flattaient l'homme de guerre si longtemps habitué à la dure vie des camps.

Cette quiétude était pourtant fragile, subordonnée à l'état des relations entre le roi et Henriette d'Entragues qui n'avait pas abandonné, contre toute sagesse, l'idée que son fils – dont elle avait changé le prénom et qui maintenant s'appelait Henri – pouvait devenir le dauphin en supplantant l'enfant de la reine. La fameuse promesse de mariage, qu'elle conservait précieusement, pouvait, pensait-elle, contraindre le roi à répudier Marie de Médicis. Cette folle espérance la faisait s'engager dans des chemins dangereux et des manigances qui finissaient par troubler la vie du roi, par empoisonner sa quiétude domestique et par susciter des scènes de ménage, lesquelles, pour être royales, n'en étaient pas moins violentes. Monsieur de Rosny, le futur Sully, grand maître de l'artillerie et grand voyer, l'ami et le confident qui détenait les pouvoirs d'un premier ministre, passait beaucoup de temps à négocier des raccommodements précaires. Un jour, au comble de la colère, Marie avait même levé la main sur le roi. Rosny avait soudain arrêté son bras en criant : «Vous êtes folle, madame! Savez-vous que le roi pourrait vous faire trancher la tête?»

Sa Majesté n'en était pas venue à une mesure aussi radicale. Comme un quelconque mari furieux, il hurla qu'il allait renvoyer la reine chez son oncle à Florence, claqua la porte et partit s'installer chez sa maîtresse! Henriette jubila, crut que ses efforts n'avaient pas été vains et cajola celui qui la ferait bientôt reine. Peut-être extériorisa-t-elle trop sa joie? Sans doute fut-elle imprudente dans sa correspondance et voulut-elle trop hâter les choses? Le fait est qu'au bout d'une semaine le roi la quitta et rentra tranquillement au Louvre, souriant comme s'il revenait d'une partie de chasse.

C'est alors qu'un réseau d'indicateurs arrêta dans le bois de Vincennes un agent anglais au service de l'Espagne. Questionné, le nommé Thomas Morgan dévoila l'existence d'un complot ourdi justement autour de l'avenir du petit Henri, avec l'appui de Philippe III, qui promettait d'aider les conjurés, d'accueillir la marquise et de reconnaître comme dauphin son fils, le duc de Verneuil. Avait-on l'intention d'aller jusqu'à assassiner le roi et le dauphin Louis? Le 22 juin 1604, l'arrestation d'un autre agent secret, un nommé Chevillard, leva tous les doutes, et le roi envoyait un messager à Rosny, alors en province : «Nous avons découvert force trahisons auxquelles le comte d'Auvergne et Entragues sont mêlés, écrivit-il à son conseiller, et des choses si étranges qu'à peine vous les croirez.»

Ce qui est plus incroyable, c'est la suite donnée par le roi à cette affaire. Tout le monde attendait des punitions exemplaires, la mort, la prison au moins pour les traîtres, et la fin si souhaitée de la liaison entre le roi et sa comploteuse de maîtresse. La faiblesse du roi, hélas! était sans fin. François d'Entragues se tira de ce mauvais pas en rendant la promesse de mariage et obtint même pour ce geste la promesse d'une rente. Henriette, quant à elle, expliqua à Rosny, chargé de l'interroger, qu'elle n'avait accepté les offres des agents espagnols que pour se défendre, elle et son fils, contre des menaces et les méchancetés de la reine. L'impudente osa demander qu'on lui constitue une rente de 100 000 livres. Elle en touchera 20 000. Restait Charles, le comte d'Auvergne, le bâtard de Charles IX. Questionné dans ses terres, il affirma qu'il avait traité avec les Espagnols pour mieux les espionner.

Les choses auraient pu en rester là si la reine Margot, toujours exilée dans son château d'Usson, mais désireuse de revenir à la cour, avait hésité à transmettre à son ancien époux des révélations accablantes sur les agissements de leur neveu, le comte d'Auvergne. Voilà donc le prince enfermé à la Bastille et menacé de mort s'il ne livrait pas tout ce qu'il savait. Il révéla, pour sauver sa tête, l'existence d'un nouveau complot contre la vie du roi, complot auquel les Entragues, le père et la fille, étaient étroitement mêlés. Devant des charges aussi écrasantes, la justice devait suivre son cours malgré les suppliques de la famille du comte. La sentence fut sévère : la mort pour Auvergne, Entragues et Morgan, et la réclusion pour la marquise dans le monastère de Beaumont.

La reine jubilait et le conseil royal se montrait satisfait d'être débarrassé de la favorite. C'était oublier la rouerie d'Henriette et la faiblesse du roi, qui se laissa manœuvrer une fois de plus. Deux lettres enjôleuses avaient suffi à la traîtresse pour obtenir la permission de se retirer dans son château de Verneuil et la promesse que personne n'aurait la tête tranchée. Quelques mois plus tard, Henriette obtenait une lettre d'abolition pleine et entière : « Nous souvenant de l'amitié que nous lui avons portée et des enfants que nous avons eus d'elle… » En trois lignes, la marquise était réinté-grée en sa maison et ses biens. Mieux, elle avait réussi à tirer son père de prison et à obtenir du roi qu'il soit simplement contraint à résider dans son château de Malesherbes. Seul le comte d'Auvergne demeura enfermé à la Bastille.

Encouragé par cette mansuétude, le duc de Bouillon prit la tête d'un nouveau complot, avec l'espoir de reconstituer une Union protestante. Le roi, qui n'avait pas bougé depuis longtemps, prit sans déplaisir la tête de sept mille hommes. Ce fut une promenade de santé. Henri réclama en gage de soumission la place forte de Sedan, dont Bouillon était le prince. Devant son refus, le roi Henri repartit en guerre avec l'artillerie de Rosny, forte de cinquante canons. C'était assez pour venir à bout de la citadelle, pourtant bien défendue. Une nouvelle fois, le duc de Bouillon dut faire allégeance et s'agenouiller devant le roi, accompagné cette fois de la reine. Habile politique, Henri aura un peu plus tard la prudence de rendre sa principauté au duc afin de ménager l'Europe protestante.

Ni les trahisons, ni les affaires n'avaient donc eu raison de l'étrange liaison du roi avec Henriette d'Entragues. Rosny, qui venait d'être élevé à la dignité de duc et de pair, disait à sa femme : « Ils ne peuvent se supporter l'un l'autre, ni vivre l'un sans l'autre. » Le duc de Sully, c'était son nouveau titre, savait de quoi il parlait, lui qui était chargé depuis le début de la liaison du roi de ramener, après chaque grande dispute, la belle lionne à la raison royale.

Le roi n'avait pas revu la marquise depuis qu'elle avait retrouvé son château, mais il en bouillait d'envie : « Mon cher cœur, lui écrivit-il, j'ai reçu trois de vos lettres, auxquelles je ne ferai qu'une réponse. Je vous permets le voyage de Boisgency, comme aussi de voir votre père, auquel j'ai fait ôter ses gardes. Mais n'y demeurez qu'un jour car sa contagion est dangereuse. Je trouve bon, aussi, que vous partiez pour Saint-Germain voir nos enfants. Je veux aussi que vous voyez le père qui vous ayme et chérit trop. Aimez-moi, mon menon, car je te jure que tout le reste du monde ne m'est rien auprès de toi que je baise et rebaise un million de fois.» Et un peu plus tard, le 7 octobre 1606, cette autre lettre plus leste : «Cher menon, je viens de prendre médecine, afin d'être plus gaillard pour exécuter toutes vos volontés. C'est mon plus grand soin car je ne songe qu'à vous plaire et à affermir notre amour. Il fait beau ici, mais partout, hors d'auprès de vous, il m'ennuie si fort que je n'y puis durer. Trouvez un moyen que je vous voie en particulier et que, devant les feuilles qui tombent, je les vous fasse voir à l'envers. Bonjour mon cher cœur, je vous baise un million de fois.»

Le Vert Galant, cela tombait bien, aimait les enfants. Il conservait un doux souvenir de son enfance, petit prince élevé en marge des bonnes manières par son grand-père Henri d'Albret, roi de Navarre, et par sa mère Jeanne, qui avait entonné en le mettant au monde la chanson en patois des femmes en douleur d'enfant, afin de supplier *Nousté-Dame deù cap deù poun*, Notre-Dame du bout du pont. Le pont, c'était le pont sur le Gave, entre Pau et Jurançon, où Henri avait souvent pêché l'écrevisse, pieds nus, avec les garnements des villages voisins. Certes rustique, son éducation s'était faite tout naturellement à Nérac, où Jeanne tenait la cour la plus riche en esprits. Le garçon y avait côtoyé Clément Marot, Calvin, Montaigne; et noué amitié avec le plus exalté des poètes, Agrippa d'Aubigné.

À l'arrivée du dauphin, il aurait bien imité son grand-père qui, le jour de sa naissance, lui avait frotté les lèvres avec une gousse d'ail. Mais il se contenta d'éloigner l'enfant de Paris, ville des épidémies, du monde frelaté de la cour, du clan de la reine et de ses Italiens. Il voulait du grand air pour l'enfant de France. Les Pyrénées chéries étant trop éloignées, il choisit le vieux château de Saint-Germain-en-Laye, où l'atmosphère était pure et où il était facile d'assurer la sécurité des enfants. Car, faisant fi des protestations de la reine et de son entourage, il avait eu l'idée originale de rassembler à l'abri des douves de l'ancienne forteresse royale la totalité de ses enfants, les légitimes et les cinq illégitimes : trois Vendôme, progéniture de Gabrielle d'Estrées, et les deux Verneuil d'Henriette d'Entragues.

Henri avait choisi pour diriger ce pensionnat royal la marquise de Monglat, femme à poigne d'un vieux compagnon d'armes. Elle seule était chargée de le tenir au courant des moindres faits et d'exécuter ses ordres. La reine, naturellement, s'était récriée. Elle vitupérait en italien contre cette organisation dont elle était exclue mais ses tentatives pour interrompre une promiscuité qu'elle jugeait inadmissible demeurèrent vaines. Sully fut chargé de la ramener à l'obéissance et de lui expliquer qu'elle n'avait pas d'autre choix que de laisser le dauphin et ses sœurs jouer avec leurs bâtards de frères.

L'arrivée du duc et de la duchesse de Mantoue vint bousculer le train-train de la cour. C'était une visite de famille, puisque le duc avait épousé la sœur aînée de la reine de France. Henri IV avait de l'amitié pour son beau-frère dont la vie, comme la sienne, n'était pas un modèle de vertu. Comme lui, Vincent de Gonzague était incapable de résister à un jupon, comme lui il était joueur, et si sa destinée ne l'avait pas conduit à collectionner les victoires sur les champs de bataille, il s'était montré brave les rares fois où il avait dû commander sa petite armée.

Le duc et la duchesse apportaient dans leurs bagages les cadeaux rituels. Pour le roi de France, un couteau de chasse, à l'acier richement ciselé et au manche incrusté de cuir et d'or :

– Mon frère, notre passion commune pour la chasse a dicté mon choix, dit le prince en offrant son présent au roi.

Henri remercia chaleureusement. Le cadeau en effet lui plaisait, encore qu'il ne se vît pas abandonner le vieux couteau marqué de la vache des armes de la Navarre, cadeau du grand-père Henri d'Albret, qui n'avait pas quitté sa poche depuis sa première chasse au cerf.

Les princes toscans destinaient à la reine un cadeau qui, pour être aussi un objet d'art, portait l'empreinte familiale. Sur un signe de la duchesse, le *primo cameriere*, qui accompagnait le couple princier, apporta un volumineux paquet rectangulaire enveloppé dans une couverture de loutre.

– Ouvrez, Pedro[1] ! s'exclama le duc de Mantoue.

C'était un grand tableau d'au moins cinq pieds, magnifiquement encadré, que Pedro installa avec des gestes papillonnants de danseur sur les bras d'un fauteuil.

– Mon frère, c'est votre mariage à Florence. Vous n'y étiez point, retenu par la guerre, mais l'artiste en a saisi les moments les plus touchants. J'ai choisi qu'il peigne à votre intention l'instant de la cérémonie où le cardinal Aldobrandini vous unit par procuration à votre fiancée. Ce cadeau est aussi naturellement pour vous, chère Marie, qui tenez le premier rôle dans cette scène mémorable.

Les oh!, les ah! fusèrent dans l'assistance. Marie pleura, Henri, signe de satisfaction, tripota sa barbiche, Maximilien de Béthune admira, Bellegarde se redressa, fier de représenter

---

1. Il était alors de bon ton, dans la Toscane des Médicis, d'employer des serviteurs espagnols. Des Toscans servaient sans doute dans les grandes maisons de Madrid.

le roi dans ce tableau chargé d'histoire. Concini essaya de dire son mot, mais se vit renvoyé dans la figuration par un coup de coude royal. Et naturellement, après avoir mis un nom sur tous les visages, on en vint à parler de l'artiste, auteur du tableau.

— C'est un jeune peintre flamand dont j'ai découvert à Venise les dons exceptionnels, dit Sa Seigneurie Vincent de Gonzague. Je l'ai nommé à ma cour de Mantoue, où il peint des choses magnifiques. J'ai eu la bonne idée de l'emmener à Florence, où il a assisté à toutes les cérémonies du mariage. Une fois revenu, il a peint ce tableau composé à partir de ses souvenirs et de quantité de dessins pris sur l'instant.

— Comment s'appelle ce génie ? demanda la reine. J'aimerais bien un jour qu'il fasse mon portrait.

— Pierre-Paul Rubens, répondit le duc. Il a vécu sa jeunesse et ses premières années de peinture à Anvers. Il se prétend encore apprenti, mais est déjà rompu à tous les genres. Il est certainement le plus doué des jeunes artistes de l'époque.

CHAPITRE VII

Le temps des voyages

Il faisait chaud, à Mantoue, cet été-là. Pierre-Paul Rubens avait un instant posé son pinceau pour s'appuyer à la barre de fenêtre et contempler les jardins du château primitif qui étageaient leurs terrasses vers le bras supérieur du Mincio. Il sourit en écoutant Pourbus, un portraitiste français, hôte du château pour quelques semaines, chanter à tue-tête dans une pièce voisine. Il eut envie d'entonner le refrain des artistes de la gilde de Saint-Luc, ce qui chassa du toit un nuage de colombes.

Pierre-Paul avait toutes les raisons d'être gai. Le duc l'avait officiellement nommé gentilhomme et peintre de la cour de Mantoue et l'avait emmené en voyage à Gênes, où il avait pu copier le magnifique *Ecce Homo* d'Antonello de Messine. Maintenant, Rubens attendait qu'un valet vînt le chercher pour le conduire auprès de Vincent Ier, lequel devait, ce jour du 8 juillet 1601, l'entretenir d'une chose importante. Il savait le seigneur de Mantoue friand des témoignages de son activité. Il emporta donc avec lui un carton de nouveaux dessins, d'esquisses, d'essais, ainsi qu'une ébauche en couleurs de l'*Ecce Homo*, le dernier stade avant l'élaboration du tableau dans ses exactes dimensions.

L'idée était bonne. Le duc fit asseoir Pierre-Paul en face de lui, à la grande table de noyer qui lui servait de bureau, et, tout en feuilletant avec gourmandise la liasse des dessins que son peintre avait apportés, lui dit :

— Mon ami, je quitte Mantoue ces jours.

— Votre Seigneurie souhaite peut-être que je l'accompagne.

— Non point. L'empereur Rodolphe, qui prépare une expédition contre le Turc, demande l'aide des troupes de Mantoue. Je vais les conduire jusqu'au camp impérial.

— L'art de la guerre a souvent servi celui de la peinture, Sire. Je pourrais fixer sur la toile le souvenir de vos exploits.

— Les exploits en la circonstance paraissent improbables. L'empereur pense qu'un déploiement de forces menaçantes suffira à rendre le Turc conciliant. Non, j'ai pour vous un autre projet. Un voyage qui devrait vous combler d'aise, celui pour lequel vous avez quitté votre chère ville d'Anvers.

Rubens pensa tout de suite à Rome, mais n'osa anticiper. Vincent garda un instant le silence, guettant le jeune peintre du coin de l'œil :

— Je vais vous envoyer à Rome, reprit-il. Là-bas, en me copiant les tableaux destinés à mes collections, vous vous perfectionnerez dans votre art.

— Merci, Votre Seigneurie est trop bonne. Je ferai tout pour me montrer digne de la confiance qu'elle m'accorde. Quels tableaux devrai-je copier ?

– Je vous laisse libre. Les toiles des plus grands maîtres abondent dans les innombrables églises de la ville. Vous choisirez celles à qui vous jugerez expédient de faire cet honneur. Cette lettre que j'ai fait préparer vous aidera à ouvrir les portes de la sainte ville.

Vincent Ier prit, dans un cabinet espagnol aux tiroirs incrustés de marbre et d'ivoire, une feuille qu'il montra à Pierre-Paul.

– Cette lettre, dit-il, est pour mon révérend ami le cardinal Montalto, qui exerce auprès de Sa Sainteté les fonctions de directeur des affaires politiques. C'est un grand seigneur érudit, protecteur des arts et ami des lettres. Votre parcours l'intéressera. Ecoutez ce que je lui demande, après quelques phrases d'affection : «Je vous prie d'accorder à mon peintre Pierre-Paul le Flamand, porteur de cette lettre, la protection de votre haute autorité en tout ce qu'il pourrait demander pour son service.»

Le duc signa et scella le pli, qu'il tendit à Pierre-Paul :

– Je vous souhaite bon voyage. Et surtout bon travail.

– Puis-je demander à Votre Seigneurie quand je dois partir?

– Tout de suite, demain, après-demain, quand vous voudrez. Prenez tout de même le temps de passer chez le trésorier. Il a reçu des ordres.

Rubens se confondit en remerciements et regagna la chambre qu'il occupait au-dessus de la galerie des Bustes. Il serra dans l'armoire la précieuse recommandation et écrivit une longue lettre à sa mère et une autre à Déodat pour leur annoncer la bonne nouvelle. Il avait justement reçu la veille, transmises par la poste privée de la banque Arnolfi, des nouvelles de son ami :

«J'essaye de t'imaginer sur les routes d'Italie chevauchant vers le sud, vers Rome peut-être. J'ai appris par un courrier d'Arnolfi que tu avais quitté Venise, mais j'aimerais avoir des nouvelles plus précises. Ta ou tes lettres vont sans doute m'arriver par un émissaire de la banque qui est en route. Moi, je me débats dans les chiffres, les cargaisons et les affrètements de galères. Mon père en effet, s'il est toujours en vie, est d'une faiblesse extrême et ne peut guère participer à la marche de la maison. Si bien que je n'ai pas touché un crayon depuis que je suis rentré. Est-ce que ma nouvelle vie me plaît? Je n'ai pas trop de temps à consacrer aux regrets. Je dois pourtant avouer que j'éprouve quelque satisfaction à réussir une affaire. Moins noble que celle procurée par un dessin reconnu par toi bien venu, mais je me dis que, lorsque tu seras de retour à Anvers, tu m'aideras à reprendre goût à la peinture. Je te répète que si tu as épuisé les lettres de crédit et si tu as besoin d'argent tu peux t'adresser à l'un des bureaux de la banque. Je te dis aussi que cet argent n'est pas un cadeau, mais le paiement des œuvres que tu peins pour moi et que tu me rapporteras bientôt, je l'espère. Ta mère va bien. Elle t'a écrit et se plaint de ne pas recevoir de lettre. J'ai vu aussi notre bon maître Vénius, à qui j'ai dû raconter trois fois nos aventures. Ecris-lui, il est si fier de toi! Bon voyage, mon frère. Travaille pour deux. Je t'embrasse. Déodat.»

Pierre-Paul relu cette dernière lettre avant de lui répondre et, de nouveau, la fidélité de son ami l'émut aux larmes. Il l'imagina à son tour dans la grande maison du Kipd, tâtant entre le pouce et l'index le poids de l'étoffe qui venait d'être déchargée. Et il le revit aussitôt chantant à ses côtés, libre et joyeux sur la route du Brienne. «Il a fait deux parts de sa vie :

le travail et le rêve, pensa-t-il. Le rêve, il le vit à travers moi. A la veille de partir pour Rome, je me promets de ne pas le décevoir!»

Quand il eut scellé les deux lettres, Rubens décida qu'il partirait le surlendemain au matin et commença à préparer ses bagages. Il avait depuis longtemps abandonné ses habits flamands et s'était reconstitué une garde-robe convenant à sa situation à la cour. Avant de quitter Venise, il avait aussi renouvelé ses vêtements de voyage, si bien qu'il ne restait de son équipement flamand que deux chemises et son chapeau, qu'il s'était juré de rapporter à Anvers. Il ne put que douter de l'accomplissement de ce vœu en retrouvant dans le coffre son feutre cabossé, fripé, délavé par la pluie et déplumé comme une vieille poule. Attendri, il le lissa et le roula soigneusement, en espérant trouver à Rome un chapelier qui le lui remettrait en état.

Le lendemain, il alla aux écuries où Pinceau l'accueillit par de cordiaux mouvements d'oreilles. La bonne bête coulait des jours heureux dans les herbages du château. Pierre-Paul venait de temps en temps le sortir et lui faire faire un galop dont Pinceau décidait lui-même de la durée. La dernière fois qu'il l'avait monté, il avait eu beaucoup de peine à suivre la chasse; aujourd'hui, il hésitait à le lancer sur la route. Questionné, le maître des écuries l'en dissuada:

– Laissez votre cheval à Mantoue, signor Rubens. Il ne saurait vous conduire à Rome, pas même à Florence. Il ne manque pas de bonnes montures, ici. Tenez, je vous conseille Achille, cet alezan doré. N'est-il pas magnifique? C'est une bête très douce qui vous donnera du plaisir. Son seul défaut, c'est qu'on risque de vous le voler tant il est beau!

– Va pour Achille! répondit Pierre-Paul.

Le cœur triste, il abandonna Pinceau à sa retraite dorée. Au château de Sa Seigneurie, on laissait les chevaux mourir de vieillesse. Puis il passa chez le trésorier qui lui remit un viatique modeste et des lettres de crédit. « Je n'ai pas confiance dans ces Florentins, ne voyagez pas de nuit et, à l'auberge, ne montrez pas votre argent! » le prévint-il.

Le soir, on donna un concert pour célébrer le départ, fixé aussi au lendemain, du duc et de son armée. Monteverdi, qui venait d'être nommé maître de chapelle, dirigeait l'orchestre où, pour la première fois, étaient joués deux violons de Crémone, des Amati. Pierre-Paul s'ennuya. Contrairement au Titien et à la plupart des grands peintres, il goûtait peu la musique. Il dormit paisiblement et, à sept heures le lendemain, tandis que le duc passait ses troupes en revue dans la cour d'honneur, Rubens le Flamand quittait le château et encourageait Achile à presser le trot sur la route de Bologne.

Parme était sur son chemin, Parme où Otto Vénius avait été jadis peintre attaché à la cour des Farnèse. Le maître n'avait pas manqué de lui conseiller de visiter la ville et de porter son respectueux souvenir au duc de Parme. Ce dernier le reçut chaleureusement et le retint presque un mois, le temps de copier les fresques du Corrège et, surtout, *La Madone à l'écuelle* de Caravage.

– C'est un mois entier, même deux, qu'il faudrait passer ici! dit-il à Achile en le lançant cette fois pour de bon sur la route de Rome.

« Pinceau aurait opiné des oreilles », pensa-t-il en constatant que l'alezan n'avait décidément pas de conversation. Il faisait tout de même très bien son travail de mangeur de lieues, ce qui était l'essentiel. « Finalement, il est mieux qu'Achile soit moins parfait que Pinceau, se dit-il encore. Je n'ai pas comme cela l'impression d'être infidèle à mon vieux compagnon!»

Rubens parvint sans encombre à Rome le 16 août. La ville portait encore les traces fleuries de la fête de la Vierge et déroulait ses richesses autour de son fleuve ruisselant au soleil de midi. Le peintre s'arrêta au bord du Tibre, à un endroit qui donnait accès à une petite plage de cailloux. Achile y trouva la place de s'installer pour boire, dans le courant, l'eau divine qui avait désaltéré les compagnons d'Enée. En fut-il touché? «Pas sûr», pensa Rubens qui, lui, pleura d'émotion en touchant, enfin, le but du long voyage qui le menait à la terre d'élection des arts.

Il avait si souvent pensé à la Ville sacrée que, maintenant qu'elle était à sa portée, il ne savait par quel bout la prendre, la comprendre, l'admirer. Après avoir mangé les derniers restes de jambon de sa giberne, il décida de gagner l'auberge que lui avait recommandée le maître écuyer du duc de Parme, située, c'était une chance, près du Forum. Il y laissa Achile, retint un lit et un souper, puis gagna d'une marche précautionneuse, comme s'il posait le pied sur une voie céleste, le chemin caillouteux de la Rome antique.

Pour sa prise de contact avec la cité, Pierre-Paul avait choisi de préférence aux peintures et aux sculptures récentes les fantômes du passé le plus lointain. Il se recueillit devant les vestiges d'un temple, contempla un fronton abattu, déchiffra les dessins restés gravés dans un bloc de marbre, puis sortit de sa poche le carnet de croquis tout neuf sur la couverture duquel il avait écrit «*Roma*». «Ce premier dessin sera pour Déodat!» promit-il en faisant un geste du côté des trois colonnes corinthiennes, restes du temple de Vespasien.

Il les dessina avec pour fond la colonnade blanche du portique des *Dii Consentes* et les vestiges du temple de la Concorde. Il marcha vers l'entrée du Forum romain et du Palatin, couvrit des pages de croquis qui feraient plus tard des décors de tableaux.

Quand Pierre-Paul revint à l'auberge dei Fiori il faisait presque nuit. Il passa à l'écurie caresser le museau de l'alezan et s'installa dans la chambre modeste mais propre qu'il devait partager avec un Napolitain qui faisait des fouilles depuis deux semaines dans le Forum. Cela lui plut et il invita l'homme à partager son souper, heureusement servi dans la cour, sous une tonnelle. La chaleur était accablante. Le chercheur lui indiqua quels monuments il ne fallait pas manquer et manifesta sa surprise lorsque Rubens lui confia son intention d'aller, le lendemain, rendre visite au cardinal Montalto :

– *Madre*! C'est l'un des hommes les plus puissants de Rome! s'exclama l'archéologue. Doublé d'un grand amateur d'art. S'il apprécie vos œuvres, et il les appréciera car vous avez un fichu talent, votre séjour ici sera heureux!

Pour rencontrer monseigneur Montalto, il fallait entrer dans l'enceinte du Vatican après avoir montré patte blanche aux gardes suisses. En chemin, Pierre-Paul se souvint que Maître Vénius lui avait raconté que l'uniforme orange et bleu des gardiens de Saint-Pierre avait été dessiné par Michel-Ange lui-même. Cette curiosité artistique et leurs halle-bardes aux tranchants astiqués en imposèrent à Pierre-Paul qui tendit timidement la lettre de recommandation du duc Vincent. Bien que scellée, le nom de l'expéditeur, comme celui du destinataire, étaient de ceux qui ouvrent les portes, même celles de la Sainteté. Dix minutes plus tard, Rubens le

Flamand était introduit dans les appartements pontificaux et prié d'attendre dans l'un des plus beaux salons du monde. Il reconnut tout de suite l'une des chambres peintes par Raphaël sous le pape Jules II. Ecroulé par tant de beauté, il joignit les mains et pria en admirant les immenses fresques dédiées à la Philosophie et à la Poésie. C'est dans cette posture que le trouva le cardinal :

– Je vous dérange dans vos dévotions, monsieur Rubens, pardonnez-moi, dit-il en agitant ostensiblement la lettre du duc. Je conçois votre émotion, vous ne pouviez mieux approcher Rome qu'éclairé par ces couleurs divines. Vous aviez, bien sûr, reconnu le sublime Raphaël. Vous êtes ici dans la plus célèbre des chambres qu'il a peintes, dite « de la Signature », du fait que le Très Saint-Père Jules II y signait ses bulles.

– Je pense, Eminence, que vous ne m'avez pas reçu par hasard dans ce cadre unique et je vous en remercie infiniment. C'est un honneur que je n'oublierai pas.

– Vous le devez à mon ami, votre maître le duc de Mantoue. Il ne m'écrit que quelques mots à votre sujet, mais je le connais, c'est pour me laisser découvrir vos talents. Qu'avez-vous vu de Rome depuis votre arrivée ?

– Elle ne date que d'hier à midi et je n'ai eu le temps que d'entrevoir le Forum. J'ai pensé qu'il fallait commencer par le début.

– Et Saint-Pierre ? Avez-vous poussé la porte de la basilique en arrivant ?

– Non ! On ne jette pas un œil sur Saint-Pierre. Je veux la découvrir paisiblement, m'arrêter sur chaque partie de l'architecture, embrasser du regard le ciel de la coupole et, devant le marbre transcendé, imaginer Michel-Ange à vingt-quatre ans en train de sculpter sa *Pietà*! Cette promenade dans le divin, je la ferai mon carnet de dessins à la main…

Le discours plut au cardinal :

– Avant même d'avoir vu quoi que ce soit de vous, je vous accorde ma protection, monsieur Rubens. J'ai prié à souper demain soir quelques amis artistes et poètes. J'aimerais vous les présenter. La garde sera prévenue. Soyez là vers sept heures. Ah! avant que vous alliez saluer Saint-Pierre, venez que je vous montre le joyau du Vatican.

Monseigneur Montalto releva le pan de sa robe rouge et, d'un pas décidé, entraîna le Flamand à travers des couloirs et des salons couverts d'or et de tableaux. Il s'arrêta un moment dans la longue galerie qu'il nomma les «loges de Raphaël», décorée de cinquante-deux scènes de l'Ancien et du Nouveau Testament, puis arrêta Rubens devant une double porte close :

– Poussez vous-même cette porte, monsieur le Flamand, et pénétrez dans le sublime. Découvrez la chapelle Sixtine! Vous verrez à Rome d'innombrables beautés, mais pas une, je crois pouvoir l'affirmer, qui atteigne la puissance et la perfection du génie créateur de Michel-Ange.

Emerveillé, Pierre-Paul passa le reste de la journée dans la basilique et y revint le lendemain pour terminer le dessin de la *Pietà*. Il était généralement sévère pour lui-même, mais, là, il dut s'avouer qu'il avait bien travaillé, que son dessin aux craies blanches et noires était réussi, pas indigne en tout cas de son illustre modèle. Il décida de l'offrir au cardinal.

Le lendemain, après une visite des principales églises de la ville, où il repéra les tableaux qu'il projetait de copier, Rubens endossa son plus beau justaucorps et se rendit à l'invitation de monseigneur Montalto. Il apprécia le privilège d'être, au simple énoncé de son nom, salué par le sergent des gardes et accompagné jusqu'aux appartements du cardinal. Ce dernier l'accueillit dans un salon sobrement meublé, mais décoré de toiles, dont Rubens reconnut les auteurs, tous des grands noms de la peinture italienne. Le prélat comprit l'étonnement de son hôte et sourit :

– La richesse de cette collection vous étonne ? A part quelques œuvres comme celles du Caravage, elle appartient au Vatican, j'en suis l'heureux usufruitier. C'est un privilège apprécié par l'amateur que je suis.

– Et vos hôtes qui n'auraient probablement jamais eu l'occasion de les admirer. J'ose à peine, devant cette réunion de chefs-d'œuvre, vous offrir ma modeste interprétation de la *Pietà*.

Le cardinal, curieux, déroula le dessin et s'exclama :

– Mais c'est très beau ! Vous avez du talent, mon garçon !

Ils regardèrent un instant deux toiles de Michel-Ange, un Carrache et un portrait de Raphaël, puis approchèrent de la fenêtre ouverte à la fraîcheur du soir. Cinq personnages, auxquels le cardinal présenta Rubens, y conversaient ensemble.

– Voici, messieurs, le grand espoir de la peinture hollandaise, Pierre-Paul Rubens, que m'envoie mon ami Vincent de Mantoue. Il arrive d'Anvers et va s'immerger aussi longtemps que le voudra le duc dans les eaux vives de l'art italien. Je vous demande de l'accueillir dans notre cénacle.

Un murmure d'approbation salua les paroles du cardinal, qui montra à l'assistance le dessin de Pierre-Paul :

– Voici le travail d'une journée de notre jeune ami !

Rubens n'avait pas prévu d'être jugé aussi promptement par le brillant aréopage dont monseigneur Montalto lui égrenait les noms. Tous étaient penchés sur son dessin et échangeaient leurs impressions. Trop éloigné pour saisir leurs paroles, le jeune homme fut brusquement envahi par le doute et la crainte. Le visage écarlate, surpris par cette réaction qui tranchait avec sa maîtrise de soi habituelle, il serra les poings, ferma les yeux et attendit que les battements de son cœur se calment. Bientôt il retrouva sa sérénité et sourit en pensant à la devise des Gonzague trônant au-dessus des portes du château de Mantoue : «Ni espoir, ni crainte.» La crainte, c'était fini. L'espoir, il apparaissait sur les lèvres de ces messieurs qui l'appelaient pour le féliciter.

– Ce qui est étonnant, dit le paysagiste Paul Bril, c'est que votre dessin n'est pas vraiment une copie. Vous avez ajouté du Rubens à la plus célèbre sculpture de Michel-Ange!

– Le Caravage aimerait, déclara Carlo Maderna, l'architecte.

– Pourquoi? Vient-il ici quelquefois? demanda Rubens. Sa vision réaliste me touche. J'ai fait quelques copies à Mantoue.

– L'artiste, précisa le cardinal, est grand, mais l'homme n'est pas facile, c'est un provocateur. Ses scènes religieuses ont suscité l'indignation de certains membres du clergé. Nous avons eu beaucoup de mal à le défendre, mais son talent est si éclatant! Nul doute que son nom restera attaché à la grande histoire de l'art. Je possède deux toiles du Caravage, un autoportrait et *David et Goliath*. Si vous voulez les copier…

Un personnage dont l'allure indiquait la hauteur fit alors son entrée. Tout le monde se leva pour saluer le nouvel arrivant, qui s'inclina devant le cardinal :

– Je suis très heureux, Votre Eminence, de pouvoir aujourd'hui honorer votre réunion. Je suis arrivé hier de Vienne. J'espère demeurer quelques mois dans la Ville éternelle et pouvoir me consacrer à la charge de doyen titulaire de Sainte-Croix-de-Jérusalem que m'a confiée le Saint-Père[1].

– Sa Sainteté en sera ravie. Puis-je lui annoncer votre visite ?

– Demain matin je serai à ses ordres.

– Fort bien, Votre Seigneurie connaît, je crois, tout le monde. Sauf, sans doute, ce jeune peintre, qui arrive d'Anvers pour parfaire son talent au contact de notre vieille culture. Tenez, il a dessiné hier la *Pietà* de Michel-Ange et va copier mes Caravage.

L'archiduc sortit ses lunettes pour se pencher sur l'œuvre de Pierre-Paul et fut si intéressé qu'il demanda au jeune artiste de lui rendre visite à l'hôtel d'Autriche, derrière le palais Farnèse :

– Ne manquez pas de m'apporter d'autres dessins, des copies de tableaux. J'aimerais que vous travailliez pour moi

– Je me permets de signaler à Votre Seigneurie, dit le cardinal, que notre jeune ami est attaché à la cour du duc Vincent de Mantoue, lequel m'a prié de lui apporter ma protection.

– C'est vrai, dit Pierre-Paul, mais mon maître me laisse toute liberté, pourvu que je lui copie quelques tableaux à ma convenance.

– Où logez-vous ? demanda le cardinal. Je suis confus de ne pas vous avoir posé la question plus tôt.

– Dans une auberge voisine du Forum. Mais je vais devoir la quitter sans trop tarder, car Sa Seigneurie ne me verse pas des frais de pension bien élevés.

---

1. Fils de Maximilien, empereur du Saint Empire germanique, l'archiduc Albert d'Autriche était un grand amateur d'art.

– Très bien. Nous avons tout près d'ici une maison où nous plaçons souvent des visiteurs. On vous y installera dès demain. Cela ne vous coûtera rien et vous serez mieux que dans la meilleure des auberges.

– Comment remercier Votre Eminence? Cette offre généreuse me soulage. Mais j'ai un cheval…

– Et nous, une écurie!

CHAPITRE VIII

Retour à Anvers

Ainsi, Pierre-Paul avait gagné deux protecteurs puissants. En marchant le long du Tibre pour rejoindre le Forum il songea à toutes les circonstances favorables qui avaient accompagné son voyage. Mis à part le retour prématuré de Déodat, il n'avait trouvé que des bonheurs sur la route qui le menait au paradis des artistes. Soudain, en franchissant le fleuve sur le *ponte Palatino*, il se demanda si cette chance, presque insolente, n'allait pas tourner et s'il ne devrait pas un jour rembourser la providence. Le sourire d'une femme croisée alors qu'elle pressait le pas, sans doute pour regagner son domicile, lui rendit d'un coup son optimisme. « Eh, fit-il tout haut, et si, après tout, j'avais vraiment du talent ? Et même du génie ! »

En plus de ses dons, de son courage, de son assiduité et de la sympathie dégagée par sa plaisante personne, Rubens avait un sens très développé de l'organisation de son temps, une qualité qui, toute sa vie, servirait sa féconde carrière. Il fréquenta donc avec plaisir et ponctualité les collections du cardinal, copia les tableaux susceptibles de plaire au duc et se lança, c'était le plus captivant, dans la peinture de sa première œuvre originale : une *Elévation de la croix* commandée par l'archiduc Albert et destinée à l'église Sainte-Croix-de-Jérusalem.

La peinture religieuse était l'affaire de ces temps de Contre-Réforme. Tout en assouvissant un élan de piété, Rubens trouva dans cette première œuvre personnelle l'occasion d'affronter, sur un grand support de bois de douze pieds, le décorum traditionnel de la peinture italienne destinée aux églises. Le sujet en était le drame absolu. Il l'approcha physiquement, en absorbant tout ce qu'il avait appris de l'art italien et en introduisant une dynamique de l'accumulation, de la confusion, qui devait marquer, dès la première œuvre donc, la manière «à la Rubens».

Le prince d'Autriche lui commanda encore deux tableaux : *Sainte-Hélène à la vraie croix* et un *Christ couronné d'épines*. Rubens, pour le visage d'Hélène, rendit hommage à la *Sainte Cécile* de Raphaël qu'il avait copiée pour le duc Vincent ; il songea au Titien tout le temps qu'il peignit le Couronnement d'épines. Les 150 écus que lui rapporta cette commande arrivèrent fort à propos, car il venait de convertir sa dernière lettre de banque. Le duc de Mantoue, si prodigue chez lui, se révélait pingre quand on était loin de lui. Il lui fit pourtant verser peu après 50 louis. Mais ce furent les seuls que Rubens reçut jamais au cours de ses deux premières années romaines.

Le 15 avril 1602, Rubens fit ses adieux à ses amis romains et reprit la route de Mantoue, accompagné cette fois d'une escorte de deux gardes mandatée par l'archiduc Albert, qui vouait au peintre une amicale admiration, escorte chargée de transporter les copies que l'artiste destinait à son maître. Pierre-Paul retrouva bientôt la cour des Gonzague, animée et bruyante, et Annibal Chieppio, le secrétaire du prince qui, depuis le début, l'avait pris sous sa protection. Il reconnut quelques courtisans et fit la connaissance des nouveaux venus, lesquels ne lui inspirèrent guère plus de sympathie. Pourbus, le portraitiste français qui avait été son voisin de chambre, avait regagné la France, et les Monteverdi étaient à Venise.

Rubens se sentait isolé dans cette société légère et dissolue, à l'image de son seigneur, et regrettait déjà le monde romain, quand on annonça l'arrivée d'un personnage dont la célébrité s'étendait sur toute l'Italie : Galilée, que le duc Vincent était fier de compter au nombre de ses protégés. Le savant abandonnait plusieurs fois l'an sa chaire de physique à Padoue, qui dépendait de l'université de Venise, pour venir se reposer à la cour de Mantoue où le duc et la duchesse le comblaient de prévenances.

Rubens usait d'un moyen simple pour entrer dans la confiance des gens qu'il avait envie de connaître. Il leur demandait la permission de les dessiner. Pierre-Paul agit ainsi avec Galilée un jour qu'il méditait, crayon à la main, assis sur un banc du parc. Vêtu avec élégance, botté de daim, le savant professeur montrait un visage serein, encadré d'une barbe noire courte et bien taillée. Son regard doux diffusait de l'intelligence comme un fanal sa lumière. Il sourit et accéda à la demande de Pierre-Paul, à la condition qu'il ne poserait pas et pourrait continuer de travailler.

– C'est justement le grand Galilée au travail qui m'intéresse, répondit Pierre-Paul après l'avoir remercié. Ne vous souciez pas de moi, vous n'entendrez en prêtant l'oreille que le soupir du crayon sur le papier. Mais il convient que je me présente : Pierre-Paul Rubens, franc-maître de la gilde de Saint-Luc et présentement gentilhomme peintre à la cour de Sa Seigneurie. Vous avez dû reconnaître à mon accent que je suis Flamand.

– Je sais, en effet, que vous venez d'Anvers. Le duc, qui vous tient en estime, m'a parlé de vous. J'espère que j'aurai l'occasion de vous voir ce soir : je présente, à la demande du duc de Gonzague, ma nouvelle lunette qui, sans vous offenser, grossit vingt fois plus que celle utilisée depuis deux ans à Amsterdam. Cette nuit, donc, nous regarderons la lune. Je vous ferai découvrir sur notre satellite des paysages extraordinaires, des reliefs, des montagnes et des vallées. Et si le temps est clair, nous verrons Jupiter et ses quatre planètes.

– Je ne vous savais pas astronome, maître.

– Je ne le suis pas. En réalité, mon projet était de perfectionner la lunette flamande pour la vendre aux gens de guerre. Avec l'aide de mes amis verriers de Murano, j'ai pu construire un instrument d'optique que j'ai réglé en visant depuis chez moi à Padoue le clocher de l'église Sainte-Justine. C'est presque par hasard que j'ai dirigé la lunette vers le ciel et assisté à un extraordinaire ballet d'étoiles. J'expliquerai tout cela ce soir. Vous verrez, c'est plus amusant qu'un concert de Monteverdi, encore que j'admire beaucoup ce grand homme. Mais, ne le répétez surtout pas, la musique m'endort !

Après avoir fait résonner un grand éclat de rire, Galilée poursuivit :

– Maintenant, laissez-moi penser à notre soirée astronomique et faites votre dessin puisque ma figure vous intéresse, ce qui m'étonne, je vous l'avoue, car, si ma modeste personne présente quelque intérêt, c'est dans ma tête que cela se passe…

Chacun avec son crayon, le savant et le peintre menèrent leur besogne en silence, l'un rêvant dans les étoiles, l'autre s'appliquant à éclaircir d'une caresse de craie le petit creux du menton qui égayait le visage de son modèle. Pierre-Paul dessinait vite. Il fixait presque instantanément sur le papier les trois ou quatre caractères de la physionomie de son modèle ; la suite n'était plus pour lui, désormais, qu'affaire d'habileté technique. Le beau visage intelligent de Galilée lui posa si peu de problèmes qu'au bout d'une heure, quand le savant voulut partir, Rubens put lui répondre :

– Maître, j'ai fini votre portrait. J'ai l'intention, si vous l'en jugez digne, de l'offrir à Sa Seigneurie. J'en ferai un autre à votre intention à l'aide des esquisses qui me restent.

Après avoir longtemps regardé le dessin, auquel les traces de fusain sur la *nebbia* de craie instiguaient un effet de spiritualité, Galilée rassura le peintre :

– Je ne me croyais pas si beau ! Vous m'avez flatté ! Pourtant, telle n'est pas la raison pour laquelle votre portrait m'enchante. Quelques amis peintres vénitiens m'ont saisi avec moins de réussite. Vous avez beaucoup de talent jeune homme et votre conversation, malgré nos silences, semble agréable et intelligente. Permettez que je vous offre mon amitié.

Retiré dans sa chambre, Rubens ajouta alors à la lettre qu'il avait commencée pour Déodat : « La providence m'a fait rencontrer tout à l'heure l'un des personnages les plus intéressants de notre époque. En Italie, c'est une célébrité. Toscan d'origine, Galilée, c'est son nom, est professeur à l'université de Padoue, c'est-à-dire de la République sérénissime. Il a établi une nouvelle théorie de la chute des corps dans le vide, qui fait grand bruit. J'ai fait son portrait cet après-midi et il m'a offert son amitié. Tu vois, le vieux conseil de notre maître Otto Vénius tient toujours : le dessin ouvre les portes et les cœurs ! Je n'ai rien reçu de toi depuis longtemps. Heureusement, une lettre de ma mère me dit que tu vas bien et que tu deviens un grand financier dans la ville. A propos, je te confirme que j'ai réussi depuis notre séparation à me débrouiller sans faire appel aux généreux services de la banque de ton père. Je te laisse, car ce soir Galilée organise pour la cour une séance d'astronomie. On va regarder la lune et les étoiles à l'aide d'une nouvelle lunette inventée par mon nouvel ami. Mes respects à tes parents. Je sais que ton père a du mal à se remettre. Que Dieu le garde ! Je confierai demain ma lettre à un courrier ducal qui doit aller jusqu'à Paris en passant par la Flandre. Ton ami, ton frère qui t'embrasse tendrement. Pierre-Paul. »

Il profita de la poste du lendemain pour écrire aussi à son frère. En rentrant de Rome, il avait eu la bonne surprise d'apprendre que Philippe résidait depuis un mois à Padoue en qualité de précepteur du jeune Guillaume Richardot, fils du président du conseil privé de Bruxelles, venu poursuivre ses études dans la célèbre université. Sûr d'étonner le frère, Pierre-Paul raconta sa rencontre avec le grand Galilée. Et, comme la nuit tombait, il fit un peu de toilette avant de se diriger vers les terrasses de Tè, où le duc possédait un petit château moins austère que le palais des Gonzague.

Toute la cour, beaux messieurs en habits dorés, dames endiamantées et visiteurs conviés pour la circonstance, faisait à pied la délicieuse promenade du Tè où Galilée avait installé sa lunette. En chemin, Pierre-Paul rattrapa messire

Chieppio, le premier secrétaire du gouvernement ducal, en qui il se savait un précieux protecteur.

– Cette soirée d'astronomie s'annonce bien, dit le secrétaire. Galilée, qui est déjà là-haut avec le duc et la duchesse, nous promet un spectacle extraordinaire. Mais l'homme, surtout, est passionnant. Vous allez être fasciné par son savoir, sa disponibilité, sa drôlerie et sa gentillesse ! Je suis sûr qu'à partir de la lune il va nous expliquer qu'un boulet de canon et une pomme, lâchés ensemble de la tour de Pise, arrivent au sol en même temps. Le duc l'admire et l'adore. C'est une fête quand le génie accepte de venir passer quelques jours à sa cour.

Pierre-Paul abandonna Chieppio un peu plus loin à quelque noble invité et dépassa alors une dame élégante, qui lui sourit. « Où diable ai-je rencontré cette personne dont le visage ne m'est pas inconnu ? » se demanda-t-il.

Sur la terrasse, une assistance curieuse se pressait autour de la lunette posée sur son trépied. En attendant que la nuit tombe, Galilée semblait beaucoup amuser le duc et la duchesse, qui riaient aux éclats. Pierre-Paul remarqua, assise à leur côté, une ravissante jeune femme, dont il s'enquit de l'identité auprès de Pietro Nelli, l'un des rares courtisans pour qui il éprouvait de la sympathie. :

– C'est Maria Gamba, la femme, qui n'est pas sa femme, de Galilée. Ils entretiennent une liaison publique et ont trois enfants. Elle est belle, n'est-ce pas ?

– Elle est très belle. Pourquoi ne sont-ils pas mariés ?

– Il est de tradition que les clercs et les professeurs restent célibataires. Surtout, un patricien florentin ne saurait épouser une roturière vénitienne ! Remarquez, ils ne s'en portent pas plus mal ! La règle respectée, personne ne s'aviserait de manquer de respect à la femme qui accompagne dans sa vie le grand physicien. Voyez les égards dont l'entourent le duc et la duchesse. Sa grâce inspirerait-elle votre talent?

– Qui sait? J'ai dessiné le maître tout à l'heure. Pourquoi pas demain la maîtresse?

Les seules personnes que Pierre-Paul avait envie d'approcher se tenaient à quelques pas, et le jeune homme s'arrangea, en se promenant, pour se mettre à portée de regard du duc et de ses amis. Comme par hasard, il croisa celui de Galilée, qui lança:

– Tiens, voilà mon portraitiste! Bonsoir, monsieur Rubens! Je suis heureux que vous soyez des nôtres. La lune et le ciel sont avec nous, je crois que je pourrai vous montrer de belles choses… Votre Seigneurie a découvert un bel artiste, ajouta-t-il à l'attention de Vincent Ier. Cela ne me surprend, pas. Vous avez toujours su vous attacher les meilleurs talents.

Pierre-Paul s'inclina devant les dames avec une aisance souriante et présenta ses devoirs au duc Vincent:

– Je vois, monsieur Rubens, fit ce dernier, heureux qu'on reconnût les talents de son protégé, que vous avez déjà lié connaissance avec Galilée. Dites-moi, comment le professeur peut-il vanter vos mérites avec tant de chaleur?

– Ce jeune homme, répondit le savant, était cet après-midi même dans le parc. Il m'a dessiné de belle façon tandis que je préparais la petite séance de ce soir. C'est un simple crayonné rehaussé à la craie, mais les meilleurs peintres vénitiens n'ont jamais saisi avec autant de brio les expressions de mon visage.

– Il faudra me montrer cela, monsieur Rubens. D'ailleurs, j'ai à vous parler d'un projet qui vous concerne. Mais la nuit n'est-elle pas assez avancée, maître Galilée?

– Votre Seigneurie a raison! Je vais régler la lunette. Chacun pourra observer la lune comme peu de gens au monde ont pu le faire. Après, je vous amuserai avec mes confidences d'inventeur et de physicien…

La lune tint les promesses du savant et laissa contempler ses formes, «comme une courtisane vénitienne», commenta Galilée. Quand chacun eut posé l'œil sur le viseur et se fut extasié, le maître prit la parole et, faisant les cent pas au clair de lune, instruisit, passionna, enchanta une assemblée pourtant peu rompue aux subtilités de la science. Il faut dire que Galilée avait l'art d'enseigner les notions les plus abstraites et savait, quand l'attention se relâchait, sortir de son sac des histoires étonnantes. Ainsi, il raconta comment, jeune professeur, il avait rempli sa bourse tristement vide en inventant un instrument destiné surtout aux militaires, un petit appareil en cuivre permettant le calcul des distances et des racines carrées, et offrant nombre d'autres possibilités : le «compas géométrique et militaire». Fabriqué chez lui avec l'aide d'un ouvrier serrurier, l'instrument était vendu bon marché, mais nécessitait un apprentissage facturé très cher. Galilée en riait encore et expliquait avec bonhomie le principe de la relativité des mouvements, entre la bonne manière de monter l'eau pour arroser les jardins et la façon de faire un vin de qualité.

Galilée fut longuement applaudi. Pierre-Paul le félicitait quand un valet vint prévenir le maître que Sa Seigneurie l'attendait pour souper. Le peintre n'était pas invité. C'était dans l'ordre des choses. La dame élégante rencontrée sur le chemin ne l'était pas non plus. C'est elle qui s'approcha :

– Je crois, monsieur Rubens, que vous ne me reconnaissez pas. Je suis la signora Petriggioni et nous avons été voisins de table à l'une des fêtes données à Florence pour le mariage de

Marie de Médicis. Vous étiez fort occupé à dessiner ce qui se passait dans la salle. Moi, j'étais avec mon mari, le comte Petriggioni, qui est un petit cousin du duc.

– Votre mari est-il là aujourd'hui ?

– Non, il m'a déposée à la cour de Vincent avant de partir pour lui en mission à Vérone.

– Vous êtes donc seule ?

– Non, mes amis sont devant. C'est ce groupe bruyant que vous entendez.

– Venez, allons les rejoindre.

– Si vous voulez, mais prenons notre temps. Donnez-moi votre bras et racontez-moi ce que vous avez fait depuis Florence.

Les branches des jacarandas faisaient maintenant écran à la lune, et la comtesse trébucha sur une pierre du chemin. Pierre-Paul la rattrapa heureusement par la taille… personne ne saura comment le hasard mit ses lèvres au-dessus des siennes. La comtesse savait ce qu'était un baiser et répondit, défaillante, à celui de Pierre-Paul. Quand il relâcha précautionneusement son étreinte, il lui dit un peu sottement :

– Vous avez failli tomber, madame.

Elle rit et répondit plus subtilement :

– Il existe pour une femme plusieurs façons de tomber. Voulez-vous que nous en essayions une autre ? Si oui, emmenez-moi chez vous. Où est votre appartement ?

– Au-dessus de la galerie des Bustes. En allant par les jardins, personne ne nous verra. Nous passerons entre les rayons de lune.

– C'est joliment dit. Décidément, vous me plaisez, monsieur le peintre. Ferez-vous un jour mon portrait ?

– Il faudra avant que j'étudie les traits de votre visage, que je remarque vos réactions, que je m'émeuve de votre trouble…

– Taisez-vous, s'il vous plaît, et conduisez-moi vite là où nous pourrons nous aimer.

– Mais votre mari…

– Laissez-le donc là où il est, probablement dans les bras d'une femme bien moins jolie que son épouse.

– Et moi ? Je suis mieux que lui.

– Beaucoup mieux, mon cœur.

Jusqu'à la chambre de Pierre-Paul, ils ne rencontrèrent qu'un veilleur de sa connaissance, qui les laissa passer avec un clin d'œil complice. La suite restera dans les secrets des hauts murs du château des Gonzague.

Pierre-Paul, qui s'ennuyait un peu depuis son retour de Rome, se trouvait soudain en agréable, mais éphémère compagnie. Galilée, qui s'était pris d'amitié pour lui, et sa femme, dont il avait fait le plus réussi des portraits, étaient sur le point de repartir pour Venise où le doge Donato organisait une soirée astronomique privée au sommet du campanile de Saint-Marc. Le retour du mari de la signora Petriggioni était proche. Mais, *carpe diem*, Rubens profitait des jours de bonheur comme ils venaient. Il peignait, conversait avec l'homme le plus brillant du siècle et passait des nuits délicieuses dans les bras d'une jolie femme.

Par chance, aux félicités de l'amour et de l'amitié succéda vite la joie de revoir Philippe, venu accompagner son élève chez des amis de ses parents. On imagine le plaisir des deux frères à se revoir, eux qui n'avaient guère pu se rencontrer depuis le départ de Pierre-Paul. Ils eurent même l'occasion de faire ensemble un bref voyage à Crémone, au cours duquel ils rendirent visite à la *bottega* de la famille Amati, où étaient fabriqués les extraordinaires violons introduits par Monteverdi dans la Musique du duc Vincent. Pierre-Paul profita que le père Andrea montrait à son garçon, le jeune Nicolo, comment vernir un violon pour dessiner l'atelier de lutherie. « Celui-ci, dit le vieil artisan, est destiné à la musique de Sa Majesté le roi d'Espagne. »

Avant de se séparer, les deux frères jurèrent qu'ils s'écriraient plus souvent.

– Toi, ta destinée est tracée, dit Philippe. Tu seras un bon peintre. Mais prends garde que la durée de ton engagement au service du duc ne s'éternise. Ton talent souffrirait à la longue d'être le jouet des humeurs d'un prince dans une cour où, tu viens de me le dire, les gens ne valent pas grand-chose.

Le conseil était sage, mais Pierre-Paul pensait avoir encore beaucoup de choses à apprendre de ce château plein de chefs-d'œuvre et qui avait vu passer, avant lui, Mantegna, Jules Romains, le Corrège et bien d'autres maîtres célèbres. Il n'avait d'ailleurs rien à reprocher au duc qui lui avait permis de poursuivre ses études artistiques dans des conditions inespérées. Quant à la cour de Mantoue, si elle ne rassemblait pas que des sujets dignes d'éloges, elle avait ses bons côtés, et Rubens entretenait les meilleurs rapports avec Chieppio.

Le premier secrétaire et le duc parlaient justement ce jour-là d'un voyage particulier auquel ce dernier attachait la plus haute importance :

– Vous savez, Chieppio, que nous devons faire convoyer les présents que le duché offre au roi Philippe III et à son entourage pour sceller un pacte d'amitié avec l'Espagne.

– Oui, monseigneur. Je pense qu'il est prudent de se concilier les bonnes grâces de Madrid au moment où nous risquons d'être entraînés dans de nouvelles complications en Europe.

– Qui proposez-vous pour accompagner ces cadeaux? Je ne veux pas d'un grand nom qui porterait ombrage à Annibal Iberti, notre ambassadeur en Espagne. Il nous faut quelqu'un d'assez jeune pour être désavoué au besoin, mais capable de prendre des initiatives intelligentes.

– Je pense à un jeune homme pour qui vous avez de la sympathie.

– Qui donc? Parlez, que diable!

– Il s'agit du Flamand.

– Un peintre?

– Oui. Les peintres sont en général des gens commodes, habitués à tenir conversation avec leurs modèles et à analyser leur caractère. Leur art leur donne accès à l'intimité des grands.

– Rubens n'est-il pas un peu trop jeune?

– Sa raison passe son âge, monseigneur. Il a fait, depuis qu'il est arrivé à votre service, autant de progrès dans les relations humaines qu'en peinture. Regardez le grand Galilée. Qui, durant son séjour, a-t-il fréquenté à la cour? Le Flamand, qui a fait son portrait et qui ne l'a pratiquement pas quitté. Je mets ma main au feu que Rubens, sitôt arrivé, sera invité à peindre les grands d'Espagne.

– Sans compter qu'il pourra me copier certaines œuvres du Titien dont l'Escurial possède une cinquantaine d'œuvres. Croyez-vous donc que le Flamand pourrait me rapporter certaines scènes auxquelles il aurait assisté, ou saisir l'atmosphère de la cour?

– Oui, monseigneur! Je pense que Rubens sera avec tact et prudence un envoyé discret, digne de notre duché.

– Alors, faites-le venir, je vais lui annoncer la mission dont il va être chargé.

Dix minutes plus tard, les mains encore tachées de peinture, Pierre-Paul se présentait au cabinet de Vincent de Mantoue.

– Pour des raisons diplomatiques, je vais offrir à Sa Majesté le roi Philippe III des cadeaux dont Chieppio vous donnera la liste complète. Sachez tout de suite qu'il ne s'agit pas de quelques bijoux mais de présents d'importance, des tableaux, des vases, et même six magnifiques alezans napolitains, ainsi qu'un carrosse de promenade.

– Je remercie Votre Seigneurie de la confiance dont elle m'honore. Je m'acquitterai au mieux de cette tâche nouvelle.

– Très bien. Vous n'aurez rien à négocier, c'est la besogne de mon ambassadeur, mais vous ouvrirez les yeux et les oreilles pour me rapporter les dispositions du roi et de sa cour à mon égard. Essayez de les intéresser au duché, tentez de les incliner vers nous.

Flatté, surpris, Rubens comprit les difficultés qui l'attendaient et discerna bien des raisons d'être prudent.

– De quel mandat officiel serai-je investi ? questionna-t-il.

– D'aucun. Votre crédit sera celui que vous conféreront la richesse de nos cadeaux et vos mérites, qui seront grands, j'en suis certain.

Pierre-Paul exprima sa gratitude et retourna pensif dans sa chambre. Il n'était que peintre, hier encore apprenti, et voilà qu'il se voyait confier une mission qui relevait autant de la diplomatie que de la direction d'une expédition périlleuse. Lui qui jamais n'avait mis le pied sur un navire de haute mer allait devoir supporter les rigueurs d'une longue traversée avec la responsabilité de surveiller le transport de présents de grande valeur. Certes il parlait plusieurs langues, dont l'espagnol, très utilisé en Flandre, mais était-ce suffisant pour assumer une telle charge ?

Annibal Chieppio, à qui il confia son embarras, le rassura :

– C'est moi qui ai conseillé à Son Altesse de vous choisir comme convoyeur. Votre œil de peintre n'est pas en la circonstance un obstacle à votre mission mais une valeur certaine. J'ai préparé votre voyage avec soin. Tout se passera bien. Vous savez que je suis là pour vous aider et pour vous soutenir. Dites-vous qu'entrer en Espagne par la grande porte est pour un artiste de votre âge une très grande chance. Vous allez vous en rendre compte aux jalousies que votre choix va faire naître !

Le plus court eût été d'embarquer à Gênes, mais on choisit Livourne. En plus des alezans, partis devant au petit trot sous la conduite de trois écuyers et du carrosse tiré par un solide roussin, le convoi transportait dans plusieurs chariots le lourd chargement des cadeaux royaux : cinq copies de toiles de Raphaël dont Pierre-Paul n'était pas l'auteur, onze arquebuses serties de pierreries, un vase de cristal rempli de parfum et bien d'autres objets de moindre importance. Tous ces présents n'étaient pas destinés au faible Philippe III, mais en partie à son favori tout-puissant, le duc de Lerma, et à son entourage.

Le voyage fut long, pénible, surtout dans le passage des Appenins, et permit à Rubens de constater que ses fonds ne suffiraient pas à mener l'expédition à son terme. Il écrivit donc à Chieppio une lettre où il mit un brin d'esprit : « Si Son Altesse se défie de moi, elle m'a donné trop d'argent ; mais trop peu si elle a confiance en moi. En vérité, les sommes que Son Altesse m'a fait remettre au grand déplaisir des censeurs de la cour ne suffiront point pour nous défrayer d'Alicante à Madrid, sans compter les taxes, les gabelles ou tout incident qui pourrait survenir. Je ne vous tiendrais pas ce discours si je n'y étais poussé et obligé par le souvenir de nombreuses paroles que j'ai entendues de cette foule d'affairés et de grands experts qui se sont mêlés de notre mission et qui critiquaient la libéralité de Son Altesse, affirmant que la somme engagée dépassait de beaucoup les frais d'un pauvre petit voyage[1].»

Le «pauvre petit voyage», six cent vingt milles entre Livourne et Alicante, dura dix-huit jours à bord de la caraque. On dut affronter une grosse tempête. Détachés de leurs entraves, les alezans napolitains faillirent périr alors que les passagers subissaient les affres du mal de mer. Arrivé tout de même à bon port, Rubens mit sa ménagerie et ses œuvres d'art en lieu sûr, avant d'aller demander à l'Alcade d'Alicante le meilleur chemin pour gagner Madrid.

– La cour n'est pas à Madrid, s'entendit-il répondre, mais à Valladolid où Sa Majesté réside au printemps.

– Cette ville n'est pas trop éloignée, j'espère, s'enquit Pierre-Paul, ignorant naturellement où se trouvait Valladolid.

– Une vingtaine de jours à cheval. Plus, pour les bagages.

– Diable! Et les routes?

– Difficiles, surtout dans les gorges de Guadarrama.

Rubens eut un moment de découragement. Choisir le métier, par nature casanier, de peintre, et se voir entraîner dans ce voyage dément, il y avait de quoi manger son chapeau! Il pensa alors à son vieux feutre, qui le suivait dans ses bagages en Espagne comme il l'avait suivi dans son

---

1. Une traduction en français de la correspondance de Rubens a été publiée en 1900 à Anvers, sous le titre *Codex Rubenianus.*

périple italien, et sourit. «Allons, du courage, Pierre-Paul Rubens, franc-maître de la gilde de Saint-Luc, élève d'Otto Vénius. Tu as accepté une mission, il faut la remplir jusqu'au bout!» Il demanda alors à l'Alcade de faire acheminer au plus vite une lettre au signor Annibal Chieppio, premier secrétaire de Son Altesse Vincent Ier : «Cher monsieur et protecteur. J'ai pu toucher la somme de 300 ducats que vous m'avez fait tenir, mais la dépense pour les hommes et les chevaux est considérable, et je vais entreprendre un voyage de vingt jours pour rejoindre Sa Majesté le roi Philippe III à Valladolid. J'ai dû faire des emprunts pour pouvoir soutenir l'honneur de monseigneur le duc. C'est pour son service seulement que je regrette d'être pauvre! J'attends de quoi faire vivre honorablement ses gens par un envoi à Valladolid.» En réalité, la bourse de Rubens n'était pas tout à fait aussi vide qu'il le prétendait, mais il était prudent et pensait aux jours à venir. Le lendemain, il décida de partir devant avec les chevaux, le reste de la caravane suivant à son pas sur les routes défoncées de la Manche.

L'Alcade ne s'était pas trompé : Pierre-Paul mit vingt et un jours pour rallier Valladolid sous une pluie presque continuelle. Par bonheur, les alezans avaient bien résisté à l'épreuve. Soulagé, il les remit à l'ambassadeur Iberti, qui dut convenir avec mauvaise grâce de l'état satisfaisant des chevaux.

Tout semblait aller au mieux quand un nouveau contretemps surgit : le roi était parti la veille pour Burgos avec une partie de sa cour et ne devait rentrer qu'au début du mois de juillet. Il fallait donc s'armer de patience, supporter le caractère ombrageux d'Annibal Iberti, qui ne ménageait pas sa peine pour témoigner de son agacement à être accompagné d'un artiste, mais dut malgré tout faire couper un habit neuf à la mode d'Espagne à ce dernier, en remplacement de celui que le voyage avait détérioré.

Enfin, le convoi des cadeaux arriva. Si le carrosse et les arquebuses n'avaient pas souffert, les tableaux avaient mal résisté aux intempéries. On en vint à se féliciter de l'absence du roi. Six toiles paraissaient irrécupérables et Iberti proposa que Rubens les recopie en se faisant aider par des artistes espagnols. Pierre-Paul refusa tout net et écrivit à Chieppio : « J'ai toujours eu pour principe de ne pas me confondre avec un autre, quelque grand homme qu'il soit. Ce mélange de travail de l'un et de l'autre ne pourrait que ternir à propos d'un ouvrage inutile un nom qui, en Espagne même, n'est pas demeuré inconnu. »

Quelle fierté pour un artiste de vingt-six ans ! Après avoir montré qui il était, Rubens fit ce qu'il fallait pour réparer les dégâts : il nettoya patiemment les parties endommagées, gratta les moisissures et restaura les six toiles de si belle manière qu'elles pouvaient sans déchoir être offertes à un roi. Il était temps. Le dernier tableau était à peine sec que Philippe III revenait dans sa résidence royale de Valladolid.

Dès le 11 juillet, dans les jardins du palais, les alezans et le carrosse furent présentés à Sa Majesté, qui parut fort satisfaite. Il avait déjà pu manifester son contentement en découvrant la veille les toiles que Rubens avait lui même installées dans ses appartements. On ne lui dit pas que les Titien et les Raphaël étaient des copies et il ne douta pas de leur authenticité, ses connaissances en art étant, il est vrai, assez réduites. Rubens écrivit au duc qu'il avait rempli sa mission et se plaignit que monsieur Annibal Iberti n'eût pas, comme il en était convenu, daigné le présenter au roi.

L'occasion lui fut néanmoins bientôt offerte de se mettre en valeur. L'étiquette de la cour était si formaliste que les

Espagnols eux-mêmes avaient du mal à suivre le rituel national, auquel Philippe III avait adjoint le cérémonial bourguignon. Ils n'en admirèrent que davantage les qualités d'adaptation du Flamand, qui, avec une rapidité surprenante, avait assimilé les titres, les dignités et les grades de chacun. Rubens satisfaisait maintenant à l'autre désir du duc : sonder les dispositions du gouvernement espagnol envers le duché de Mantoue. Nouer des sympathies n'était pas pour Pierre-Paul un embarras Il savait plaire et n'avait pas oublié combien son talent d'artiste l'avait aidé depuis son départ d'Anvers. Une fois encore, quelques dessins et tableautins offerts aux grands de la cour et à leur épouse lui valurent une considération qui faisait frémir de jalousie l'ambassadeur.

L'inimitié des deux hommes s'aggrava lorsque Rubens entreprit un grand portrait équestre de Don Francisco Gomez de Sandoval, duc de Lerma, pour lequel il lui fallut suivre son modèle dans son domaine de Ventosilla. C'était l'opportunité rêvée d'approcher le personnage le plus puissant d'Espagne, en même temps que l'occasion de se prouver à lui-même qu'il avait atteint un sommet important dans son art. Avant de tracer le premier trait sur l'immense toile qu'il avait commandée[1], Pierre-Paul se rappela le chevalier en armure, de Carpaccio, qu'il avait copié à Venise au palais Contarini. «Faire mieux, se dit-il, non! Mais aussi bien, pourquoi pas ? En tout cas, ce sera un Rubens!»

Durant les séances de pose, le duc, qui aimait parler, savait aussi écouter. Il se fit raconter l'odyssée du Flamand, où l'art

---

1. Le portrait équestre du duc de Lerma, aujourd'hui au musée du Prado, mesure 2,90 m × 2 m.

se mêlait à l'aventure, répondit aux questions de ce dernier et l'écouta en souriant vanter les mérites de Mantoue, petit duché par la taille mais grand par son histoire. Quand Rubens eut saisi l'expression du visage et relevé les détails de l'habit choisi par le ministre, il passa au cheval. Celui du duc de Lerma, un pur-sang nommé Pedro, voulut bien rester tranquille le temps que le Flamand peignît pour l'histoire ses yeux et ses naseaux.

Trois semaines plus tard, l'ambassadeur blêmit quand, à la date du 19 octobre, Don Francisco Gomez de Sandoval le pria de témoigner au duc de Mantoue que «l'œuvre de son peintre était admirablement réussie dans ce qui était déjà fait». Deux semaines plus tard, le tableau, une toile de huit pieds de haut, était terminé, et le premier ministre ne tarissait pas d'éloges sur le Flamand devenu une célébrité à la cour d'Espagne.

Pierre-Paul aurait pu gagner beaucoup d'argent en peignant les seigneurs de la cour, mais, lassé du portrait, il était tenté par d'autres horizons, des grands sujets mythologiques ou historiques. Là encore, l'artiste chercha dans ses souvenirs et dans ses cartons. Il se remémora une œuvre de Bramante qui l'avait séduit à Rome, *Démocrite et Héraclite*. Il garda du Romain l'architecture triangulaire et disposa les deux philosophes de part et d'autre d'un globe terrestre. Comme il n'existait pas en Espagne de statues les représentant, il donna au premier les traits de son frère et, au second, ceux de Déodat.

Rubens peignit ainsi avec ferveur, nota semaine après semaine les observations qu'il devait rapporter à Vincent et s'aperçut un jour qu'il en était à son huitième mois d'absence.

Il pensa alors à rentrer en Italie et s'en ouvrit à Chieppio, en ne manquant pas de souligner les réussites de son entreprise : «Je ne me reconnais aucun mérite, mais non plus aucune faute, soit en dépenses exagérées pendant le voyage, soit en toute autre occasion», lui écrivit-il.

Vincent l'autorisa à quitter l'Espagne, mais pour se rendre à la cour de France avec la mission d'y peindre les dames qui entouraient le roi Henri. Le duc avait vaguement parlé à Pierre-Paul, au moment de son engagement, de l'idée de créer une galerie secrète des plus belles femmes des cours européennes. De ce projet bizarre il expliqua les tenants et les aboutissants à son Flamand dans une lettre si amphigourique que celui-ci eut du mal à comprendre ce que le duc attendait de lui. En fait, il se défendait de toute proposition indigne. Il s'agissait, selon lui, de rapporter les portraits ressemblants de ces dames et d'obtenir des chambrières, «à deniers comptants», tous renseignements sur le corps de leurs maîtresses, tels que grains de beauté ou particularités indiscrètes. Après ce travail de préparation, Pierre-Paul devrait peindre des nus aux poses licencieuses et greffer dessus les têtes collectionnées dans ses cartons. Pierre-Paul adressa aussitôt une réponse à Chieppio pour lui signifier son refus d'exécuter des travaux «aussi infimes et vulgaires». Le duc comprit ce langage et autorisa son peintre à rentrer directement à Mantoue.

Le duc de Lerma et la cour firent des adieux touchants au Flamand. Le ministre lui remit la veille du départ une bourse de 300 ducats qui lui permit de faire le voyage de retour dans de bonnes conditions. Cette fois, la traversée fut sans histoire et Pierre-Paul eût été le plus heureux des peintres sans une lettre de son frère, installé maintenant à Rome, qui lui annonçait son retour prochain à Anvers où leur mère malade les réclamait tous les deux. Il aurait aimé lui aussi rejoindre la chère maman dont les sacrifices lui avaient permis de devenir, à vingt-sept ans, un artiste reconnu. Mais il était lié au prince qui, il le savait, ne consentirait pas à se priver de son peintre tout juste revenu de mission. Il n'ignorait pas non plus que Vincent ne lui pardonnerait que difficilement son refus d'exécuter sa commande française.

Rubens retrouva donc Mantoue dans sa brume dormante, le duc et ses caprices, le cher Chieppio et la cour toujours aussi prompte à entraîner à la débauche. Selon la règle des voyages officiels, le trésorier du palais vérifia les comptes, opération qui se termina à l'honneur de Rubens. Le duc lui témoigna sa satisfaction en améliorant son statut : le Flamand recevrait dorénavant une provision de 400 ducatons à l'année, payable de trois mois en trois mois. Ce n'était pas mirifique mais Rubens pourrait jouir désormais de cette sécurité matérielle dont rêvent les artistes, d'autant que, vivant à la cour, il se trouvait défrayé de la plupart de ses dépenses.

Rubens était, en somme, le seul à avoir changé. Il se sentait prêt, au retour du périple espagnol, à entreprendre des travaux personnels. C'était son désir le plus cher. Hélas, le duc ne voulait voir en lui qu'un talentueux copiste. Ainsi, en mars 1605, Pierre-Paul Rubens fut-il chargé de copier des toiles du Corrège pour Rodolphe II. Encore un cadeau que le duc Vincent comptait offrir à l'empereur d'Autriche, auquel il espérait marier sa fille Marguerite. On en était encore aux préliminaires, et Rodolphe, quinquagénaire original et méfiant, assaillait les Gonzague de demandes de renseignements sur le physique de la princesse. La dernière démarche concernait les mesures de sa taille, de l'ampleur de sa poitrine et de l'ensemble de son corps, y compris la grosseur des mollets. Ces chiffres, dûment certifiés, avaient été envoyés à Vienne avec un portrait de la jeune fille exécuté par François Pourbus, l'autre peintre de la cour. On s'était demandé pourquoi ce travail n'avait pas été confié à Rubens, meilleur peintre que le Français, mais Pourbus n'avait pas son pareil pour accommoder les traits ingrats d'un visage, et Marguerite n'était pas un modèle de beauté.

Rubens, lui, sans rien demander à personne, peignit *Vincent de Gonzague et sa famille adorant la Sainte Trinité*. C'était un beau tableau, qui enchanta la duchesse, et Vincent dut convenir qu'il hébergeait un vrai et pur artiste. Pour montrer sa satisfaction à ce dernier, il lui donna l'autorisation d'aller à Rome voir son frère avant que celui-ci ne prenne la route vers Anvers.

Pierre-Paul retrouva avec émotion la capitale de la chrétienté. Rome, au lendemain de la Renaissance, était une fête. Les rues bruissaient des robes rouges et violettes des prélats, résonnaient du roulement des carrosses des cardinaux entourés d'un train magnifique. A ces satins et ces ors se mêlaient les armures des cavaliers et les opulents manteaux des ambassadeurs. Rubens, qui avait renoué les relations brillantes qu'il s'était faites naguère chez le cardinal Montalto, y était chez lui. Il devait s'épuiser au travail pour satisfaire les demandes de copies du duc et celles de la société romaine. Mais il était heureux de vivre.

Rome, hélas, était en réalité, sous la pourpre et les ors, une ville malsaine. Les chaleurs et les exhalaisons des marais pontins provoquèrent chez le peintre une pleurésie qui faillit bien le conduire au tombeau. Son frère et un bon médecin le remirent sur pied assez tôt pour qu'il emporte devant le célèbre Caravage la commande d'une œuvre considérable, destinée à l'église neuve des Oratoriens : une œuvre de grandes dimensions glorifiant saint Grégoire, payée 800 écus. Cet énorme travail l'obligea à interrompre ses recherches, ses copies et même l'analyse des œuvres de Michel-Ange, son dieu, qu'il avait entreprise. Mais il considérait le choix des oratoriens comme un immense honneur, le plus grand, à coup sûr, de sa jeune carrière.

Rubens savait pourtant ordonner sa vie, garder le temps de fréquenter, le soir, l'agréable société des seigneurs, artistes, hommes politiques et ecclésiastiques qui gravitaient autour de monseigneur Montalto. La compagnie n'était pas prude, bien au contraire. Il avait fait la connaissance, lors de son premier séjour, de la jeune veuve du comte Guistiani, amateur d'art et fameux collectionneur d'antiques. La comtesse Alessandrina invita Pierre-Paul à venir dessiner les bustes des empereurs dont les marbres peuplaient une galerie presque aussi longue que celle du palais des Gonzague. A trente ans, peut-être un peu plus, la dame était belle, d'une élégance raffinée et d'une culture qui lui valait le respect des amis du cardinal. Le jeune peintre venu du Nord n'eut pas besoin de forcer son charme pour se faire remarquer de la brune romaine qui, au cours d'une promenade sous les pins et les cyprès du jardin de sa villa, s'accrocha à son bras et le conduisit dans sa chambre où il devait, sans attendre, découvrir un admirable Raphaël.

Le tableau en effet était magnifique. Il s'agissait du portrait d'une jeune femme à la chevelure en partie couverte par un turban. La main gauche était posée sur les genoux, la droite maintenait entre les deux seins, sans les cacher, une écharpe de mousseline qui leur donnait même un relief coquin. Pierre-Paul et la comtesse s'assirent à l'extrémité du lit pour mieux contempler les immenses yeux noirs et la bouche sensuelle de la jeune dame dont l'éclat éclipsait les autres tableaux, pourtant très beaux, disposés sur la tenture crème des murs.

– Elle vous plaît, ma Fornarina ? demanda la comtesse.

– La Fornarina ?

– La boulangère du quartier du Borgo, où résidait le séduisant Raphaël ! J'imagine qu'elle sentait encore le pain chaud quand elle se glissait dans ses draps. Il a peint bien d'autres tableaux admirables, d'autres femmes dont il a magnifié de son pinceau magique la peau douce et nacrée. Mais, là, vous êtes devant le tableau de l'amour. Le grand amour de la vie de Raphaël ! Vous rendez-vous compte ?

Ce jour-là commença une agréable aventure qui courut tout le printemps. Le blond cavalier prenait tout naturellement le chemin de la belle maison du Pincio les après-midi où saint Grégoire lui laissait quelques loisirs, le temps de laisser sécher les couleurs. Malheureusement, le tableau était loin d'être achevé lorsque le duc Vincent rappela son peintre au début de décembre. La mort dans l'âme, le Flamand dut prendre congé de ses amis, consoler la comtesse, qu'il appelait tendrement «ma Fornarina», abandonner son Grégoire inachevé et rentrer à la cour des Gonzague tandis que son frère, répondant à l'appel de la mère, chevauchait vers Anvers.

A peine arrivé à Mantoue, Pierre-Paul eut un fol espoir : son maître se préparait à aller prendre les eaux à Spa et emmenait son peintre. Spa était tout près d'Anvers, enfin il allait pouvoir embrasser sa mère ! Hélas, versatile comme toujours, le duc changea d'avis et décida de s'installer à

Gênes pour l'été avec sa cour. Durant deux mois, Rubens dessina et peignit pour oublier ses tourments. Il s'intéressa même à la sculpture avant d'obtenir l'autorisation de rependre sa vie romaine et d'achever son saint Grégoire.

Le tableau enfin terminé, il s'apprêtait à rentrer à Mantoue quand lui parvint une lettre de son frère : Maria Rubens venait de subir une nouvelle attaque d'asthme. «Cette crise à laquelle s'ajoute le poids de ses soixante-douze années, écrivait Philippe, l'a mise dans une situation telle qu'il n'y a plus qu'à attendre pour elle la fin commune à tous les humains.» Dès lors, rien d'autre ne compta plus aux yeux de Pierre-Paul. Sans hésiter, il se procura un cheval, rassembla ses économies – la presque totalité de son contrat avec les oratoriens –, quelques affaires, ses rouleaux de toiles, ses cartons de dessins et, sans repasser par Mantoue où le duc risquait encore une fois de le retenir, il entama au début du mois d'octobre 1608 sa longue et triste chevauchée vers les Flandres. Avant d'éperonner sa monture, il avait tendu à l'un de ses amis venus lui dire adieu une lettre destinée à Chieppio : «Une hâte folle me chasse. Sautant à cheval pour rentrer dans mon pays au chevet de ma mère mourante, je vous salue et vous remercie chaleureusement de l'aide amicale et continue que vous m'avez offerte. Veuillez s'il vous plaît dire à Son Altesse le duc de Mantoue les raisons de mon départ précipité et combien j'ai apprécié son hospitalité.»

Pas question pour Pierre-Paul de soigner et laisser reposer son cheval à la halte du soir, où il arrivait épuisé. Il lui fallait repartir au petit matin avec une nouvelle monture prête à avaler les lieues. Il ne s'arrêtait que dans des relais pour choisir le meilleur cheval et reprendre son chemin à travers l'Italie qu'il aimait tant – et qu'il ne reverrait jamais. Il se lança avec la même urgence sur les routes de France, les parcourut comme dans un cauchemar. Enfin s'annonça la Belgique, si proche du pays. Son argent avait enrichi les maîtres de poste et sa bourse était presque vide quand, à la fin de novembre, il atteignit les faubourgs d'Anvers.

Il pressa sa bête sans même s'intéresser au chemin qu'il prenait, aux maisons autrefois familières, aux gens qu'il croisait et sans doute connaissait. Dans un état second, épuisé par la course folle de la dernière journée, il sauta à terre devant la vieille maison de la rue du Couvent. La main tremblante, il souleva le heurtoir, une tête de lion dont son père, jadis, disait qu'elle symbolisait la fougue et le pouvoir familial, et attendit la réponse du destin. Celui-ci apparut sous l'habit de deuil de dame Isabelle, la femme de charge qui, malgré son âge, soutint Pierre-Paul titubant pour le faire entrer.

Bien qu'il ne doutât pas de la réponse, il demanda d'une voix blanche :

– Ma chère mère ?

– Dame Rubens est morte le 21 octobre dans les bras de messire Philippe en vous appelant. Malgré les chagrins qui ont accablé ses vieux ans, elle est restée vaillante jusqu'au bout.

Ainsi, lorsque Pierre-Paul avait reçu la lettre de son frère, sa mère était morte depuis cinq jours ! Sa course folle avait été vaine ! Il se reprochait de n'avoir pas quitté Rome en même temps que Philippe quand celui-ci, accouru, le prit dans ses bras, comme jadis lorsqu'il consolait son petit frère blessé par une chute :

– Maman nous avait pardonné de l'avoir laissée seule pour courir le monde. Elle guettait nos lettres trop rares et ne pensait qu'à notre avenir, aux profits que nous allions retirer de cet éloignement, toi surtout, dont elle vivait la gloire naissante avec fierté.

– J'aurais dû revenir avec toi.

– Cela n'était pas possible. N'y pense plus. Tu vas te reposer un moment et nous irons à l'abbaye de Saint-Michel où depuis longtemps elle avait de pieuses habitudes et où elle a souhaité être inhumée.

– Le père Yrsselius en est toujours le supérieur?

– Oui, il m'a beaucoup aidé et te sera d'un grand secours.

– Je vais demander à faire une retraite près du tombeau de notre chère mère.

– Pour le tombeau, je t'ai attendu. C'est à toi de le dessiner. Actuellement notre mère repose sous une simple dalle.

Les deux frères frappèrent un peu plus tard à la porte de l'abbaye toute proche et le supérieur les accueillit paternellement. Pierre-Paul profita de sa retraite pour peindre une toile où il mit tout son cœur de fils et d'artiste, destinée à la chapelle où reposait sa mère. En accord avec son frère et avec le supérieur, il choisit un sujet souriant qui, dit-il, aurait bien plu à sa mère : une Vierge à l'Enfant entourée d'une guirlande d'anges et de fleurs. Il dessina encore un tombeau de marbre très simple, simple comme dame Maria dont la vie avait été si compliquée. Philippe, fin latiniste, composa dans la langue de Cicéron l'épitaphe filiale : «Très sage dame Maria Pypelinckx, mariée à Jean Rubens, échevin d'Anvers.»

Pierre-Paul demeura quelque temps à l'abbaye et, sur le conseil de son frère, revint à la vie sociale. L'idée de retourner à Mantoue ne le retint pas une seconde. Il était un enfant d'Anvers, c'est à Anvers qu'il exercerait désormais le métier qu'il avait choisi! Justement, Déodat rentrait d'un long voyage en France. Il courut chez lui et trouva, ce qui ne l'étonna guère, la maison en deuil. Monsieur Van der Mont était mort moins d'une semaine après madame Rubens.

Les deux amis s'étreignirent et, curieusement, restèrent muets un long moment. Ils avaient tellement de choses à se dire qu'ils se regardaient comme des étrangers. Ensemble, ils rompirent le silence par une cascade de mots et de rires et, finalement, retrouvèrent la mesure d'une conversation interrompue cinq ans plus tôt sur un quai de Venise.

– Ta peinture ? demandait Déodat

– Ton négoce ? questionnait Pierre-Paul.

C'était l'essentiel. Le premier apprit que le peintre avait des cartons entiers d'œuvres à lui montrer et qu'il était en Italie un peintre renommé. Le second, que son compagnon de voyage galopait maintenant dans les chiffres, les tonnages de galères et les ordres de banque du signor Arnolfi. Rubens était aussi impatient de revoir son maître Otto Vénius, mais celui-ci résidait maintenant à Bruxelles, en qualité de peintre à la cour des archiducs Albert et Isabelle. Il se promit d'aller lui conter son aventure italienne. En attendant, il décida de reprendre sa vie de labeur, de transformer en peintures quelques-uns des dessins rapportés de Mantoue, de Rome, d'Espagne et de Gênes. Et aussi, carnet de croquis en main, de renouer avec sa ville : l'Escaut, le port, le marché aux poissons et les rues bordées de maisons bariolées.

Chapitre IX

Ravaillac

Depuis la guerre de Savoie, guerre abrégée et victorieuse qui n'avait été en fait qu'une démonstration de force face au duc, la paix régnait sur le royaume de France. Maximilien Sully, le fidèle compagnon, continuait de reprendre en main la trésorerie. L'argent du royaume se cachait dans les provinces, la gabegie des perceptions l'empêchait d'entrer dans les caisses.

Sully retrouvait ses habitudes de vieux soldat, sautait en selle et allait récupérer sur place les milliers d'écus que s'appropriaient depuis des lustres les agents du Trésor. Déjà, il avait pu rembourser la majeure partie des dettes de l'Etat à l'étranger. Au lieu d'augmenter les impôts, il serrait la vis aux exploiteurs et faisait remise d'une part de la taille aux petites gens. Henri, sous ses allures de soudard, était un visionnaire. Il rêvait d'un grand projet pour la France et avait besoin pour cela du bel et bon argent que la richesse naturelle du pays pouvait lui fournir. Alors, Sully labourait les pâturages, mijotait dans les pots campagnards des mots historiques et forgeait à son roi une légende et une armée non plus faite de mercenaires mais de Français, de Bretons, de Champenois et de Gascons.

Pour surveiller de près la fabrication des canons, Sully s'était installé à l'Arsenal. C'est là que le roi Henri, fuyant la cour et ses Italiens, allait retrouver son ami et dînait avec lui tête à tête pour parler tranquillement des affaires[1]. Sur la route ouverte par le roi, l'attelage rattrapait le temps perdu et allait de l'avant sous le signe de l'amitié. L'avant, c'était le grand projet d'une Europe constituée en république chrétienne et tolérante, à l'image de l'édit de Nantes. Un rêve! Ne fallait-il pas pour le réaliser tenir tête au Saint Empire, s'allier les protestants et recevoir la bénédiction de Rome?

Le dessein allait même plus loin, au-delà des mers. Pour faire face aux prétentions de l'Espagne et de l'Angleterre, Henri avait envoyé dans le nord des Amériques Champlain et le vice-amiral de Monts qui avaient fondé Annapolis et étaient partis à la découverte du Canada avant de s'enraciner au Québec, avec l'ordre formel du roi de respecter la religion locale et de fraterniser avec les tribus indiennes.

Henri et Maximilien, les deux complices, veillaient tard au chevet de la France convalescente. Tous les grands problèmes étaient abordés, suivis, qu'il s'agisse de l'agriculture, des routes et des canaux, du développement des manufactures ou de l'école. Parfois, avant de se quitter, en levant

1. Des siècles plus tard, Lavisse nous montrera Henri IV ouvrant les bras à Sully, et lui prêtera ces paroles : «Mon ami, venez m'embrasser. Je me trouve si bien chez vous que je veux y souper et y coucher.»

leur verre de jurançon, l'un d'eux disait simplement : « Nous en avons fait des choses en moins de dix ans ! »

Deux aussi fortes personnalités ne pouvaient être d'accord sur tout. Henri n'arguait jamais de son titre de roi, mais, parfois, les discussions étaient âpres. La France avait beaucoup de chance d'être gouvernée à la fois par le cœur et par le courage ; surtout, ni l'un ni l'autre n'oubliaient que les braises du fanatisme fumaient encore. Et au-dehors, pas très loin, à Rome, à l'heure où le roi Henri, l'utopiste, faisait croire à la fraternité universelle, le Saint-Office faisait brûler vif le philosophe Giordano Bruno pour une phrase innocente : « Prenons l'évidence pour juge unique du vrai. Et si l'évidence nous manque, sachons douter. » Il avait été professeur à Paris, à Oxford, à Wittemberg, il était l'ami de Galilée.

La cour, qui aurait dû donner l'exemple, était plus agitée que la France. Les escarmouches y étaient fréquentes et l'on peut se demander comment il en aurait pu être autrement avec un roi que les ans n'avaient pas assagi et qui, à près de soixante ans, devait improviser à chaque instant la parade aux flèches perfides d'Henriette d'Entragues, toujours agissante au Louvre, aux colères d'une reine bafouée et, enfin, aux commentaires piquants de la reine Margot, qu'il avait autorisée, après un long exil, à revenir vivre à la cour. La fille de Catherine de Médicis était exclue du cercle des amours royales, mais avait conservé, par-delà les années de fer et de sang, son insolente volonté d'exister.

L'équilibre de cette paix armée, ponctuée de spectacles, de fêtes, de bals – on ne s'était jamais autant diverti au Louvre et à Fontainebleau –, aurait pu résister au temps sans une nouvelle foucade du roi Henri. Sully n'avait pas réussi, au cours d'une vie, à guérir ce dernier de sa vieille maladie d'amour qui l'enflamma subitement pour la plus jeune des filles du connétable, Charlotte de Montmorency, presque encore une enfant. Il ne s'agissait pas cette fois de la fille d'un petit noble avide d'honneurs et d'argent. La chair tendre convoitée était de haute lignée, et le choix royal, promis à un grand scandale. La foudre avait surpris le Vert Galant un jour où il traversait, par hasard, le salon où le ballet de la reine répétait le spectacle de la soirée. Les douze jeunes demoiselles, légèrement vêtues en nymphes, qui levaient la jambe aux sons de l'orchestre des violes, ne pouvaient laisser le Vert Galant indifférent. Ces jeunes filles issues de la haute noblesse n'étaient pas toutes jolies. L'une d'elles, la petite Montmorency, qu'on surnommait «l'Aurore», éclipsait ses compagnes par sa fraîcheur et l'éclat de ses yeux d'aiguemarine. A sa vue, le roi s'arrêta, redressa la fraise qui avait tendance à tourner sur son cou émacié, cambra les reins, confondu par tant de fraîcheur. La réaction royale ne passa pas inaperçue. On en sourit à la cour, la reine soupira, et Pierre de L'Estoile nota dans son journal : «Le roi a paru s'intéresser à Charlotte-Marguerite de Montmorency, blonde enfant de quinze ans au teint blanc et aux traits charmants.»

Henri IV mit le jour même son entourage à la question. Il voulut tout savoir sur ce bouton de rose égaré dans les ronciers du Louvre. Sully flaira tout de suite le danger et mit le roi en garde : non seulement la jeune fille était une Montmorency, mais elle était promise à Bassompierre :

– Sire, vous imaginez-vous souffler cette jeunesse à votre compagnon de plaisir ? Il ne s'agit pas de se disputer une fille de mœurs légères. Les fiançailles sont officielles. Ni votre ami ni le connétable n'admettront que vous vous immisciez dans cette union si fort engagée.

Henri IV parut surpris, regarda le bout de ses bottes et rétorqua :

– J'ai en effet vaguement entendu parler de ce projet de mariage, mais je n'ai pas encore donné mon accord.

– Mais oui, Sire, vous l'avez donné ! J'étais présent quand le connétable vous a posé la question ! Ne comptez pas sur moi pour vous aider si, par malheur, vous vous engagiez dans une aventure aussi néfaste. Je sais que vous n'avez pas l'habitude de suivre mes conseils dans ce genre de foucades, mais, cette fois, je vous conjure de ne pas vous laisser entraîner par vos fâcheux penchants. A la veille, peut-être, d'entrer en guerre, vous n'avez pas le droit de déclencher un scandale qui vous ridiculisera. Regardez à loisir la petite Aurore montrer ses jolies jambes dans le ballet de la reine, mais n'y touchez pas !

Le roi parut interloqué. Sully avait avec lui son franc-parler, mais jamais, même aux moments les plus délicats de ses liaisons avec Gabrielle d'Estrées et Henriette d'Entragues, il ne lui avait tenu des propos aussi durs.

– Monsieur de Béthune, votre irrespect frise l'insolence. Restons-en là sur cette affaire. Ce n'est pas ce débauché de Bassompierre qui va montrer au roi le chemin de la morale. Vous me voyez ce soir très fâché !

Ils s'étaient quittés vraiment brouillés et, le lendemain, à la cour, Sully, embarrassé en rencontrant le roi, mit un genou à terre. Henri IV le releva aussitôt et dit : «Je vous en prie, Béthune, on pourrait croire que j'ai quelque chose à vous pardonner.»

Dans la nuit, le roi, qui ne renonçait pas à Charlotte, avait échafaudé un plan délirant pour éliminer Bassompierre, son jeune compagnon de plaisirs, dont, pour la première fois, il était jaloux. Il décida de convaincre le connétable de donner plutôt sa fille à son neveu, le petit Condé, qu'il jugeait avec quelque raison vaniteux et sournois. Ce blanc-bec, pensait-il, tiendrait plus aisément le chandelier que son jeune compère fort à la mode chez les gens de la cour pour sa bravoure et son esprit. Montmorency, qui avait ses raisons de plaire au roi, se rendit facilement. Charlotte changea de fiancé, et le mariage, très vite prononcé, permit au Vert Galant de poursuivre sa chimère. Jouant les bons apôtres, il invita les jeunes mariés à vivre dans sa famille afin de redonner à la cour, dit-il, un parfum de jeunesse. La jeunesse, si elle fleurait bon, était futée. Charlotte comprit le manège du roi amoureux, joua la coquette et le laissa s'enferrer dans des tentatives dignes des comédiens italiens. On raconta bientôt qu'il avait tenté de l'approcher déguisé en médecin, puis en maître de danse. Désespéré, Sully dut une nouvelle fois s'avouer vaincu.

C'est le petit Condé qui déjoua les manigances royales. Loin d'être le mari complaisant espéré, il se révéla amoureux jaloux. Excédé par les assiduités dont son oncle poursuivait sa jeune épouse, il alerta la reine et s'enfuit du Louvre avec le dessein de cacher Charlotte en Belgique. Un prince du sang auquel il est interdit de quitter le royaume sans l'autorisation du roi et qui enlève sa propre épouse, il y avait de quoi émouvoir la galerie ! La nouvelle franchit la porte du bureau de L'Estoile et fit rapidement le tour des chancelleries, ce qui redoubla la fureur de la reine. La tempétueuse Italienne était cette fois décidée à monnayer son pardon. La désinvolture de son époux la mettait en position de force et elle exigea beaucoup, au risque de déstabiliser le roi dans une période essentielle.

Les bellicistes protestants poussaient en effet au conflit avec le Saint Empire menaçant. Un geste risquait d'enflammer toute l'Europe et de mettre fin à la brillante entreprise de reconstruction du royaume. Le bilan de dix années de gestion était à vrai dire impressionnant. Mise en sommeil des querelles religieuses, budget en excédent, armée modernisée, routes remises en état, ponts lancés sur les grands fleuves, vie économique en plein essor, l'ère utopique rêvée par Henri IV s'installait doucement sous la houlette d'un berger de génie, Sully, inventeur d'une formule champêtre qui résisterait aux modes et au temps : «Labourages et pâturages sont les deux mamelles qui nourrissent la France, les vraies mines d'or du Pérou.»

Cet élan et cet espoir prometteur devaient hélas buter sur l'un de ces obstacles absurdes dont l'histoire est friande. La mort d'un prince allemand catholique laissait vacants trois duchés des bords du Rhin, dans une zone sensible. Comment penser que ce banal événement allait précipiter la fin d'un règne brillant? La convoitise des puissances, le souci proclamé de défendre le fameux équilibre européen, cause de tant de conflits et, surtout, l'occupation brutale de la citadelle de Julliers par l'armée de l'empereur ranimèrent le mouvement des bellicistes. Les huguenots et la génération de jeunes seigneurs impatients de montrer leur bravoure ébranlèrent le pacifisme de Sully, et le roi Henri tressaillit d'émotion à l'idée de retrouver son panache à la tête d'une armée qui, de longtemps, n'avait été aussi belle et puissante. Une provocation de l'empereur aidant, tout était prêt à la fin d'avril 1610 pour partir en campagne. Outre le gros des troupes rassemblées à Chalons avec la puissante artillerie de Sully, une autre formation était mise sur pied de guerre en Dauphiné.

Dans l'odeur excitante de la poudre, les bruits les plus invraisemblables circulaient. Ainsi, L'Estoile nota que certains soupçonnaient le roi de vouloir saisir le prétexte de la guerre pour aller délivrer Charlotte !

Avant de chevaucher comme un jeune homme vers la Champagne pour rejoindre l'armée, Henri IV devait organiser le pouvoir, en assurer la continuité. Il décida de maintenir à Paris durant son absence et celle de Sully le chancelier Brulart de Sillery, les ministres Villeroy et Jeannin, ainsi que deux militaires de haut rang, le connétable de Montmorency, père de Charlotte, trop vieux pour commander la jeune armée, et le duc d'Epernon, colonel général de l'infanterie, jugé peu sûr. C'était pour la reine l'occasion inespérée de contraindre le roi, en expiation de sa dernière foucade, à lui confier la régence du royaume durant son absence. A contrecœur, il céda, lui adjoignant l'assistance d'un conseil de quinze membres.

Marie se serait peut-être contentée de cette prestigieuse nomination sans les conseils intéressés de son entourage italien, de Concini et, surtout, de sa redoutable épouse, la Galigaï : « Le roi, lui répétaient-ils, s'est mis dans une telle situation qu'il ne peut rien vous refuser. Son attitude vous ridiculise aux yeux du monde entier et il vous doit, en réparation, ce couronnement qu'il vous a toujours refusé. Avant de partir en guerre et peut-être d'y mourir, son devoir est d'accomplir ce geste ! Le dauphin n'a que neuf ans : si son père ne reprenait pas sa place sur le trône, il aurait besoin d'une mère hautement et royalement respectée comme l'a été votre tante Catherine. N'oubliez pas que vous êtes une Médicis ! » Henri IV dut aussi céder à cette exigence. Il commanda pour les prochains jours l'organisation du sacre dans la basilique de Saint-Denis.

En dehors du climat de guerre, resurgi après tant d'années, il régnait à Paris une atmosphère singulière qui inquiétait

Sully. Ce jour-là, dans son carrosse, après une longue discussion avec le roi qui venait de lui annoncer le sacre prochain de la reine, il ne pouvait s'empêcher de penser aux divers attentats, heureusement ratés, perpétrés contre Henri IV au cours de ces longues années d'amitié. Il se rappelait Barrière, arrêté par miracle juste avant de commettre son crime et condamné au terrible supplice des régicides ; Tonnelier qui, armé d'un poignard, avait suivi le roi jusqu'à l'hôtel de Nemours pour l'assassiner ; les huit brigands surpris à Saint-Germain alors qu'ils se plaçaient en embuscade ; Jean Chatel, l'étudiant de dix-neuf ans qui, d'un coup de couteau, avait blessé le roi à la bouche. Derrière ces régicides, on avait décelé les agissements d'anciens ligueurs, de jésuites, d'agents de Rome et de Madrid, tous farouchement opposés aux huguenots, adversaires implacables du roi converti.

Sully songeait aussi à la cérémonie du lendemain, le sacre, contraint, de la reine. Il avait décidé de ne point y assister, prétextant une affection, suite récurrente de sa blessure au siège de Chartres. Il se sentait soulagé de ne pas avoir à supporter des heures durant la pompe de la liturgie catholique. Mais cela n'était que vétille à côté de la guerre allemande qu'il se reprochait de n'avoir pas empêchée quand il en avait été encore temps. Béthune n'avait pas, pour l'une des rares fois de sa vie, été clairvoyant. Il se rendait compte trop tard que la lutte annoncée contre les puissances catholiques était impopulaire. L'opinion, habilement manipulée contre le roi, hier aimé, se retournait contre lui, jusqu'à l'accuser de tyrannie. Des agitateurs couraient les paroisses pour attaquer les dépenses de la cour, le scandale des maîtresses, la *camarilla* italienne toute-puissante au Louvre, jusqu'à l'édit de Nantes ! L'irrésolution d'Henri, la pression des huguenots et sa propre faiblesse avaient eu raison du bien et de la paix. Tout était, hélas, décidé, et le calendrier inexorablement fixé : jeudi 13 mai, sacre à Saint-Denis; dimanche 16, entrée solennelle de la reine à Paris; mercredi 19, départ du roi pour les armées.

Dans tout le pays, devins et astrologues multipliaient les prédictions et ajoutaient aux mauvais pressentiments du roi et de Sully. Pas plus tard que dans l'après-midi, Henri avait tenu à son ami des propos désolants :

– Voyez, mon cher Sully, ce sacre que l'on m'oblige à accepter, je le vois déboucher sur le deuil et le sang.

Cette phrase terrible ne quitta pas la pensée du surintendant durant tout le trajet. Quand son carrosse s'arrêta devant le perron de l'Arsenal, il se sentit soudain vieux, brisé, inutile. Son cocher, en l'aidant à descendre, vit qu'il pleurait et réconforta le grand ministre par quelques mots maladroits.

La France était comme sinistrée. Elle pliait sous le poids des prophéties qui la défiaient au plus haut. Pierre de L'Estoile, toujours lui, avait eu en main, avant que le Parlement les fasse saisir, des livres d'astrologie vendus à la foire de Francfort qui annonçaient que le roi de France mourrait dans sa cinquante-neuvième année. Des argousins ramassaient chaque jour des paquets d'écrits anonymes déposés sur les bancs des églises, avisant de la mort proche du roi. Un théologien espagnol, Oliva, publiait un livre dédié au roi d'Espagne, aussitôt traduit en France, qui prédisait la fin d'Henri IV pour 1610[1].

---

1. Michelet constatera : «Chacun pensait que le roi serait tué et s'arrangeait en conséquence. La prédiction préparait l'événement, elle affermissait les fanatiques dans l'idée et l'espoir d'accomplir la chose fatale qui était écrite là-haut. »

Pour le couronnement, les devins avaient partagé leurs augures, et la reine pouvait choisir ceux qui lui étaient favorables. Il sembla plutôt que la cérémonie commençait mal. Les invités cherchaient leur place sur les dix-neuf rangées de gradins installés depuis la veille dans la basilique quand la dalle qui fermait la crypte se brisa sous la maladresse d'un ouvrier. On répara en hâte le scellement à la chaux. «Mauvais présage!» entendit-on dans le public. Le calme était à peine revenu qu'un bruit d'échauffourée parvint de la tribune la plus huppée. Deux diplomates en étaient venus aux mains. L'ambassadeur d'Espagne tenait à son titre d'«Excellence»; or, impardonnable bévue, le représentant de Venise l'avait appelé, en le saluant, «monsieur l'ambassadeur». Celui-ci, hidalgo au sang chaud, avait répondu par un violent coup de chapeau sur la figure de l'envoyé de la Sérénissime. Il s'en était suivi un échange de coups que les gardes du roi, appelés à la rescousse, eurent du mal à arrêter. Le plus touché, Son Excellence Pablo y Federico de Extramadura, dut suivre la cérémonie avec un bandeau sur l'œil droit.

Cette scène, plus bouffonne qu'inquiétante, sembla amuser le roi. Contre toute attente, Sa Majesté paraissait de bonne humeur. Peu après, il s'amusa encore d'un incident qui pouvait impressionner les amateurs de prévisions. Au moment le plus solennel, la couronne, que le nonce venait de poser sur la tête royale, vacilla et serait tombée à terre si un jeune prêtre ne s'était précipité pour la retenir.

Le roi trouvait le temps long. Il s'agitait dans son fauteuil, faisait des signes d'encouragement à son épouse, plaisantait avec Marie de Valois, la reine Margot. N'y tenant plus, il profita d'un silence pour prendre le dauphin dans ses bras et le

montrer à l'assistance en s'écriant : «Messieurs, voici votre roi!»
On verra plus tard dans ce geste une prémonition. Mais tout a
une fin, même les cérémonies de couronnement, et le cortège
royal rejoignit le Louvre sous les acclamations du peuple,
toujours prêt à s'émouvoir devant le passage de carrosses dorés.

Le roi appréhendait cette nuit du 13 signalée par les astrologues comme dangereuse et funeste. Toute la nuit, il
chercha en vain le sommeil. De son côté, la reine appela
plusieurs fois pour demander que l'on chassât une chouette
qui ne cessait de voleter et de chuinter autour de la fenêtre.
Au réveil, le roi reçut la visite de César, duc de Vendôme et
fils aîné de Gabrielle d'Estrées. Encore une mauvaise
nouvelle. Il venait, affolé, apprendre à son père que le devin
Labrosse, qui avait l'oreille de la cour, venait de prédire
qu'Henri IV risquait de mourir au cours de la journée et qu'il
devait s'abstenir de sortir du lever au coucher du soleil le
vendredi 14. A la reine qui, comme César, le suppliait de
demeurer au palais, Henri répondit en riant que Labrosse
était un âne et qu'il devait absolument aller voir Sully malade
dans ses appartements de l'Arsenal.

Sous cette crânerie, on sentait pourtant le roi inquiet.
Durant la matinée, il parut absent, répondit à peine à la
reine, à ses gens, et ne toucha presque pas à son dîner. Il
essaya de s'allonger mais ne réussit pas à s'endormir. Il se
releva en disant que c'était l'air confiné du Louvre qui ne
lui convenait pas et qu'il allait partir sans attendre pour
l'Arsenal. La reine eut beau une nouvelle fois lui demander
de ne pas sortir, il commanda qu'on apprête son carrosse. Il
avait déjà son chapeau sur la tête quand il sembla hésiter.

– Je ne sais pas ce que j'ai, mais il m'est difficile de quitter
cette pièce, dit-il au duc de la Force.

236

– Sire, tout vous conseille de ne pas la quitter.

Sans répondre, Henri embrassa la reine pour lui dire au revoir. Marie, encore une fois, le supplia :

– Vous ne devez pas, je vous en conjure, sortir dans ce climat d'incertitude ! Défaites-vous et reposez-vous. Vous irez demain voir Sully.

– Non, j'ai trop de choses importantes à lui dire, je vais y aller. Messieurs, à moi !

La Force, le duc d'Epernon, le duc de Montbazon, le marquis de Mirebeau, le maréchal de Lavardin et Liancourt, le premier écuyer, le suivirent dans l'escalier.

– Sire, souhaitez-vous que je vous accompagne ? demanda Vitry, le capitaine des gardes.

– Non, vous avez trop affaire pour préparer l'entrée de la reine.

– Prenez au moins une vingtaine de gardes.

– Le roi n'a pas besoin de gardes pour aller dans sa bonne ville de Paris. J'irai avec ces messieurs et quelques gentils-hommes.

Au perron, le carrosse attendait. Le roi prit la place de gauche, offrit la droite à d'Epernon, tandis que Montbazon et Lavardin s'installaient en face. C'était un bel après-midi de printemps, le roi fit remarquer que l'air était doux et demanda au cocher d'ouvrir les rideaux. Les gentilshommes qui n'avaient pas trouvé place en voiture rejoignirent à cheval la petite suite du roi au début de la rue Saint-Honoré. Arrivées au cimetière des Saints-Innocents, la voiture royale et son escorte tournèrent pour emprunter la rue de la Ferronnerie.

« Bertin, le maître cocher des voitures royales, n'aurait pas dû passer par là, songea Montbazon. Cette rue de la Ferron-nerie est si étroite qu'elle est constamment soumise aux embarras. » C'était le cas vers quatre heures. Un peu plus loin, le carrosse se trouva bloqué par une charrette de foin qui n'arrivait pas à croiser un tombereau chargé de tonneaux là où le chemin se rétrécissait entre une suite de loges et d'échoppes. Dans le carrosse, d'Epernon en profitait pour lire au roi un mémoire du duc de Soissons. Henri IV, les yeux mi-clos, écoutait distraitement en songeant aux jours prochains qui allaient sans doute bouleverser la vie tranquille de son peuple. Un homme en proie à une violente agitation sortit alors de la foule pour bondir sur le moyeu de la roue arrière et, bras tendu par-dessus Epernon, frappa le roi d'un coup de poignard à la poitrine.

Tout s'était passé très vite. Dans le brouhaha de la rue, Henri s'écria : « A moi ! Je suis blessé ! » et leva son bras, comme pour se protéger. Geste fatal. L'assassin renouvela son attaque sur la poitrine maintenant découverte et, cette fois, toucha le cœur.

Dans le carrosse, quatre seigneurs regardaient hébétés leur roi perdre son sang. La rapidité de l'attaque avait été telle qu'aucun d'eux n'avait pu intervenir. L'homme, un fort gaillard à la chevelure rousse, aurait pu se sauver en se mêlant à la foule mais il était resté hébété, près de la voiture, son couteau sanglant à la main. Saint-Michel, l'un des gentils-hommes de l'escorte, s'apprêtait à l'embrocher avec son épée quand d'Epernon hurla :

– Ne le tuez pas, ne le tuez pas. Il nous le faut vivant !

Désarmé, le meurtrier émit des mots sans suite, où revenait la même phrase : « Je l'ai tué ! Je l'ai tué ! » On l'emmena pour le soustraire à la foule qui menaçait de lui faire un mauvais parti.

Montbazon avait couvert le roi de son manteau tandis que Lavardin essayait de faire dégager la voie en criant : « Le roi n'est que blessé, libérez le chemin qu'on le ramène au Louvre!»

Vers quatre heures et demie, quand le carrosse passa les guichets, le roi était mort. C'est son cadavre que les seigneurs, témoins du drame, montèrent sur leurs épaules jusqu'à la petite pièce, voisine de la chambre royale, où il avait tenté vainement de dormir avant de s'en aller à la rencontre de son meurtrier.

Tandis qu'on l'installait, la reine, allongée sur son lit d'été, dans le petit cabinet, bavardait avec madame de Montpensier. Le bruit dans la pièce voisine la surprit. Pressentant un drame, elle se précipita, ouvrit la porte et bouscula monsieur de Praslin, le capitaine des gardes, qui lui dit : «Madame, nous sommes perdus!» En apercevant le corps ensanglanté de son époux, la reine tomba évanouie dans les bras de Catherine Ferzoni, une de ses femmes de chambre qui, aidée par Henriette de Montpensier, la ramena jusqu'à son lit. Le duc d'Epernon, Villeroy et Bellegarde les suivirent, bientôt rejoints par Bassompierre, dont le récit sera enregistré par Pierre de L'Estoile dans ses registres : «Nous nous mîmes tous les quatre à genoux et baisâmes l'un après l'autre la main de la reine. Son cœur était percé de douleur, elle fondait en larmes et rien ne pouvait la consoler[1].»

Le roi avait été poignardé vers quatre heures et demie, et le carrosse avait perdu beaucoup de temps en faisant demi-tour dans l'étroite rue de la Ferronnerie encombrée de

_____

1. Une autre version reproche à Marie de Médicis d'avoir appris la nouvelle avec désinvolture. Saint-Simon, qui détestait la reine, écrira : «Personne n'ignore avec quelle présence d'esprit, avec quelle indécence, la reine et ceux qui la possédaient reçurent une nouvelle aussi funeste, qui aurait dû les surprendre et les accabler.» (*Cf. Parallèle des trois premiers rois Bourbons.*)

curieux. Au Louvre, on fit croire jusqu'à neuf heures qu'il n'était que blessé afin de se donner le temps de mettre le palais en défense et de faire prévenir les dignitaires et membres du Parlement.

A six heures, son médecin, Héroard, avait annoncé au dauphin que la mort de son père le faisait roi de France. Louis, neuf ans, treizième du nom, succédait sur le trône de France à Henri IV. Il aimait son père et pleura beaucoup. Héroard rapportera dans son journal quotidien la douleur du petit Louis : «Monsieur le dauphin sanglota et dit : "Ha! Si j'y eusse été avec mon épée, je l'aurais tué!"»

Le soir, Marie de Médicis le prit avec elle dans sa chambre. Ils étaient encore éveillés quand la dame du service de la reine vint leur annoncer de la part du chancelier que tout était calme dans Paris frappé de stupeur. Très tard, Marie finit par s'endormir en pensant qu'à son réveil elle serait régente du royaume.

On sait combien les prédictions de la mort du roi avaient été nombreuses et, hélas, exactes. La mort elle-même fut accompagnée de signes étranges et suscita dans le royaume de curieux témoignages[1]. Ainsi, le 14 mai, sur le coup de midi, une religieuse de l'abbaye Saint-Paul près de Beauvais, mademoiselle de Villars, entra en transe et affirma qu'elle avait vu assassiner le roi à coups de couteau. Le même jour, dans un couvent de capucines, plusieurs heures avant le drame, l'une des sœurs fondit en larmes et dit que la cloche du monastère sonnait pour annoncer la mort du roi. Toutes les religieuses se précipitèrent et constatèrent qu'elle s'était,

----

1. Richelieu les rapporte avec minutie dans ses mémoires.

en effet, mise en branle sans secours extérieur. A Patay, près d'Orléans, une bergère de quatorze ans entendit le jour du crime une voix annonçant la mort du roi. Elle courut demander à son père qui était le roi. Il lui répondit que c'était Henri IV, le chef de tous les Français. La jeune fille devait peu de temps après quitter son troupeau et entrer en religion avant de devenir la supérieure des Hospitalières de Paris.

L'affaire du prévôt de Pithiviers ne relevait pas, quant à elle, du divin mais permit de croire que d'autres gens avaient participé à l'assassinat. C'était jour de fête dans la petite ville, et le prévôt jouait aux boules sur la place avec d'autres bourgeois. Comme chacun s'extasiait devant un coup particulièrement réussi, le prévôt dit : « Il s'en fera aujourd'hui un autre bien plus étonnant. » Prié d'être plus explicite, il ne répondit pas, mais demanda à un voisin s'il avait une idée de l'heure. On regarda le soleil et on se mit d'accord sur trois heures. Le prévôt murmura alors : « Cela ne devrait pas tarder, peut-être même est-ce déjà fait. » Quelques jours plus tard, en apprenant la mort du roi, plusieurs joueurs de boules se rappelèrent les propos tenus par le prévôt et le dénoncèrent. Par ordre du chancelier, il fut mené et incarcéré à Paris, où il montra son désir d'expliquer ses propos. L'homme, qui semblait en savoir trop, ne fut malheureusement pas interrogé plus avant et on le retrouva pendu dans sa prison. L'affaire n'aurait pas eu de suite si l'on n'avait découvert que le prévôt avait deux fils jésuites, qu'il était ami du barbier de monsieur d'Entragues et, surtout, qu'il était en relations avec un diplomate espagnol. C'était assez pour que le grand investigateur de l'époque se mette en chasse. Pierre de L'Estoile eut bientôt la conviction que l'ordre de supprimer le prévôt émanait de la chancellerie. Retrouvant pour mener son enquête l'énergie qu'il avait déployée après la mort de Gabrielle d'Estrées, il laissa pour l'histoire ce commentaire : «Au bout un homme mort ne parle point (qui est ce qu'on lui demandait) car s'il eût parlé comme il avait si bien commencé, il en eût à la fin trop dit pour l'honneur et le profit de beaucoup qu'on n'avait pas envie de fâcher. C'est pourquoi on a eu opinion que d'autres gens que le diable avaient mis la main à cette exécution.»

On en savait maintenant beaucoup plus sur l'assassin. Le grand roux s'appelait Ravaillac et avait été, lui, tout de suite questionné par Achille de Harlay, premier président du Parlement de Paris, et par tous les commissaires du Parlement. Il subit les jours suivants trois nouveaux interrogatoires, puis un cinquième sous la torture. Les juges cherchaient moins à éclairer la psychologie de l'assassin qu'à lui faire donner les noms de complices qu'il prétendit jusqu'au bout être le fruit de l'imagination de ses inquisiteurs. C'était pour les magistrats une affirmation invraisemblable, qu'ils notifièrent avant de continuer leur enquête. Les juges cherchèrent aussi si quelque sorcier n'était pas derrière cette mort qui plongeait le pays dans le désarroi et l'affliction. En tombant sous le poignard de Ravaillac, Henri IV avait retrouvé toute son aura. Oubliés les reproches orchestrés, la *camarilla* italienne, les maîtresses dépensières ! Tous les peuples de France, de Navarre, de Bretagne pleuraient le bon roi Henri, libéral et débonnaire, et lui ouvraient les portes de la légende.

Les magistrats poursuivaient leur travail, préoccupés de sortir de l'ombre les complices de Ravaillac, mais obligés aussi de lui demander les raisons qui l'avaient poussé à tuer le roi. Des complices ? Il ne savait que dire non. Des raisons ? L'individu en donnait de nombreuses : Henri IV, loin de vouloir réduire la religion dite transformée, l'avait favorisée. Il voulait faire la guerre au pape, en d'autres termes, la faire à Dieu. Il avait décidé de transférer le Saint-Siège à Paris et s'était bien gardé de poursuivre les huguenots dont l'entreprise, le Noël dernier, avait été de tuer tous les catholiques. Ces motifs obsessionnels, si déraisonnables fussent-ils, entretenaient l'idée que les catholiques et le catholicisme étaient en danger et situaient en état de légitime défense ceux qui avaient eu, en pensée, le désir de se débarrasser du roi.

Les interrogatoires se succédèrent sans apporter d'élément nouveau. Ils donnèrent lieu à dix-sept procès verbaux sans que Ravaillac reconnaisse avoir eu aucun complice ni aucun inspirateur. Enfin, le 27 mai, on informa le régicide qu'il comparaissait pour la dernière fois devant les juges. A genoux, un cierge à la main, il écouta la sentence et les conditions de son exécution. A trois heures de l'après-midi, Ravaillac fut extrait de la Conciergerie et placé dans un tombereau à ordures qui le conduisit, sous les huées, à Notre-Dame, où il fit amende honorable en chemise, un cierge à la main. Le chariot de la honte l'emmena ensuite à la place de Grève, lieu du supplice.

Jusqu'au bout, les bourreaux veillèrent à ce que la procédure fixée par le tribunal fût respectée dans ses moindres détails, tous atroces. D'abord, on brûla au plomb fondu la main qui avait tenu le poignard, puis le condamné fut attaché sur une planche pour la tenaille. Il s'agissait d'arracher sur huit parties du corps, désignées dans l'attendu du jugement, à l'aide de tenailles rougies au feu, des morceaux de chair jetées à la foule. Les bourreaux devaient ensuite enduire les plaies d'un mélange de soufre et de plomb fondu avant d'attacher le condamné par les poignets et par les chevilles à quatre chevaux de trait pour procéder à l'ultime procédure de l'exécution : l'écartèlement. Elle dura presque une demi-heure sous les hurlements d'une foule en délire, que la garde avait beaucoup de mal à repousser. La force de résistance de Ravaillac était extraordinaire. Les chevaux fouettés tiraient en vain. Les membres craquaient, mais ne cédaient pas. Il fallut remplacer les bêtes et recommencer l'effrayant tourment. Enfin, les articulations lâchèrent et la foule se jeta sur les membres disjoints pour les découper avant de les brûler. Sur un signe du chancelier, un gentilhomme courut au Louvre pour annoncer à la régente que justice était faite.

En l'espace de quelques heures, beaucoup de choses avaient changé. Sans attendre, Marie de Médicis avait confirmé les quatre principaux ministres : Sully, Villeroy, Sillery et Jeannin, mais cette apparente continuité ne trompait personne. On se doutait que les favoris florentins, Concini et son épouse Leonora, allaient jouer de leur influence pour exercer leur puissance occulte sur le gouvernement des Français. Il y eut bientôt deux conseils : le conseil d'apparat, comprenant deux princes de sang, Conti et Soissons, Sully, le connétable de Montmorency, les ducs de Mayenne et de Guise, les maréchaux de Brissac et de Bouillon. Et l'autre, secret selon Sully et que L'Estoile appelait dans son journal le «Conseil de la petite écritoire», réunissait, chez la régente, les Concini, le nonce apostolique, l'ambassadeur d'Espagne et les trois ministres catholiques d'Henri IV, Villeroy, Sillery et Jeannin. Sully était pratiquement privé d'autorité.

Les capitales le surent aussitôt : sans attendre, le conseil privé prit les décisions importantes. La plus urgente concernait la guerre que le roi était sur le point d'entreprendre au moment de sa mort. Marie de Médicis n'allait-elle pas suspendre une expédition contre l'empereur et le roi d'Espagne, soutiens de la cause catholique ? Elle fut moins brutale et prit le parti de maintenir l'armée de Champagne et de reprendre Juliers, une promenade militaire qui satisfaisait sa vanité et dont elle se souviendra comme d'un moment important de sa vie[1].

Henri IV avait promis de donner en mariage sa fille aînée, Elisabeth, au prince de Piémont, fils aîné du duc de Savoie, mais Marie préférait l'offre de Philippe III, envisageant un double mariage espagnol : entre Louis XIII et Anne d'Autriche, et celui d'Elisabeth de France avec l'infant Philippe, héritier de la couronne. Marie de Médicis craignait pourtant la famille d'Entragues, qui avait causé tant de soucis au roi Henri durant sa vie et avait peut-être trempé dans le complot responsable de sa mort. Il y avait toujours cette promesse de mariage consentie à Henriette qui, si elle ne mettait pas raisonnablement en cause la succession du roi, risquait de ranimer, au cours d'un procès, un scandale qui ferait mauvais effet à Madrid. Le mieux, selon les Concini, était de parler à la marquise de Verneuil. La rencontre eut lieu au Louvre, dans le salon où Henri IV, un mois auparavant, avait pris congé pour toujours de la reine.

– Madame, nous nous connaissons, dit la reine, vous avez un temps fréquenté la cour et je ne vous cache pas que cela m'a été désagréable. Mais le roi est mort assassiné, et j'espère qu'à la rivalité peut succéder aujourd'hui la confiance.

– C'est, Majesté, mon vœu le plus cher.

---

1. Plus tard, elle le fera peindre par Rubens.

– Je me porte garante de votre sécurité. En revanche, je vous demande de vous abstenir, vous et votre famille, de toute intrigue, de tout complot, de tout chantage.

– Je vous donne ma parole, Majesté, qu'il en sera comme vous le souhaitez.

Celles qui s'étaient longtemps partagé le cœur du roi se quittèrent par des mots aimables, mais quelle confiance pouvait-on avoir dans les promesses de la marquise ? C'est la question que posa Marie aux Concini. Les Concini sans l'avis desquels elle n'osait rien entreprendre d'important.

– Le roi doit être sacré sans attendre. En effet, seul le sacre le mettra à l'abri des malveillances et des critiques touchant sa légitimité, lui fut-il répondu.

C'était un bon conseil, qui confortait la pensée de la reine. Dès le mois de juillet, elle ordonna qu'on commençât les préparatifs. Le départ de la cour pour Reims fut fixé au 2 octobre ; une date qui plaisait à la superstitieuse Marie, car elle marquait l'anniversaire du jour où elle avait quitté Florence après son mariage par procuration.

Les ambassadeurs étrangers arrivaient les uns après les autres. Les venues du duc de Feria, l'ambassadeur extraordinaire du roi d'Espagne, et de Lord Watton, envoyé du roi d'Angleterre, furent des événements, qui permirent au jeune Louis XIII de faire ses premiers pas dans la diplomatie européenne. Il signa même, à neuf ans, le premier traité de son règne, une alliance offensive et défensive avec l'Angleterre.

Sully était demeuré au Conseil au-delà de ce dont sa patience le rendait capable. Las d'être désavoué et de servir de caution à une politique qu'il n'approuvait pas, il demanda à la reine, fin août, l'autorisation de se retirer sur ses terres. Marie lui demanda de rester jusqu'au sacre. Certains crurent voir dans ce geste un retour en grâce, et de nombreux ambassadeurs annoncèrent à leur gouvernement que monsieur de Béthune avait retrouvé toutes ses charges. C'était vrai en partie, mais Sully ne pouvait assister longtemps à la dilapidation du trésor du royaume. Il souffrait de ne pouvoir s'opposer aux folles dépenses de la reine, qui risquaient de mettre l'état général des finances en déficit pour la première fois depuis des années. Le surintendant supportait encore plus mal l'extravagante faveur dont jouissaient les Concini depuis l'établissement de la régence. Le frère de Leonora Galigaï, menuisier de son état, s'était vu attribuer l'abbaye de Marmoutier. De quoi échauffer la plume de notre chroniqueur Pierre de L'Estoile, qui nota : « Le nouvel abbé est un grand personnage, lequel, apprenant à lire depuis quatre ans, n'y peut encore mordre. » Un peu plus tard, Leonora achetait le marquisat d'Ancre avec l'argent de la couronne, et son mari, le gouvernement de Péronne, de Roye et de Montdidier pour 40 000 livres au duc de Créqui. Le président de la cour des comptes, Nicolaï, protesta, mais dut s'incliner.

Concini sentait le moment propice pour presser son irrésistible ascension. Le 13 septembre, il prêtait serment devant le jeune Louis XIII pour son gouvernement de Péronne, de Roye et de Montdidier et, dix jours plus tard, pour la charge de premier gentilhomme du roi. Un cadeau de la reine d'une valeur de 200 000 livres. Ce titre en faisait l'un des personnages les plus importants de la cour. Chaque mois qui passait lui voyait accorder de nouvelles charges et de nouveaux profits.

Au matin du 2 octobre, le marquis et la marquise d'Ancre souriaient en montant dans leur carrosse placé en bon rang dans le cortège royal qui quittait Paris à huit heures en direction de Reims. Après un déjeuner à Livry et une nuit à Fresnes, la régente et sa suite gagnèrent le château de Montceau-en-Brie où Marie avait décidé de s'arrêter quelques jours. Enfin, on gagna Reims, où une foule énorme attendait. Les fêtes durèrent jusqu'au 17, date du sacre. Louis XIII reçut l'onction et l'ordre du Saint-Esprit. Marie de Médicis pouvait être rassurée et gouverner tranquille avec les Concini. Tranquille, c'était son souhait, mais peut-on gouverner avec sérénité un royaume où les princes s'affrontent, se menacent, s'intimident à la tête de leurs centaines de cavaliers et intriguent à longueur de journée?

Le prochain mariage du roi donnait l'occasion aux deux branches rivales, les Guise et les Condé, de négocier leur signature des contrats lors de la cérémonie publique prévue pour la fin août. La régente ne pouvait pas, à la veille d'un événement si grave de conséquences, s'offrir le luxe d'une crise de régime. Condé et Soissons exigèrent beaucoup de la régente, et obtinrent ce qu'ils voulaient.

Il n'y avait plus qu'à attendre l'arrivée de l'ambassadeur extraordinaire du roi d'Espagne, le duc de Pastrana, pour procéder à l'échange des signatures. Avec beaucoup de constance, beaucoup d'argent et la rupture des engagements pris par le roi Henri, Marie de Médicis avait gagné et pouvait illustrer son triomphe en entourant l'union avec l'Espagne de fêtes fastueuses. La reine Margot, la première, organisa un bal dans le palais qu'elle s'était fait construire en face du Louvre, de l'autre côté du fleuve. Son succès fut considérable. On se disputa à tous les carrefours les comptes rendus des chroniqueurs et des imprimeurs de nouvelles. Tous s'extasiaient sur l'habit du jeune roi, ses chausses brodées d'or, sur les diamants qui ornaient ses bas de soie, et sur la robe de sa sœur Elisabeth. La reine, bien que le deuil fût passé, était vêtue de satin noir, mais ce noir faisait ressortir une multitude de pierreries. L'hôtesse quant à elle, la reine Marguerite, n'avait pas cherché à effacer son obésité dans une somptueuse robe lamée d'argent.

CHAPITRE X

Le triomphe de Rubens

Pierre-Paul Rubens avait quitté apprenti sa chère ville d'Anvers, c'est maître qu'il l'avait retrouvée. La métamorphose s'était faite toute seule au cours du fructueux papillonnage italien et espagnol. Aujourd'hui, les hautes maisons de l'Escaut, les personnalités de la cité, les magistrats, les vieux amis et même le clocher mauve de la cathédrale s'inclinaient devant le petit prince de la couleur. Avec quelle joie il avait retrouvé Moretus, l'ami de toujours et, bien sûr, son compagnon de route Déodat Van der Mont qui, depuis la mort de son père, régnait sur une banque et une flottille de galères !

C'est chez Moretus, l'héritier de la mythique imprimerie Plantin, où les maîtres typographes avaient le droit de travailler l'épée au côté, qu'il fit la connaissance d'Isabelle, une douce et jolie jeune fille dont le père, Jan Brant, juriste et greffier de la ville, était un érudit. Le père Van Gertus ne tarda pas à bénir, en l'église de l'abbaye Saint-Michel où reposait Maria Rubens, l'union des deux jeunes gens, sous le regard bienveillant et avisé d'Otto Vénius et de Déodat.

Les jeunes mariés s'installèrent chez Jan Brant, qui possédait une assez grande maison tout près de la rue du Couvent où résidaient, dans le pavillon familial des Rubens, Philippe, le frère de Pierre-Paul, et son épouse. Avec Déodat et Balthazar Moretus, qui, eux, habitaient de grandes demeures dans le quartier de l'hôtel de ville, ils formaient un groupe d'amis aux destinées diverses, mais tous heureux de mordre à la vie dans la cité qu'ils aimaient et qui connaissait enfin la douceur de la paix grâce à une trêve de douze ans conclue entre l'Espagne et les Provinces-Unies.

Ils se rencontraient souvent les uns chez les autres autour d'un hochepot et d'un flacon de genièvre. Ce soir-là, Déodat recevait. Jean Brueghel était arrivé en compagnie de Nicolas Rockox, le bourgmestre, bourgeois fortuné, esprit ouvert, grand connaisseur en art et qui aimait se joindre aux jeunes lumières de sa ville. Avec ces deux-là, on ne pouvait manquer de parler peinture. Pierre-Paul et Déodat lancèrent le sujet sur des souvenirs à deux voix de leur voyage en Italie. A la fin, Rubens fit un éloge applaudi de son compagnon, à qui le destin avait fait manquer Rome et un prometteur avenir de peintre. Puis il tira d'une sacoche un carnet de dessins, la plupart rehaussés de couleurs :

– Tiens, Déodat, je crois que cet album va te rappeler quelque chose. Garde-le en souvenir de notre chevauchée vers la terre promise des artistes. La couverture est usée, déchirée et tachée, car ce cahier m'a suivi dans toutes mes pérégrinations. L'intérieur, sois heureux, est intact.

C'était le carnet de leur voyage jusqu'à Venise, par le Rhin, Mayence, Nuremberg et Innsbruck, et du séjour chez les Arnolfi. Déodat, ému, s'exclamait, montrait les dessins du passage du Brienne et expliquait :

– La montagne, enserrée dans les nuages, était terrifiante. Nos braves chevaux glissaient et menaçaient de tomber à chaque instant. Et Pierre-Paul, imperturbable, reprenait son crayon dès que le chemin devenait convenable !

Devant Cornélia, que Rubens avait dessinée à tous les moments de la journée, chez elle, jouant à se draper dans les soies indiennes du magasin, en gondole, déguisée en moine, croquée en train de manger une pastèque, il s'arrêta et demanda brusquement à Rubens :

– Sais-tu si Cornélia s'est mariée ?

– Je pense que oui. Je comptais en rentrant passer par Venise, mais ma mère m'attendait, mourante, m'avait écrit Philippe.

– Je la verrai sans doute bientôt. Je pars en effet dans une semaine pour Venise et je descendrai chez mon associé le signor Arnolfi.

– Et si Cornélia est libre tu reviens marié ! continua Pierre-Paul en éclatant de rire.

– Qui sait ! C'est bien la plus jolie fille que j'aie jamais rencontrée !

Rubens tira alors de son sac un petit tableau qu'il tendit à son ami :

– Tiens, la voilà, ta Cornélia.

Le panneau que Pierre-Paul avait peint d'après l'un de ses croquis représentait la jeune fille aux côtés des deux amis chez Bartolomèo, le vieux marchand de la Merceria qui avait vendu des couleurs au Titien et au Tintoret.

Cette fois, Déodat y alla de sa larme et embrassa Rubens. Ce dernier répondit alors :

– Ce n'est pas un cadeau. Plutôt le remboursement d'une partie de la dette que j'ai contractée envers toi. Déodat m'a en effet nourri durant tout le voyage, expliqua-t-il à l'assemblée. Sans les lettres de crédit de la banque Arnolfi-Van der Mont, je serais mort de faim dans les neiges du Brienne!

– C'est faux, rectifia Déodat en riant. Tu aurais mangé en vendant les portraits des gens que tu rencontrais. Rappelle-toi le baron Pelouzzi, dans son palais des bords de l'Adige, qui t'a acheté deux dessins et qui, sans nul doute pour ne pas me froisser, a pris aussi deux des miens. Hé oui, mes amis! J'ai vendu deux de mes œuvres à un grand collectionneur italien!

On parla ensuite d'Otto Vénius, reparti la veille pour Bruxelles où il résidait maintenant le plus souvent.

– Les Flamands ont bien de la chance d'avoir d'aussi bons souverains, dit Nicolas Rockox. La population a oublié qu'ils sont espagnols et leur est reconnaissante d'avoir conclu cette trêve de douze ans. Rendez-vous compte, douze ans sans voir les reîtres incendier les maisons et en chasser, en les tirant par les cheveux, les femmes et les enfants! Tu rentres juste, Pierre-Paul, pour voir notre peuple bon enfant reprendre les joyeuses kermesses et les repas de franche-lippée.

– L'archiduc Albert est-il amateur des choses de l'art? demanda Rubens.

– Oui, et l'archiduchesse Isabelle plus encore. Quelque chose me dit que lorsqu'ils sauront que Rubens le Flamand, si célèbre en Espagne, est ici, ils ne vont pas tarder à l'inviter.

– Oh! Il n'est pas question que j'aille vivre à Bruxelles! J'arrive à peine chez moi et il faut que je travaille pour faire vivre ma famille et construire une maison où j'aurai un grand

254

atelier! Cela dit, si l'archiduc me passe des commandes, je ferai de mon mieux pour lui donner satisfaction.

Une semaine plus tard, Otto Vénius mandait Rubens dans la capitale du Brabant : l'archiduc souhaitait le rencontrer.

– L'archiduc te paraîtra vieillot et chétif, confia le maître à Pierre-Paul, dès l'arrivée de ce dernier à Bruxelles. Tu chercheras vainement un sourire sur sa mâchoire carrée héritée des Habsbourg. Pourtant, si tu lui plais, et tu lui plairas, il se montrera cordial et te fera bénéficier d'une première commande dans ta Flandre retrouvée. L'audience que j'ai mandée pour toi est fixée à demain.

Rubens découvrit le lendemain une nouvelle cour, qui lui rappela, c'était normal, celle du roi d'Espagne. Même cérémonial, compliqué comme un rite religieux, même variété des costumes, du seigneur au serviteur qui hantaient le palais royal du Coudenberg.

Le prince Albert reçut les deux artistes dans son cabinet boisé de sombre et décoré d'une seule *pietà*, où Pierre-Paul reconnut les jeux de lumière d'Abraham Janssens, un vieil artiste d'Anvers. Il regarda un instant Rubens et dit, d'une voix forte qui tranchait avec la sécheresse et la minceur de son physique :

– Le maître Otto Vénius m'a parlé de vous, de vos voyages en Italie et de votre séjour en Espagne. Quelle impression avez-vous rapportée de la cour de notre beau-frère Philippe, où vous avez peint des œuvres, paraît-il, remarquables ?

La réponse était périlleuse, mais Rubens, habitué aux finesses de cour, sut éviter la banalité. Il réussit à silhouetter, comme il l'aurait fait de la pointe de son pinceau, quelques-uns des illustres personnages qu'il avait approchés. Charmé, l'archiduc sourit pour la première fois depuis le début de l'entretien :

– Peintre et homme d'esprit! Je ne m'étonne plus que vous ayez laissé un si bon souvenir au palais royal. Maintenant que vous voilà rentré, vous allez, je pense, demeurer aux Pays-Bas?

– C'est, comme l'imagine Votre Altesse, mon vœu le plus cher. Encore faut-il que j'aie assez de commandes pour faire vivre ma famille.

– Eh bien, figurez-vous, monsieur, que je ne vous ai pas prié de venir uniquement pour satisfaire le maître Otto Vénius. Nous avons trois commandes à vous proposer. Notre portrait, celui de l'infante Isabelle et, à la demande de celle-ci, une Sainte Famille qui ornera la chapelle de ce vieux château. Cela vous agrée-t-il?

– Comment pourrais-je mieux célébrer mon retour en Flandre qu'en peignant pour son prince? Je suis profondément reconnaissant à Votre Altesse.

– Voilà une affaire conclue. Rentrez à Anvers pour prévenir la famille et chercher votre matériel, je sais que les peintres sont particulièrement sourcilleux à propos de leurs couleurs et de leurs pinceaux. Vous trouverez pourtant à Bruxelles tout ce dont vous aurez besoin. Maître Vénius, êtes-vous content? Ne craignez-vous pas d'introduire dans la cour où vous êtes premier peintre officiel un dangereux concurrent? ajouta-t-il malicieusement à l'attention du vieux maître.

– Non pas, Votre Altesse. J'ai su, depuis le premier jour où je l'ai vu se servir d'un pinceau, que Paul Rubens me dépasserait. Ma fierté est de l'avoir encouragé.

– Merci, mon maître! s'exclama Rubens. Je n'ignore pourtant pas qu'il me reste beaucoup de chemin à parcourir encore pour vous égaler.

– Alors, revenez vite. Nous allons vous préparer une salle dans le château, où vous pourrez peindre en paix le retable destiné à la chapelle. Pour les séances de pose, nous aviserons.

L'absence parut longue à la jeune mariée. Plusieurs fois, durant les trois mois de son séjour à Bruxelles, Pierre-Paul fit seller un cheval et galopa jusqu'à la maison. Parti tôt le matin, il arrivait le soir pour le souper, dormait peu et repartait au petit matin pour Coudenberg, où il avait établi ses quartiers.

Avec une joie intense, il avait retrouvé la surface vierge de trois grands panneaux d'un retable, l'odeur un peu âcre de l'enduit à la colle et le plaisir d'esquisser les personnages au fusain sur de grandes feuilles blanches, de les disposer harmonieusement, de déchirer l'esquisse et de recommencer. Puis de copier dans les mesures cette esquisse sur les panneaux couvrant un mur entier de la pièce qui lui servait d'atelier.

Ce matin-là, il s'était levé à l'aube et avait poussé joyeux la porte de la pièce qu'il appelait la «loge». Il se posta devant l'œuvre commencée et laissa son regard y flâner de gauche et de droite, s'arrêtant sur chacun des personnages dont les traits de fusain laissaient déjà deviner les formes. Quelques touches sur les visages faisaient même apparaître l'indication d'une expression. La Sainte Famille était prête à laisser s'exprimer le vertige de la couleur. La couleur, Rubens la prépara amoureusement sur sa palette. «A sa palette, on juge le talent d'un peintre», avait dit le vieux Bartolomèo. Celle de Rubens éclatait de lumière. Il y glissa son pouce, la regarda, puis la reposa. Qui l'aurait vu à ce moment eût distingué dans son regard une intense émotion et eût été étonné de le voir s'agenouiller et prier tout haut : «Dieu, mon Dieu, aidez-moi à réussir ce tableau destiné à célébrer votre

Gloire.» Puis il se releva, se signa, et commença à peindre *La Sainte Famille* qu'attendait l'autel de la chapelle du palais de Coudenberg.

Le travail fut mené bon train. Le retable achevé, Pierre-Paul commença les portraits. L'archiduchesse posa la première et mit tout de suite le Flamand à l'aise :

– Monsieur Rubens, disposez de moi comme de n'importe quelle dame qui vous a demandé de la peindre. Je me plierai à vos ordres.

– Son Altesse est trop bonne. Rassurez-vous, vous n'aurez pas à demeurer longtemps immobile. Les mouvements naturels du buste ou du visage me permettent au contraire de mieux saisir la personnalité de mon modèle. Ce n'est pas la manière de la plupart des artistes, mais c'est la mienne, et j'espère ne pas vous faire regretter la confiance que Son Altesse l'archiduc et vous-même m'accordez.

– Le maître Otto Vénius nous avait assuré de votre talent. La réussite de votre *Sainte Famille* nous prouve qu'il avait raison. En plus, vous êtes flamand ! Savez-vous que, petite-fille de Charles Quint, j'ai du sang de Flandre dans mes veines ? Peut-être est-ce pour cela que notre peuple nous porte un si vif attachement...

Le pouvoir de sympathie qui avait si souvent servi le jeune Flamand conquit l'infante. Celle-ci ne cachait pas l'agrément qu'elle avait à converser librement avec son peintre, dont la simplicité et le charme lui faisaient oublier les rigueurs de la cour et la gravité pesante d'un époux qui, avant d'être relevé de ses vœux par le pape, avait été cardinal-archevêque de Tolède et avait conservé de son passage dans les ordres une piété farouche. A la demande de la souveraine, Pierre-Paul fit encore une fois le récit de son voyage et de ses séjours à

Mantoue et à la cour d'Espagne. A l'exemple d'un acteur, il connaissait maintenant les points forts de l'aventure, ceux qui éveillaient le plus la curiosité de l'auditeur, et jouait son rôle à la perfection. Il dut même le reprendre devant l'archiduc lorsque celui-ci prit la pose. Il avait appréhendé ce tête-à-tête ; il trouva un monarque aimable et, surtout, un amateur d'art averti. L'avis d'un intellectuel anversois, lancé dans les milieux les plus en vue de sa ville après avoir fréquenté deux cours européennes, intéressait le monarque. Rubens répondit aux questions du prince avec intelligence, manifestant une rectitude de jugement rare chez un homme de trente ans.

Les tableaux terminés, la confrérie de Saint-Ildefonse, protégée par l'archiduc Albert, fit parvenir à Rubens une bourse d'or en remerciement du tableau destiné à la chapelle du château royal. Cet argent aurait été bienvenu chez les Rubens, mais Pierre-Paul, faisant montre d'un surprenant esprit politique, refusa. Le souverain apprécia le geste et commanda pour Pierre-Paul, à son orfèvre Robert Staes, une chaîne de 300 florins agrémentée d'un médaillon à l'effigie du couple royal. Avant le départ du peintre, il fit mieux encore, en le nommant peintre de la cour avec l'octroi de la clé d'or des chambellans. L'honneur flatta Pierre-Paul, qui se rappela que sa famille frôlait la noblesse. Il se promit d'introduire la clé dans le blason familial : « D'or au huchet d'argent diapré de sable, lié de gueules, accompagné en chef de deux quinte-feuilles ; coupé d'azur à une fleur de lys d'or. »

Des faveurs importantes étaient liées au titre de peintre de la cour : une pension annuelle de 500 livres flamandes et, surtout, la permission de résider à Anvers. Rubens pouvait rentrer chez lui satisfait. Il venait de faire un grand pas vers la reconnaissance d'un talent que certains déjà nommaient génie.

A Anvers, d'autres commandes officielles l'attendaient, à commencer par une *Adoration des Mages* destinée à la salle des Etats du Stadthuis, l'hôtel de ville où présidait le bourgmestre, son ami Nicolas Rockox. Le sujet l'enthousiasma, qui lui permettait de multiplier les personnages et, tout en se servant de la science acquise en Italie, de se démarquer des grands maîtres romains et flamands. Ainsi, à sa clarté habituelle il préféra l'ombre percée de plusieurs sources lumineuses. Au roi vêtu d'un manteau écarlate au centre du tableau il donna les traits de son beau-père, sympathique vieillard au visage franc et à la barbe blanche[1]. Ce fut sans doute son premier grand chef-d'œuvre[2]. Celui qui le délivra, avec les commandes de Bruxelles, des soucis d'argent qui avaient lourdement pesé sur ses années de jeunesse.

Il avait fallu moins d'un an à Rubens pour voir sa situation prospérer. La haute société anversoise se disputait ses œuvres et, depuis Bruxelles, lui parvenaient des commandes qu'il ne pouvait satisfaire. Il lui fallait remplacer la maison des Brant, où manquait un véritable atelier, par une demeure correspondant à son nouvel état. Il la découvrit lors d'une promenade à cheval dans le beau quartier d'Anvers, le Wapper. Elle jouxtait le mur du Serment des Arquebusiers et couvrait avec ses multiples bâtisses un terrain assez vaste pour que Rubens pût y réaliser les plans de la maison à laquelle il rêvait. Le docteur André Backert la lui vendit pour 7 600 florins, payables par annuités. L'ensemble imposant comprenait une maison de

---

1. Plusieurs de ses familiers seront ainsi représentés dans son œuvre, le père Brant en particulier.
2. Au musée du Prado, à Madrid.

maître avec un grand portail ouvrant sur une cour, une galerie, des chambres, des cuisines et des dépendances.

Ce qui avait d'abord retenu l'attention de Pierre-Paul était une grande bâtisse ayant naguère servi aux foulons de séchoir à draps. Rubens y conçut son atelier, où les nombreux élèves du maître qu'il était en train de devenir peindraient d'immenses chefs-d'œuvre. Quelques travaux auraient suffi pour rendre la maison habitable et l'atelier accueillant. Mais Rubens voulait une maison de seigneur. Sa demeure, il la pensa comme un tableau, la dessina, la peignit même en s'inspirant des maisons italiennes jadis admirées à Gênes et dont il avait relevé les formes parfaites. Les travaux commencèrent, et la famille s'installa tandis que les ouvriers travaillaient à bâtir le rêve du génie.

Forgée dans le séchoir où des dizaines de peintres travaillaient autour du maître, la situation de Rubens, plus relevée chaque année, permettait de financer des projets sans cesse plus magnifiques. Pierre-Paul fit bientôt appel à des professionnels, tels le maître maçon de Grayer et le sculpteur Jean van Mildert. L'embellissement et l'agrandissement de la propriété que les Anversois appelèrent vite le «Palais italien» durerait sept ans. Rubens y engloutit plus de 60 000 florins !

Ce jour-là, le soleil adouci de la Flandre inondait la pièce où les Rubens achevaient leur repas de midi. Déjeuner simple, car Pierre-Paul craignait que «la chaleur des viandes l'empêche de bien s'appliquer l'après-midi». Le peintre Frans Snyders, qui mettait souvent son pinceau au service de l'atelier, avait été invité à venir partager le déjeuner avant de visiter la maison. Snyders était un vieil ami d'Isabelle, et Rubens vouait une grande admiration à l'artiste, dont il appréciait particulièrement le talent d'animalier. Rubens dépliait un plan des travaux en cours dans la maison quand Anna, la servante de son frère Philippe, fit irruption dans la pièce :

– Venez vite, maître, venez sans attendre, votre frère vient d'avoir une attaque et madame Maria est très inquiète !

Pierre-Paul pâlit. Philippe avait été souffrant la semaine précédente mais on disait qu'il allait mieux et qu'il pourrait bientôt reprendre son travail de secrétaire de la cité. Et voilà que sa belle-sœur l'appelait en faisant dire qu'il se mourait !

– Vite, mon cheval s'écria-t-il. Viens me rejoindre, et toi aussi, Frans !

Dix minutes plus tard, après une course échevelée dans les rues de la ville, heureusement désertes à cette heure, il tombait dans les bras de sa belle-sœur en larmes :

– C'est fini, c'est fini ! Philippe vient de passer. Que Dieu nous aide ! Pourquoi lui ? Pourquoi ?

Pierre-Paul, si attaché à son frère, faillit s'effondrer à son tour, mais surmonta sa douleur pour soutenir Maria.

– Où est-il ? demanda-t-il.

– Dans la chambre.

La maisonnée et les proches voisins se tenaient autour du lit et priaient. Et ce soleil, dont les rayons insolents perçaient le rideau mal fermé et éclairaient en plein le visage du mort !

La disparition si soudaine de son frère fut pour Pierre-Paul un malheur sans fond. Pourtant, tout de suite, sans laisser au chagrin le temps de le briser, il serra les poings et se cria dans la tête qu'il devait faire face, comme son frère l'aurait fait si les circonstances avaient été inversées. Déodat, prévenu on ne sait comment, arriva peu après. Comme toujours il eut le mot qui convenait : « La soif de vivre croît dans les grands malheurs. Courage, mon ami, tu as tellement à faire dans cette vie ! »

Rubens fit à son aîné des funérailles de riche, commandées autant par la piété fraternelle que par la haute position qu'il occupait alors dans la cité. Le repas funéraire rituel, offert selon les moyens de chaque famille aux parents et aux amis du défunt, atteignit des sommets inaccoutumés. On en parla longtemps à Anvers. Sur le tombeau qu'il fit ériger près de celui de leur mère, Pierre-Paul peignit le portrait de son frère, un témoignage d'affection que tout l'argent du monde n'aurait pu offrir. Puis, débordé de commandes, le maître nettoya sa palette et y mélangea des couleurs neuves pour entamer une nouvelle ère, celle de l'après-Philippe, le frère bien-aimé.

Rubens s'attaqua d'abord à la commande du curé et des marguilliers de l'église Sainte-Walburge, un grand triptyque, *L'Erection de la Croix*[1]. Jamais Pierre-Paul n'avait peint avec autant de fougue et de maîtrise. Le tableau terminé, la stupeur et l'émerveillement frappèrent ceux qui les premiers découvrirent l'audace de la composition, l'éclat et la puissance de la couleur. C'était bien un incontestable chef-d'œuvre que les portefaix descendirent de l'atelier pour le transporter à Sainte-Walburge. On pouvait désormais, sans crainte d'emphase, parler de génie[2]. Trente ans de fécondité et de gloire allaient suivre au sein du Palais italien.

---

1. Après la démolition de cette église, le triptyque fut transféré dans la cathédrale d'Anvers.
2. Eugène Fromentin, peintre et écrivain du XIXe siècle, dira de cette œuvre qu'elle forme, avec son pendant *La Descente de Croix*, commandé l'année suivante par la gilde des Arquebusiers, « le premier acte public de sa vie de chef d'école ».

Rubens avait pris l'habitude de choisir ses modèles dans son entourage : ses amis peintres, son beau-père, Moretus, Déodat, et le bourgmestre Rockox. Il évitait pourtant de représenter sa femme, dont il considérait la beauté, disait-il, comme sa propriété exclusive.

Il avait craint un moment que sa situation de peintre de la cour ne le gêne dans le développement de sa carrière à Anvers. L'archiduc, s'il le faisait souvent mander à Bruxelles, ne tyrannisait pas son artiste qui, finalement, trouvait plaisant d'aller vivre de temps à autre une semaine ou deux en Belgique. Il avait compris que, derrière le peintre, se cachaient une intelligence exceptionnelle et un jugement d'une grande sûreté sur la politique et les affaires publiques. L'archiduc Albert, comme l'avait fait avant lui le duc de Mantoue, avait conscience que le tact, la distinction, la finesse de Rubens, joints à une célébrité reconnue, pourraient peut-être un jour servir le bien de l'Etat. Il le faisait donc loger à la cour, dans un grand appartement, prolongé par un atelier et donnant sur le parc et sur la ville.

Le changement reposait l'artiste. Parfois, quand le séjour s'annonçait long, il emmenait avec lui Isabelle, qui, elle aussi, goûtait le luxe du palais, contemplait ses trésors et se promenait dans le parc. Elle entendait parfois les courtisans la saluer, et parfois même chuchoter : « C'est l'épouse du maître Rubens. » Toute fière, elle répondait par le sourire serein des gens de Flandre, propre à étonner les austères Espagnols.

Rubens profitait des périodes où il résidait à Anvers, les plus longues malgré tout, pour agrandir sa demeure et organiser son école. Il avait très vite compris que le volume des commandes dépassait ses possibilités personnelles, même s'il peignait avec une déconcertante rapidité. Comme beaucoup de grands artistes l'avaient fait avant lui et continuaient de le faire, il décida de se faire aider par ses élèves les plus brillants.

Au vieux palais à pignons où il résidait s'ajoutaient des bâtiments au style emprunté aux maisons italiennes de Naples et de la Vénétie. Le plus vaste, l'ancien séchoir, qui n'avait pas de fenêtres mais recevait la lumière d'une large ouverture dans le plafond, abritait l'atelier où travaillaient les disciples, encadrés de quelques excellents peintres, inégalables dans leur spécialité. Sans eux, jamais Rubens n'aurait pu entreprendre, en aussi grand nombre, les œuvres colossales que réclamaient les cathédrales et églises du plat pays.

Le maître avait initié un protocole qui, dans un premier temps, ne différait pas de ses vieilles habitudes. Tout nouveau tableau naissait par une esquisse au fusain ou à la mine de plomb sur une feuille blanche, esquisse corrigée, effacée, recommencée et souvent déchirée. Quand le maître la jugeait satisfaisante, il appelait un ou deux de ses aides pour préparer le support de l'œuvre, un immense et lourd panneau de bois; ou bien, c'était une nouveauté de l'époque, une toile tendue sur son bâti s'il s'agissait d'un petit ou d'un moyen format. Alors, il prenait une craie et reportait son esquisse. S'il n'avait pas décidé de continuer l'œuvre seul, il convoquait les peintres qui allaient opérer à la mise en couleurs, chacun reconnaissant son domaine : Snyders pour les plantes et les fleurs du premier plan, Paul de Voos pour les animaux, Jean Wildens pour les ruines. Quant aux personnages, si Lucas van Uden et van Thulden avaient pour mission de faire étinceler les étoffes et d'en arranger les plis, Rubens se réservait les visages et leurs expressions, tout en reprenant ici et là le défaut qui n'échappait pas à son œil curieux. L'œuvre avançait ainsi entre mains expertes et surveillance attentive, jusqu'au jour où les compagnons estimaient avoir mené leur tâche à bien. Le moment était venu pour Rubens de juger et de finir le travail. Cela pouvait durer quelques heures ou plusieurs jours. Pas un pouce du tableau n'échappait au contrôle du maître, surtout le bas, qu'il reprenait souvent entièrement de sa main, parce que c'était l'endroit le plus proche du regard des spectateurs.

Enfin, le grand jour arrivait. L'atelier tout entier se rangeait derrière Rubens posté devant le tableau, palette et pinceaux toujours en mains.

– Etes-vous content, maître ? demandait rituellement Franck, le plus jeune apprenti.

– Non, répondait le maître, qui devait encore quelques gestes de dévotion à ses personnages.

Il choisissait un petit pinceau plat, ne prenait sur sa palette que du blanc pur et laissait à quelques endroits du tableau une trace de talent : un trait sur l'arête d'un nez, une ellipse sur le plissé d'un vêtement, une queue de comète dans les cheveux d'un ange. Ces caresses finales n'étaient rien à côté des milliers de touches de pinceaux dispensées au cours de longues semaines. Pourtant, elles changeaient tout, l'éclairage comme la lecture du tableau, et faisaient de l'œuvre collective un chef-d'œuvre de Rubens.

Malgré l'activité de l'atelier, Rubens ne pouvait satisfaire toutes les demandes. D'autre part, le prix de ses tableaux les réservait à une minorité de riches amateurs. Pourquoi, pensa-t-il, ne pas faire reproduire mes œuvres par les graveurs de la région ? Il mit donc à l'épreuve les plus réputés d'entre eux, mais ne parvint pas à la perfection qu'il désirait. Les graveurs se considéraient à juste titre comme des artistes. Ils étaient habitués à interpréter à travers leur technique les œuvres peintes, et le passage de la couleur au noir et blanc ne se faisait pas sans altération, ce que Rubens refusait. Il exigeait que soit respectée la magistrale splendeur de ses peintures. Tout devait se fondre dans une unité totalement observée, avec ses nuances et ses transitions, sans heurts ni contrastes tranchants.

Rubens ne découvrira qu'en 1619 le maître du burin qu'il lui fallait. Il écrivit en janvier à son ami Pierre van Veen : «J'ai tenu à ce que le graveur se montre scrupuleux à bien rendre le prototype. Je vois un moindre inconvénient à ce que le travail se fasse sous mes yeux par un jeune homme animé du désir de bien faire que par de grands artistes procédant à leur fantaisie.» Le «jeune homme» n'était autre que Lucas Versterman, le plus grand graveur de son temps[1].

La vie familiale s'était organisée dans le bonheur en couleurs créé par le magicien de Wapperhuis. Bientôt on ne prit plus que les repas dans l'ancienne maison, transformée en maison d'amis. C'est dans l'aile de droite, toute blanche dans ses colonnes et ses marbres, que Pierre-Paul et Isabelle dormaient désormais, au-dessus de l'atelier personnel du maître et des dépendances pour les élèves, à deux pas de l'atelier monumental où naissait, tableau après tableau, le monde planétaire de Rubens.

Chez lui, en recevant la société de la cité, à ses amis intimes qui fréquentaient la grande table familiale, à ses clients, qu'ils soient princiers ou prélats, Pierre-Paul faisait l'éloge de son épouse :

---

1. Rubens s'essaya-t-il lui-même à la gravure ? Quelques estampes lui sont attribuées, mais la main magistrale de Lucas Versterman semble l'avoir bien aidé.

– Vous connaissez Isabelle, complice de ma vie d'artiste, ma compagne, celle dont l'intelligence guide mon pinceau.

C'était exagéré, mais Rubens tenait à montrer la qualité de leurs relations intellectuelles. En mars 1611 était née une petite fille dont le parrain avait été Philippe, décédé peu après. La grande propriété du Wapper devait être encore égayée par les jeux de deux garçons. Isabelle, c'était l'épouse parfaite, la mère, la complice de sa belle aventure. Il faisait parfois son portrait mais ne prêtait jamais ses traits aux personnages des grands tableaux religieux, comme s'il tenait à garder pour lui ce cher visage embelli, ainsi d'ailleurs que le sien, dans *Rubens et Isabelle sous la tonnelle de chèvrefeuille*, peint peu après leur mariage, et qui trônait, face à la fenêtre, dans la chambre matrimoniale. Ce tableau, impressionnant par sa taille, les représentait plus grands que nature, vêtus de riches vêtements, pourpoint court pour lui, fraise et vertugadin à la mode espagnole pour elle. Il demeurera durant les dix-sept ans de leur mariage, le témoin d'un bonheur serein.

Le Wapper était célèbre à Anvers, on venait de Lille et de Bruxelles pour voir le «Palais italien», ou simplement pour faire un tour dans les jardins dont le portail restait ouvert tout le jour. Chaque diplomate de passage dans l'Europe du Nord s'arrêtait et demandait audience au maître, qui recevait volontiers quand il n'était pas juché sur une échelle pour finir un panneau ou pour esquisser les contours d'une nouvelle œuvre.

Les tâches, si écrasantes fussent-elles, n'étaient pas propres à décourager Rubens. Il y pourvoyait avec une régularité absolue et une discipline de travail constante. Réveillé à l'aube, il regardait un instant la merveilleuse Isabelle dormir, la figure enfouie dans la blondeur de sa chevelure, et s'habillait sommairement. Il aimait ce moment où la maison silencieuse s'offrait à lui pour un jour nouveau. Si le temps était beau, il faisait quelques pas dans son jardin, respirait une rose et se rendait dans le grand atelier encore vide. Là, il faisait le tour des chevalets, regardait où en étaient les fleurs que son ami Jean Bruegel était en train de disposer autour d'une guirlande d'angelots, jetait un coup d'œil sur le travail de Lucas van Uden et sur les fruits de Snyders. Il étudiait plus longuement son propre travail de la veille et allait déjeuner dans la vieille maison, où Erta, la cuisinière, avait préparé une épaisse soupe de légumes et des fruits. Enfin, il retournait dans sa chambre. Isabelle réveillée se peignait devant son miroir et attendait qu'il vienne l'embrasser et lui dire, comme chaque matin, des mots gentils. Il faisait ensuite sa toilette dans le cabinet voisin, rasait soigneusement ses joues, égalisait les poils de sa barbe et de sa moustache. Rubens était beau. Front haut, nez droit, lèvres sensuelles, yeux noirs scrutateurs, toujours prêts, semblaient-ils, à saisir un motif à peindre. Il respirait la santé d'un homme heureux de vivre.

Pierre-Paul réussissait à mener, en marge de la peinture, l'existence d'un humaniste éclairé. L'historien Caspar Gevaarts et le collectionneur Cornelius van der Geest étaient des habitués de la maison. Ce dernier avait converti Rubens à la numismatique. Les monnaies romaines captivèrent le peintre, qui commença, à propos d'un denier portant la louve capitoline, une correspondance avec l'érudit provençal Fabri de Peiresc. Conseiller au parlement de Provence, sa charge laissait à ce dernier le temps d'être numismate, naturaliste et un peu astronome. Peiresc était surtout collectionneur d'antiques, et il céda plusieurs marbres à Rubens. Dès lors, il ne se passa pas une semaine sans que la galerie en rotonde s'ornât d'une nouvelle tête d'empereur romain ou d'une statuette orientale. Les livres tenaient aussi une grande place dans la vie du maître. Mémoires historiques, ouvrages géographiques et scientifiques occupaient la pièce la plus accueillante de la maison, où se réunissaient, après le souper, les lettrés de la cité.

Ce matin-là, il avait hâte de gagner l'atelier maintenant éveillé et devenu une ruche bourdonnante. Il s'habilla d'une culotte bouffante et plissée, passa une chemise blanche à col de dentelle et une blouse courte, fraîchement repassée, qui, sans sacrifier l'élégance, le laissait libre de ses mouvements. Il se coiffa encore d'un feutre noir à larges bords qui laissait voir sur le côté gauche des mèches d'un blond presque roux. Rubens avait ses coquetteries, il s'embarrassait de son chapeau pour pouvoir, lorsqu'il entrait, saluer d'un geste large, bien dessiné, ses disciples et ses élèves.

Il aimait étonner et il surprenait sans le chercher. Ainsi le raconta un grand médecin danois, Otto Sperling, qui, de passage, avait tenu à venir présenter ses devoirs au génie. Sa stupéfaction fut grande de le découvrir dans son atelier personnel en train de peindre une Vierge à l'Enfant tout en dictant à un secrétaire une lettre à un collectionneur de marbres romains et en écoutant un lecteur lui lire Tacite. Apercevant son visiteur, Rubens lui demanda avec sa courtoisie habituelle :

– A qui ai-je l'honneur de parler ? Entrez donc, monsieur...

– Docteur Sperling, de Copenhague. Traversant votre belle ville, je me suis enhardi à frapper à la porte du plus

270

génial artiste peintre de notre temps. Mais je suis confus de vous déranger. Pardonnerez-vous mon indiscrétion ?

– Il n'y a point d'indiscrétion, monsieur. Voyez, je poursuis mes occupations. Peindre la Madone est pour moi une tâche sacrée. Cette toile est destinée à l'archiduchesse infante Isabelle. J'ai fini de dicter ma lettre. Eh bien, mon ami, ajouta-t-il à ldu lecteur qui s'était interrompu, que dit Tacite ?

Le Danois ébahi salua et s'éloigna sur la pointe des pieds après que le maître eut prié un valet de le promener dans tout le palais. Ainsi put-il découvrir le grand atelier et bavarder un instant avec Hans Vortsman, un jeune homme qui préparait un panneau de chêne en l'enduisant de blanc :

– J'ai attendu des mois avant d'avoir l'honneur de faire partie de l'atelier. C'est que les places sont rares ! Tous les peintres d'Anvers voudraient se parer du titre envié de compagnon du Wapper. Certains sont des maîtres reconnus, qui préfèrent être disciples du maître plutôt que voler de leurs propres ailes.

Le Danois visita la galerie-musée où dominaient les œuvres grecques et latines.

– Beaucoup ont été rapportées d'Italie, précisa le valet. Les autres statues ont été achetées.

Rubens, en effet, faisait partie de cette race de gens qui éprouvent un extrême plaisir à posséder certaines familles d'objets : les collectionneurs. Cette passion avait pris naissance à Rome, où il avait consacré une grande partie de ses gains à l'achat de gravures et de statuettes antiques, sans grande valeur, mais auxquelles il tenait plus qu'aux œuvres rares et chères que son état lui permettait maintenant d'acquérir. Néanmoins, la rotonde était si grande que des places demeuraient vides, donnant au musée du Palais italien un air inachevé qui chagrinait le maître.

Une rencontre à la cour de l'archiduc allait lui donner l'occasion de garnir ses étagères. A La Haye résidait un diplomate anglais, sir Dudley Carleton, ambassadeur auprès du gouvernement des Provinces-Unies. Celles-ci, la Hollande actuelle, constituaient désormais un Etat indépendant gouverné par le *Stadhouder*, prince d'Orange, mais entretenait des liens étroits avec la région du sud dirigée par les délégués du roi d'Espagne, l'archiduchesse infante Isabelle et l'archiduc Albert. Sir Dudley Carleton était un Anglais grand voyageur, habile en affaires et en politique, cynique, prompt à se sortir des situations embarrassantes où le plongeaient ses agissements. Lui aussi était collectionneur et s'occupait, avec tout le réalisme britannique, de vente et d'échange d'œuvres d'art. C'est à ce titre qu'il entra en rapport avec Rubens.

Si l'Anglais était rusé, le maître n'était pas naïf en affaires et avait toujours su défendre ses intérêts. Déjà un échange avait été conclu entre eux : un tableau contre un collier de diamants, que Rubens offrit à son épouse. Mais le peintre avait en tête une opération plus importante. Un soir où le mauvais temps l'avait contraint à renoncer à sa promenade à cheval quotidienne, il s'installa devant son écritoire : «Ayant entendu parler de la précieuse collection d'objets antiques réunie par Votre Excellence, écrivit-il à sir Dudley Carleton, j'avais formé le projet d'aller la voir en compagnie de votre compatriote, Mr Georges Gage. Son départ pour l'Espagne m'a obligé à renoncer à cette visite. Cependant, comme Mr Gage m'a laissé entendre que Votre Excellence se résoudrait à faire avec moi échange de ses marbres contre des peintures de ma main, je serais volontiers disposé à accepter tout arrangement raisonnable si Votre Excellence est toujours dans ces dispositions.»

Pour bien fixer les choses, Pierre-Paul envoya près de Carleton un ami, le peintre Pieterssen de Grebber, et quelques semaines plus tard écrivit à l'ambassadeur : «Dans l'espoir de réussir notre affaire, en voyant que Votre Excellence y procède avec loyauté, je me fie à votre parole de gentilhomme sur l'estimation des achats. Votre Excellence peut être assurée que, de mon côté, je mettrai le prix de mes peintures exactement comme s'il s'agissait de les vendre contre argent comptant. Je me trouve avoir en ce moment chez moi quelques œuvres d'élite, particulièrement certains tableaux que j'ai tenus pour mon agrément. J'en ai d'autres que j'ai rachetés plus cher que je les avais vendus. Tout est à la disposition de Votre Excellence, car j'aime les négociations rapides. Si nous tombons d'accord, je ne manquerai pas de terminer le plus tôt possible les tableaux qui ne seraient pas entièrement finis. Ceux qui sont terminés, et la plupart sont dans ce cas, je pourrais les envoyer tout de suite à Votre Excellence. En fait, si Votre Excellence veut se résoudre à se fier à moi autant que je me fie à elle, l'affaire est faite. Je me propose de donner à Votre Excellence des œuvres de ma main, ci-dessous nommées, pour une valeur de 6 000 florins, taxées au prix courant et argent comptant, en échange de toutes les antiquités que Votre Excellence possède. Je n'en ai pas encore vu la liste, mais, en tout cela, j'ai foi en la parole de Votre Excellence.»

Rubens joignit à sa lettre une liste d'un intérêt capital, puisqu'elle donne le cours exact de ses œuvres au moment où il atteignait la gloire. Ainsi voit-on qu'il estimait à 600 florins *Daniel parmi les lions*, «peints d'après nature, entièrement de ma main», ou à 1 200 florins un *Jugement dernier* «commencé par un de mes disciples d'après un tableau plus grand que j'avais fait pour S.A.S. le prince de Neubourg qui me l'a payé 3 500 florins. Le tableau, de douze pieds de haut, n'est pas terminé, mais je suis résolu à le reprendre entièrement de ma main, si bien qu'il pourra passer pour un original». Pour 600 florins, il offrait encore *Achille habillé en femme*, «peint par mon meilleur disciple, je l'ai entièrement repris. C'est un très agréable tableau où l'on voit beaucoup de belles jeunes femmes». Ou encore à 50 florins pièce *Les Douze Apôtres et le Christ*, «panneaux faits par mes disciples d'après mes originaux que possède le duc de Lerma. Je les reprendrai tous entièrement».

En tout, cela faisait une liste de quatorze tableaux. Sir Carleton l'étudia longuement, en présence de l'envoyé du Flamand. Finalement, il écrivit à celui-ci une lettre habile, non exempte de rouerie : «Illustre et cher Monsieur Rubens, j'ai fait le choix de quelques-uns de vos tableaux. Je ne discuterai pas sur leur prix puisqu'il ne s'agit pas de copies ou d'œuvres de vos élèves mais qu'ils sont entièrement de votre main, de même que mes antiques sont également de main de maître. Maintenant, pour arrêter nos comptes, attendu que le nombre de tableaux de votre main n'est pas suffisant, j'ai fait à votre agent monsieur Pieterssen la proposition d'opérer le paiement moitié par des tableaux et moitié par des tapisseries de la fabrique de Bruxelles.»

Rubens se sentit abusé et répondit : «Votre très aimable lettre m'apprend que vous avez partiellement changé d'avis en ne voulant avoir en paiement de vos marbres que des tableaux de ma main pour une moitié du prix et pour l'autre des écus comptants, car sans le moyen des écus je ne trouverai pas de ces tapisseries. Cependant, Votre Excellence ne doit point se figurer que les tableaux qu'elle délaisse sont de simples copies, tandis qu'ils sont si bien retouchés de ma main qu'on les distinguerait difficilement des originaux. La cause pour laquelle j'aimerais mieux traiter au moyen de mes peintures est évidente. En vérité, elles ne me coûtent rien et Votre Excellence sait que l'on est plus libéral des fruits de son jardin que de ceux que l'on doit acheter au marché. En outre, j'ai dépensé cette année beaucoup d'argent dans mes bâtiments et je ne voudrais point, pour une fantaisie, dépasser les bornes d'une sage économie. Au fait, je ne suis pas un prince mais quelqu'un qui vit du travail de ses mains.»

L'échange de correspondance dura encore un peu. Rubens sentait qu'il avait été joué, mais il était collectionneur et tenait à ses antiques. Tout en continuant à affecter le ton exquis de l'homme de cour, il montra dans une dernière lettre qu'il n'était pas dupe : «En somme, en échange d'antiques pour remplir une chambre, vous recevez des peintures pour décorer un palais tout entier, sans compter les tapisseries. Les marbres viennent d'arriver mais je n'ai pu les voir à cause du départ précipité de monsieur Pieterssen. J'espère qu'ils répondront à mon attente.»

Rubens avait-il raison de se sentir piqué? Croyait-il lui-même vraiment que les toiles et les panneaux certifiés «de ma main» étaient aussi authentiques qu'il se plaisait à le faire entendre, que Bruegel de Velours, Snyders ou Paul de Voos n'y avaient point posé leur pinceau? En réalité, les maîtres n'avaient qu'à «forcer un peu la touche», comme on disait dans le jargon du métier, et les deux collectionneurs n'avaient pas lieu d'être mécontents. Dudley Carleton revendrait ses Rubens avec bénéfice avant que l'année soit écoulée. Rubens, lui, profiterait de ses marbres jusqu'au jour où il se rendrait compte que certaines pièces étaient de basse époque. Il serait enchanté de les repasser plus tard à Buckingham, un autre Anglais qui avait des raisons de vouloir se l'attacher.

Malgré sa prospérité éclatante, Rubens devait assumer de lourdes charges. Il en coûtait d'aimer le luxe, d'agrandir sans cesse le domaine du Wapper et d'assurer l'éducation des enfants qui vivaient sous son toit. Ils étaient nombreux, ces jeunes, puisque, en plus des siens, il élevait ceux de sa sœur Blandine et les trois enfants de son frère Philippe. Heureusement, le prix de ses tableaux montait, les commandes affluaient, et le plus célèbre des Flamands pouvait s'offrir un train de maison opulent.

La pointe d'un poignard peut modifier en quelques secondes une destinée. La dague de Ravaillac avait changé l'histoire de la France, le burin de Versterman faillit mettre fin à la carrière de Rubens et priver le monde d'un millier de chefs-d'œuvre. On ne sut ce qui avait motivé le geste du graveur préféré du maître. Lui-même fut incapable de l'expliquer après que Jean Bruegel, heureusement présent, eut fait dévier son bras au moment où l'outil atteignait la nuque de Rubens occupé à reprendre un tableau de chasse destiné à sir Dudley Carleton. L'affaire fit grand bruit, les amis de Rubens demandèrent pour lui la protection de l'Autorité. Mais cette tentative meurtrière ne troubla pas la sérénité du maître :

– Mes amis, dit-il le lendemain à ses disciples et élèves rassemblés, nous allons prier pour l'âme de ce malheureux qui a succombé au démon et qui est promis aux plus affreux supplices. Versterman était un grand artiste, le meilleur graveur de son temps.

– Pourquoi cette agression? demanda Snyders. Il a vraiment failli vous tuer!

– Je m'étais aperçu que depuis quelques jours il était agité, négligeait son travail et que l'idée fixe de la persécution s'emparait de son esprit. Nous avons eu une discussion, j'ai essayé de lui expliquer que personne ne lui en voulait, surtout pas moi qui avais une confiance absolue en son talent. Il me parut avoir compris, nous nous quittâmes bons amis… Et puis, il a eu cet accès de folie. Tout cela est affreux. Le meilleur moyen d'oublier ce drame est de nous plonger dans le travail et de nous surpasser, chacun dans son domaine.

Un éclair traversa alors le ciel de la peinture anversoise, c'est-à-dire l'univers rubénien. Un jeune homme plutôt fluet, blond, aux traits sérieux mais agréables, fils d'un riche marchand de soie, faisait une entrée fulgurante dans les brumes d'Anvers. A douze ans, il tenait ses premiers pinceaux chez le peintre maniériste de petit talent Hendrick Van Baelem. A dix-sept, il était admis à la guilde des peintres d'Anvers et, un an plus tard, Antoon Van Dyck entrait dans le fameux atelier du Wapper où, tout de suite, il occupa une place à part. «Je ne saurais appeler ce jeune homme un élève, écrivit Rubens à son ami, l'architecte Salomon de Caus. Un disciple peut-être encore quelque temps. Il est déjà Van Dyck et ne tardera pas à voler de ses propres ailes.»

Il y avait beaucoup de jeunesse au Palais italien et Antoon, qui vivait avec la famille, y tenait place de grand frère, apprenant aux enfants à dessiner, ce que ne faisait pas leur père, et poussant en riant la balançoire. Cela, c'était le soir. Dans la journée, Dyck, comme on l'appelait, ne quittait pas le panneau ou la toile en cours et peignait, quelquefois un peu trop à sa manière, mais toujours avec éclat, les œuvres élaborées sous le nom de l'atelier. Il prit ainsi une part importante dans la réalisation de l'immense commande des plafonds de l'église des jésuites.

Quand il quitta Anvers en 1620 pour son voyage en Italie, il laissa dans l'atelier un grand vide. Comme toute la famille, Rubens lui fit des adieux touchants :

– Quand je suis parti pour Rome, j'étais plus âgé que toi et je ne savais pas grand-chose. Toi, tu sais presque tout du métier, il ne te reste à gagner que la renommée. Je te promets qu'elle ne te fera pas attendre. Et puis, tu as un grand avantage…

– Lequel, mon maître ?

– La liberté. Tu ne vas plus avoir à faire du Rubens !

Antoon sourit :

– Vous ne pensez pas, maître, que votre influence sur moi va cesser quand je quitterai l'atelier ! Je reste le fier prisonnier de votre génie !

Rubens se récria mollement. Il ne cherchait pas la louange mais l'accueillait sans déplaisir quand elle venait. Il embrassa celui qui resterait le meilleur de ses disciples et s'en retourna à ses pinceaux. Il regarda, ému, le chevalet qui avait été durant deux années celui de Van Dyck. Il soutenait une petite toile où demeurait une esquisse et quelques premiers traits de couleur, laissés là comme un au revoir. C'étaient les premières touches de *La Déploration du Christ*. Le maître alla prendre sa palette et continua, pour la dernière fois, un tableau commencé par Van Dyck.

Un matin, après avoir passé en revue les sujets en cours, s'être arrêté devant chaque chevalet et avoir donné ses conseils qui n'étaient pas que verbaux – il prenait en effet souvent le pinceau pour rectifier une position, arranger la tournure d'une robe ou le nez d'un cardinal –, Rubens gagna son atelier personnel où l'attendait son modèle de la journée : une superbe fille aux larges yeux noirs, à la chair liliale. Son nez droit et fin, sa bouche rose bien dessinée, l'ovale parfait du visage soulignaient une expression naïve et pure qui enchantait le maître.

– Bonjour Suzanne, dit-il joyeux. C'est un tel plaisir de te peindre! Combien de fois as-tu posé pour moi? Quatre, cinq fois au moins…

– Sept! rectifia-t-elle. C'est beaucoup…

– Ce n'est pas assez! Tous ceux qui voient ton portrait ici, au palais de l'infante ou chez Cornelius Van der Geest, désirent posséder un panneau de Suzanne peint par Rubens. Devant toi, je travaille dans l'allégresse, loin de ces immenses tableaux d'église, pesants à la longue. Remarque que, sans les prélats, italiens comme flamands, qui m'ont fait confiance et m'ont fait vivre de leurs pieuses commandes, je ne serais pas devenu le peintre le plus connu des pays du Nord.

– J'aime bien, moi, prendre la pose devant vous, vous écouter parler, entendre votre pinceau caresser la toile quand vous vous taisez, ce qui est rare…

Elle éclata de rire et Rubens sourit :

– L'ennui, c'est que je ne vais pas avoir de blanc assez blanc pour peindre tes dents. Mais donne-moi donc des nouvelles de la famille.

– Oh! Les Fourment vont bien. Sept filles pour trois garçons, c'est beaucoup, mais nous ne nous disputons pas trop. Ma petite sœur Hélène, qui va vers ses sept ans, est adorable. Elle sera bien plus jolie que moi!

– Alors je la peindrai elle aussi. En attendant, installe-toi. J'aime ton corsage noir. Rendons-le un peu plus coquin en écartant la guimpe qui a bien tort de cacher les deux petites colombes qui se pressent, frileuses, dans la dentelle.

Geste banal de peintre façonnant l'attitude de son modèle avant de commencer à peindre? Ses doigts tremblèrent pourtant, et Suzanne tressaillit. Pierre-Paul retira ses mains comme pour les éloigner d'une flamme, se détourna et réussit à poursuivre comme s'il ne s'était rien passé :

– Occupons-nous maintenant du chapeau que tu as apporté. Il est magnifique. Quelle paille fine! Et cette retombée de plumes chatoyantes! Là, penchons-le un peu sur la gauche... Tout cela est parfait. Mais crois-moi, Suzanne, ce sont tes yeux noirs, immenses, qui vont incendier ton portrait!

Rubens regarda Suzanne qui, souriante, tenait la pose, la cadra dans sa mémoire, prit un fusain et commença à agencer sur le panneau enduit de céruse les éléments du portrait devenu pour lui, sur l'instant, la seule chose qui comptait au monde. Le corsage noir, les manches de soie ponceau, les doigts joints, les seins pressés l'un contre l'autre, le contour du visage, les parenthèses des oreilles et, couvrant le tout, la grande virgule noire du chapeau à plumes : en quelques crissements du charbon, Rubens avait organisé son tableau. Déjà le pinceau, à petits coups nerveux, y faisait vivre la couleur[1].

---

1. Le *Portrait de Suzanne Fourment* est conservé à la National Gallery de Londres.

Quand le jour commença à baisser, il dit : «Arrêtons là, nous finirons demain!» et mena la jeune fille jusqu'à l'écurie, où il demanda à un garçon de la reconduire chez elle en charrette. Il était trop tard pour aller piquer un galop du côté des grèves de l'Escaut, une promenade qu'il faisait souvent, le soir, avec Isabelle. Avant d'aller la retrouver dans la «pièce chaude», celle où brûlaient de grosses bûches, il remonta dans son atelier et, un peu las, s'assit devant le portrait commencé.

Que s'était-il passé tout à l'heure quand son doigt avait effleuré le décolleté de Suzanne? Rien. Cependant il ressentait encore l'éclair qui l'avait traversé et revoyait la jeune beauté tressaillir. Il se posa alors la vraie question : «Que serait-il arrivé si j'avais avancé la main d'un pouce, un seul petit pouce?» La réponse lui sauta à l'esprit : «Un désastre!» Pierre-Paul avait eu des aventures au cours de ses voyages. Il avait connu de jolies femmes, heureuses d'être séduites par le peintre à la mode. Elles lui avaient fait oublier Isabelle durant quelques heures. Il n'en était pas fier, mais s'absolvait sans trop de remords. Suzanne, c'était autre chose. Elle appartenait presque à la famille. Les Rubens fréquentaient les Fourment depuis des années, les enfants, dont Suzanne qu'il avait connue toute jeune, venaient jouer dans le grand jardin du Wapper et monter les deux poneys d'Albert et de Nicolas, les garçons de la maison. Rubens frémit en songeant aux suites qu'aurait eues une faute aussi grave qu'absurde. Qu'il aime d'une vraie tendresse cette fille belle et enjouée, sa cadette de plus de vingt ans, bon! Qu'elle soit son modèle préféré, oui! Mais que Rubens, peintre célèbre, figure majeure de sa cité, époux heureux d'Isabelle Brant, la fille du greffier de la ville, ce sympathique géant à la barbe blanche qu'il s'amusait à introduire sous le manteau de saint Joseph dans ses *Saintes familles*, ait des pensées presque incestueuses à son égard, non ! trois fois non ! Il eut encore un regard pour le tableau de la tentation et sourit avant de courir retrouver Isabelle qui surveillait la préparation du repas du soir.

– Tu devrais aller te changer, dit-elle, ton pourpoint est taché et nous avons ce soir à souper Nicolas Rockox, les Bruegel et Déodat. Tiens, à propos, tu ne crois pas que ton vieux complice vénitien devrait songer à se marier ? Il faudra lui présenter la belle Suzanne. Ils feraient un beau couple. Qu'en dis-tu ?

Rubens ne répondit rien.

CHAPITRE XI

La Régente

A la mort d'Henri IV, la régente s'était trouvée face à deux clans puissants, celui des Guise et celui des Bourbons, auxquels il fallait ajouter quelques grandes familles comme les Montmorency ou les Epernon. Henri IV les avait subis sans les affaiblir, Marie devait continuer de compter avec eux. «Compter» est le mot qui convient. Le deuil du roi s'achevait à peine que les princes-solliciteurs se manifestaient : Soissons obtint le gouvernement de la Normandie, le prince de Conti, celui de Lyon, le duc de Guise reçut, quant à lui, une somme d'argent considérable. C'était mal commencer une régence, qui s'annonçait fragile.

En principe, avec l'effacement de Sully, la régente devenait toute-puissante en son royaume. En fait, Leonora Galigaï, plus encore que son mari, tirait les ficelles. Là où Concini se montrait trop brusque, elle savait jouer de son influence sur l'esprit de la reine avec une grande habileté. L'ambition du couple était sans mesure. Pour 190 000 livres données par la reine, Concini avait acheté la charge de premier gentilhomme du roi, titre qui faisait de lui l'un des premiers personnages de la cour et lui permettait d'entrer au Louvre à cheval. Pourquoi s'arrêter en si bon chemin? Il fut encore nommé, moins d'un an après la mort d'Henri IV, lieutenant général de la Picardie et gouverneur d'Amiens.

– Ainsi le petit Florentin sans blason est devenu notre égal, que dis-je notre égal, notre maître! s'exclama le duc de Longueville, un matin, en conversant avec d'autres seigneurs dans les couloirs du Louvre.

L'ascension de Concini donnait le vertige, et les princes commençaient à s'échauffer. La régente, faisant mine d'ignorer cette fronde, s'était trouvé des soucis dignes d'une souveraine : la mort de Vincent, duc de Mantoue, l'ancien maître de Rubens, mettait la région en émoi. Le duc de Savoie avait attaqué le Montferrat; Marie de Médicis avait décidé de lui faire la guerre. Elle s'ouvrit de cette perspective à son jeune fils, qui allait fêter ses treize ans, l'âge officiel de sa majorité :

– Mon fils, vous êtes en âge de vous intéresser aux affaires. Sachez que le Conseil a pris la décision d'entrer en guerre contre le duc de Savoie, dont votre père, le roi Henri, se méfiait à juste titre.

Le jeune Louis XIII se redressa et répondit d'un ton déjà royal :

– Madame, je suis bien aise, il faut faire la guerre! Bientôt j'irai moi-même à la tête de mes armées!

La guerre, hélas, coûte cher, et l'argent manquait pour lever une armée. La prétention de Concini, nommé depuis peu maréchal, d'en prendre le commandement révolta les princes. Finalement, on laissa l'Espagne régler l'affaire à son avantage.

Le 27 septembre 1614, le jeune roi cessa en principe d'être soumis à la tutelle de sa mère. Celle-ci, pour conserver le pouvoir, devait se prévaloir d'un arrêt du Parlement. On se réunit donc à cet effet le 2 octobre. L'occasion était belle, pour le jeune roi, d'arborer le magnifique habit que le tailleur du Louvre venait de lui coudre. Un habit tissé d'or, aux parements semés de pierres étincelantes. C'est dans cette tenue rehaussée d'un riche collier et d'une épée à sa mesure que Louis XIII alla entendre la messe avec sa mère à la Sainte-Chapelle, avant de rejoindre la Salle dorée du Parlement, pleine de tout ce que Paris comptait de princes, de cardinaux, de ministres, de conseillers d'Etat. Sully lui-même était, pour la circonstance, sorti de sa retraite.

La cérémonie était moins pesante que celles qui avaient marqué le sacre de la reine et du jeune roi. Pas de musique, pas d'interminables discours, pas de latin. Tout fut dit en quelques phrases.

– Madame, s'il vous plaît, fit le chancelier à l'attention de la reine.

Marie de Médicis se leva, s'avança vers le trône constellé de fleurs de lys et s'agenouilla devant son fils, intimidé dans son habit de lumière.

– Sire, pria la reine, je vous remets la charge de la régence.

Louis se redressa et dit de la voix haute mais ferme à laquelle son médecin Héroard l'avait préparé :

– Moi, roi de France, je vous remercie de votre bon gouvernement et de la sagesse avec laquelle vous avez administré le royaume durant ma minorité. Je déclare solennellement, reprit-il après un instant de silence, prendre désormais le gouvernement de mon royaume, et nomme ma mère chef de mon conseil, entendant qu'elle continue à m'assister comme elle l'a fait jusqu'à ce jour.

Le chancelier donna ensuite lecture de l'arrêt précisant toutes ces dispositions et laissa une dernière fois la parole à la reine, qui se leva :

– Je rends grâces à Dieu d'être arrivée à ce jour où mon fils est en mesure de prendre le gouvernement de son royaume, et suis bien aise de laisser les affaires dans un état plus pacifique que celui où elles se trouvaient lorsque j'en ai reçu la charge.

La cérémonie s'achevait. On ouvrit les portes, et Louis XIII rejoignit son équipage pour s'en retourner au Louvre, tandis que les canons de l'Arsenal tiraient des salves d'honneur. Sur le chemin, le roi goûta aux délices des acclamations. Il était conscient du fait que rien n'avait réellement changé et qu'il ne pourrait gouverner sans l'appui de sa mère. Si, en droit, il avait reçu pleine et entière autorité, la régence continuait en réalité. Roi, il l'était déjà tout de même quand il fit demander au cocher de ralentir pour qu'il puisse se montrer à la foule alors que les feux de réjouissance s'allumaient un peu partout. Il compta joyeusement les coups de canons tirés de l'Arsenal et, comme l'aurait fait son père, malgré les protestations du capitaine des gardes, descendit de son carrosse à un carrefour pour saluer les Parisiens qui chantaient et dansaient sous les guirlandes d'une guinguette improvisée.

De son côté, la reine se remettait de ses émotions en confiant à madame de Guise, qui l'accompagnait dans sa voiture :

– Voyez-vous, mon amie, c'est une page qui se tourne. Jusqu'ici, selon les vœux de feu le roi, j'ai réussi à maintenir le royaume en paix, souvent contre les menées de certains princes et contre l'opposition sourde des protestants. Il me reste encore maintenant deux affaires à régler, la réunion des états généraux, à laquelle on me presse, et les mariages espagnols de mes enfants. Cela ne va pas me laisser beaucoup de temps pour m'occuper de ma personne, pour satisfaire un vieux désir…

– Si cela n'est pas indiscret, Madame, quel est ce désir ?

– Vous n'êtes pas sans savoir que j'ai acheté l'année dernière l'hôtel du duc de Luxembourg. Lorsque mes devoirs au Louvre prendront fin, je souhaite vivre dans ce palais accueillant, clair, arrangé, meublé selon mes goûts. J'ai fait mander les plans du palais Pitti de Florence, où j'ai passé mon enfance. Je pense à quelque chose qui lui ressemblerait…

*
* *

– Mon cousin, votre conduite est inqualifiable ! Le roi va arriver et c'est le chaos, la chienlit ! Cela à cause d'individus comme vous ! cria monsieur de Mademans, le maître des cérémonies.

– Mon cousin, je n'ai que faire de vos remontrances. Je resterai là où j'ai trouvé une place !

C'est alors que monsieur le maître des cérémonies, perdant son sang-froid, gifla le marquis de Villefranche, ce qui causa dans la salle des Grands-Augustins, choisie pour la tenue des états généraux, un indescriptible désordre. La parenté n'empêcha pas les deux antagonistes de se battre comme des chiffonniers, ni l'intervention des autres députés de la noblesse. Condé en personne essaya de les raisonner et d'arrêter le pugilat avant l'arrivée du roi, mais, déjà, les archevêques et les évêques s'en prenaient aux conseillers, hurlant qu'ils leur avaient pris leurs places. On s'empoigna. Tout, pourtant, avait été prévu pour que l'inauguration des travaux auxquels allaient participer les cent quarante représentants du clergé, les cent trente-deux autres de la noblesse et le tiers état, qui en comptait cent quatre-vingt-douze, se déroulent harmonieusement. Des estrades avaient été construites pour les députés, les hautes personnalités du royaume, et chacun avait sa place réservée. C'était sans compter sur l'affluence de badauds, qui, par curiosité, avaient enfoncé les barrières, s'étaient installés où bon leur semblait et occupaient maintenant les fauteuils des plus hauts personnages.

C'est dans ce désordre extrême que le grand maître des cérémonies, les cheveux hirsutes et l'œil poché, hurla pour essayer de couvrir les cris :

– Messieurs, le roi !

On s'empoignait encore lorsque Louis XIII fit son entrée. Il fallait être naïf pour croire qu'un garçon de treize ans, fût-il roi de France, mettrait fin au désordre. Pourtant, c'est ce qu'on lui demanda. Et c'est ce qu'il fit. Faute de pouvoir agir lui-même, il réunit, séance tenante, le grand maître des cérémonies, les ministres présents et quelques dignitaires, à qui il commanda d'arbitrer le conflit. Quand ces messieurs eurent fini de délibérer, la seule présence du petit roi avait eu raison de l'emportement des grands. Louis XIII put monter jusqu'à son trône surmonté d'un dais semé de fleurs de lys et commencer à lire le discours que lui avait préparé le chancelier Sillery :

– Messieurs, j'ai désiré cette grande et notable assemblée au commencement de ma majorité pour vous faire entendre l'état présent des affaires, pour établir un bon ordre par le moyen duquel Dieu soit servi et honoré, mon pauvre peuple soulagé et que chacun puisse être maintenu et conservé en ce qui lui appartient sous ma protection et autorité. Je vous promets saintement de faire observer et exécuter tout ce qui sera résolu et avisé en cette assemblée. Vous entendrez plus amplement ma volonté par ce que vous dira monsieur le chancelier.

Les travaux des états généraux durèrent quatre mois et n'auraient guère influé sur la politique du pays si, au cours des débats, un jeune prélat, l'évêque de Luçon, ne s'était fait remarquer par son éloquence et la clarté de sa pensée. C'était Armand Jean du Plessis, monseigneur de Richelieu.

*   *
*

Marguerite de Valois, dès qu'Henri IV l'eut libérée de son exil à Usson, avait voulu occuper à Paris une résidence bien à elle, sur la rive gauche. Elle avait acquis, au Pré-aux-Clercs, un vaste terrain sur lequel la dernière des Valois avait fait bâtir un immense palais. Elle y avait tenu sa cour dans ses appartements luxueusement meublés, passé de longues heures dans sa librairie pleine de beaux livres et organisé, dans la grande salle, des bals, des séances de théâtre et des ballets auxquels accouraient toutes les gloires parisiennes et la cour de la régente. Là et dans le parc magnifique attenant au palais, Marguerite, la reine déchue, avait réussi à maintenir vivant, près de la famille régnante, le souvenir des Valois.

Marguerite, à demi obèse, usée par les épreuves qui avaient marqué sa vie, demeurait ainsi une digne et respectée reine de France, titre qu'Henri IV lui avait conservé. A soixante-deux ans, elle se préparait à la mort de toute sa ferveur chrétienne et mourut le 27 mars 1615, vers onze heures du soir, entourée de ses aumôniers.

La reine Margot avait toujours gâté les enfants de Marie de Médicis, qui lui vouaient une réelle amitié. Louis XIII, aussi, l'aimait. Plus que sa mère, disaient les méchantes langues. Il la pleura et alla la visiter une dernière fois sur son lit de parade. Marguerite lui léguait, ainsi qu'à la reine mère, tous ses biens, sous réserve de continuer la fondation faite au profit des Augustins réformés, de payer ses dettes et d'attribuer deux trimestres de gages dus à ses dames, gentilshommes et gens de sa maison[1].

*
* *

Marie, confortée dans son gouvernement après les états généraux – qui avaient aussi approuvé les mariages de ses enfants –, aurait pu envisager l'avenir avec confiance sans l'acharnement du prince de Condé. Non content de mobiliser l'opinion contre la conclusion des fameux mariages et d'ameuter les huguenots inquiets de tout rapprochement

---

1. Un an après sa mort, la reine Marguerite sera transportée de nuit, sans cérémonie, à Saint-Denis, et déposée dans la chapelle des Valois, construite par sa mère Catherine.

avec l'Espagne, il avait réuni une délégation de quarante conseillers du Parlement, qui demanda audience à la reine. Intriguée, celle-ci les reçut dans le grand salon du Louvre. Tranquille, elle s'apprêtait à entendre ces recommandations, qui la poussaient à quelques générosités.

– Messieurs, je vous écoute.

– Majesté, lisez plutôt cette note.

Dès les premiers mots, elle pâlit. Il n'était question que d'«étrangers sans mérite comblés de charges et de faveurs», de l'«enquête inachevée sur la mort d'Henri IV», du mauvais usage du trésor accumulé à la Bastille par le roi Henri et par Sully, des trafics honteux auxquels se livraient les ministres. La reine entra dans l'une des colères les plus violentes de son existence :

– Ce n'est pas une recommandation, c'est un *libèllo*, un *scritto diffamatorio*! *Su subito*! *Alla larga*! s'écria-t-elle en chiffonnant et en lançant la feuille de papier à la figure du chef de la délégation.

Sans demander leur reste, les conseillers prirent la porte. On n'entendit plus parler de la recommandation. Condé, jamais à court, échafauda d'autres intrigues.

La reine jugea qu'il était temps de célébrer les mariages, celui du roi avec l'infante Anne d'Autriche, et celui de l'infant Philippe avec Elisabeth de France. Tout était prêt pour le voyage qui conduirait Marie de Médicis et ses enfants jusqu'à Bordeaux, où se feraient le mariage pour Louis XIII et l'échange pour la princesse. Ne manquait que l'argent. Marie dut se battre pour obtenir l'autorisation de retirer de la Bastille le million de livres nécessaire au financement du voyage. Les chroniqueurs noteront qu'il fallut quarante charrettes pour emporter les sacs de pièces et qu'après ce prélèvement il ne restait qu'une somme égale dans les souter-rains de la Bastille.

Il n'était pas question de lancer sans protection la famille royale sur les routes. Une armée de mille cinq cents soldats fut levée, suffisante si les princes restaient tranquilles. Mais une rébellion armée demeurait possible contre le Louvre durant l'absence du roi et de sa mère. On alla donc vider la Bastille de ce qui restait du trésor du roi Henri pour constituer une petite armée destinée à renforcer la défense du Louvre. Et, le 17 août 1615, le cortège royal quittait la capitale.

Le voyage pour la Guyenne de son fils le roi et de sa fille Elisabeth, d'un an la cadette de son frère, ne fut pas sans rappeler à Marie les pénibles péripéties qui avaient marqué son arrivée en France. Cette fois, le froid et la pluie avaient cédé la place à une pénible canicule. Orléans, Tours, Blois… La chaleur était si forte que la caravane royale devait lever très tôt le camp, au matin, et s'arrêter en milieu de journée pour repartir vers quatre ou cinq heures. Ainsi mit-on quatre jours pour rejoindre Poitiers.

Chacun avait trouvé sa chambre dans les appartements de l'archevêché poitevin quand la marquise de Cressant frappa et entra sans attendre chez la reine mère :

– Votre Majesté, je viens vous annoncer un grand malheur : madame Elisabeth est malade. Les médecins craignent que ce soit très grave.

– Que dites-vous là ? Les médecins se trompent. Je l'ai vue encore tout à l'heure et elle semblait aller à merveille. Se peut-il que Dieu nous inflige une pareille épreuve au moment où, après tant d'efforts, nous allons toucher au but ! Je vais aller la voir et nous ferons ce soir dire une messe. Il faut tout faire pour guérir Elisabeth et sauver son mariage !

Le mariage! Le grand dessein de la reine mère risquait brutalement d'avorter. Le lendemain, le mot terrible courait de bouche en bouche : la petite fiancée de la France était atteinte de la petite vérole! Au troisième jour de la maladie, on la crut perdue. Marie de Médicis ébaucha, lors d'un conseil improvisé, le projet fou de la remplacer par sa sœur Christine, âgée seulement de six ans.

Le roi, qui aimait beaucoup sa sœur, allait d'un groupe à l'autre en pleurant. Le convoi royal était consterné, on priait à la cathédrale, à la chapelle et même dans les chambres. Sont-ce les prières ou la médecine qui eurent raison de la maladie? Le fait est qu'au bout d'une semaine l'état de madame Elisabeth s'améliora. Sans doute était-elle sauvée, mais une menace subsistait : la petite vérole en s'effaçant lentement n'allait-elle pas laisser des traces sur le visage juvénile de la future reine d'Espagne?

Au bout de vingt jours, les médecins déclarèrent madame Elisabeth guérie. Enfin, par un miracle qu'on attribua au Ciel, son visage n'avait pas souffert de la maladie.

Le sort s'acharnait-il sur la reine et sa famille? Au moment où le convoi royal s'apprêtait à reprendre la route, Marie de Médicis, à son tour, tomba malade. Ce n'était pas, comme on le crut d'abord, la petite vérole, mais une fluxion de poitrine et un érésipèle, qui lui paralysait un bras. La Florentine était solide. Elle guérit à son tour. L'arrêt à Poitiers avait duré près d'un mois.

La longue file des carrosses, des fourgons et des cavaliers se mit en branle en direction d'Angoulême sous une chaleur insupportable à la mi-septembre. Le voyage, au départ joyeux comme une escapade, était devenu, au fil des jours, absolument sinistre. C'était pourtant de mariages qu'il s'agissait.

La bonne humeur revint quand la reine mère fit son entrée aux côtés du roi et de sa fille dans Bordeaux en liesse. Marie de Médicis avait elle-même réglé avec l'ambassadeur d'Espagne le déroulement des cérémonies de Bordeaux et de Burgos. Selon le rituel cher aux têtes couronnées, le duc de Guise représenta le prince des Asturies dans la cathédrale Saint-André entièrement décorée de tapisseries et de tentures d'or. Madame Elisabeth, déjà considérée comme princesse d'Espagne, portait le manteau royal doublé d'hermine et la couronne fermée des souverains.

Après deux journées de réjouissances dans la ville, la famille passa à la seconde phase des mariages : l'échange des princesses à la frontière, près d'Hendaye. Elisabeth prit congé de sa mère dans les larmes, et Louis XIII eut beaucoup de mal à quitter sa sœur :

– Petite sœur, c'est une dure épreuve de vous quitter. Je vais la retarder en vous accompagnant le plus loin possible. Je prends le commandement de l'escorte qui va vous protéger.

Pendant de longues heures, malgré les remontrances du duc de Guise qui menait la petite armée et craignait de voir le roi ainsi exposé, Louis XIII chevaucha auprès du carrosse de sa sœur.

L'échange avait été réglé avec la minutie d'un plan de route militaire. Le cortège d'Elisabeth devait arriver sur la rive française de la Bidassoa en même temps que celui de l'infante Anne d'Autriche, sur la rive espagnole, et chaque princesse, prendre place dans une barque pour gagner le pavillon installé sur pilotis au milieu du fleuve.

La manœuvre se déroula comme prévu. Elisabeth et Anne eurent le temps de faire connaissance avant de prendre congé de leur suite et de gagner leur nouvelle patrie.

A Bayonne, Anne d'Autriche trouva monsieur de Luynes, homme de confiance de Louis XIII, envoyé à sa rencontre pour lui remettre une lettre du roi et une autre de Marie de Médicis. Luynes repartit à cheval, porteur de deux réponses, tandis que le convoi de la nouvelle reine de France s'ébranlait prudemment, toujours sous la conduite du duc de Guise, vers Bordeaux où le roi et la reine mère attendaient. La messe de mariage fut célébrée comme il convenait deux jours plus tard en la cathédrale, et la cour quitta Bordeaux. Il était d'ailleurs temps de rentrer. La veille, un courrier était arrivé de Paris, porteur d'un message de Concini pour la reine. Celle-ci l'ouvrit devant le roi et lut : «Je me permets d'adresser au roi et à Votre Majesté mes compliments et mes vœux d'heureuses épousailles et m'autorise à vous signaler que le prince de Condé d'une part, et le duc de Rohan au nom des protestants, entretiennent dans Paris une agitation de plus en plus violente. Le retour rapide du roi, et le vôtre, me paraissent nécessaires. Du maréchal d'Ancre, votre humble serviteur.»

On rentra donc, et tandis que la reine Anne s'accoutumait aux règles de la cour de France, Marie de Médicis chargeait Villeroy de négocier un accommodement avec Condé. Monsieur de Villeroy – ce fut son dernier acte, car il mourut peu de temps après – signa ainsi, le 8 mai 1616, la paix de Loudun, qui octroyait aux princes des libéralités exorbitantes : en plus de dons en argent considérables, Condé se vit accorder une place éminente au Conseil et le droit, ce qui ne s'était jamais vu, de signer les arrêts. Le chancelier Sillery fut disgracié. Restait Concini, que la reine mère, toujours sous l'emprise de Leonora, continuait envers et contre tous à défendre.

L'histoire est pleine de personnages obscurs, souvent arrivés de leur province, qui prennent soudainement de l'autorité et jouent plus ou moins longtemps un rôle politique important. Ce fut le cas de Charles d'Albert de Luynes, gentilhomme provençal de petite noblesse entré en 1611 dans le service du roi. C'était le temps où l'enfant, mal aimé d'une mère qui le faisait encore fouetter à dix ans, avait besoin d'affection. Louis trouva chez ce trentenaire intelligent l'un de ses «plus confidents serviteurs», un grand frère attentionné. Cinq ans plus tard, ce serait Luynes qui porterait à Anne d'Autriche la première lettre qu'il lui adressait. Et, comme il avait fallu que Luynes eût un titre à la cour, Louis XIII nomma bizarrement son serviteur et ami «Maître du cabinet des oiseaux du roi».

Marie de Médicis mit du temps à remarquer l'emprise croissante de Luynes sur son fils, laissé, par ailleurs, dans l'ignorance des affaires de l'Etat. Concini, puis monsieur de Souvré, gouverneur de Louis XIII, lui ouvrirent les yeux :

– Madame, ne voyez-vous pas que ce Luynes, d'esprit médiocre et de médiocre origine, tient au roi des propos qui l'engagent à prendre les responsabilités de son rang, ce dont il est bien incapable ? Je n'ose penser à ce qu'il adviendrait du royaume s'il était privé de votre discernement dans la conduite des affaires !

Ce langage ne pouvait que plaire à Marie, qui prit le parti de soustraire son fils à une si néfaste influence. C'était oublier l'assurance qu'avait pris le roi et l'opiniâtreté dont il avait hérité de son père.

Pierre de L'Estoile mourut quelques mois après Henri IV. L'irremplaçable chroniqueur du règne d'Henri III avait eu juste le temps, avant de rendre l'âme, de terminer la seconde partie de son œuvre en accumulant les détails sur la dernière passion du Vert Galant, la belle Charlotte de Montmorency, et en épiloguant sur le mystère qui avait entouré son assassinat.

Son fils Claude n'était pas comme son père, touché par le virus de la curiosité. C'était un poète et c'est en poète qu'il rechercha et classa les registres où Pierre avait consigné en toute liberté les faits marquants de l'époque. Il essaya aussi, avant d'en être vite lassé, de faire un tri dans ce que le chroniqueur appelait ses «petits papiers» – notes, tracts, libelles, affiches, conversations surprises dans les églises ou les auberges –, qui remplissaient des boîtes empilées dans le logement-bureau de la rue Saint-Jacques. Il avait bien sûr pensé que toutes ces curiosités rassemblées sur les règnes de Henri III et de Henri IV pouvaient faire l'objet d'une publication, mais il perdit vite son latin dans ces manuscrits épars et variés, couverts de l'écriture fine et difficile à déchiffrer du vieux Pierre. Il renonça donc et confia la tâche au libraire Pierre Dupuy, un ami de la famille, et retourna à l'écriture en vers de la comédie réaliste qu'il avait entreprise : *L'Intrigue des filous*[1].

Pierre de L'Estoile disparu, il y avait une place à prendre dans la niche littéraire des choses vues. Un jeune homme, secrétaire du premier commis du surintendant des finances, nommé Charles de Picousa, parce qu'il avait une bonne plume, l'esprit vif et le goût de l'histoire, s'employa, non pas à continuer l'œuvre de L'Estoile, mais à écrire son propre journal. Pas question, pour lui, de chercher des nouvelles dans les réunions dévotes ou des libelles fraîchement collés

---

1. Pierre Dupuy éditera dès 1621 la première version du *Journal des choses mémorables durant tout le règne de Henri III, roi de France et de Pologne*.

sur les murs de Paris. Pas d'informateurs attitrés non plus; il passait donc ses journées au Louvre, avait son entrée dans les bureaux de l'administration, était connu de Luynes et de Tronson, un juriste dévoué au roi. Il avait aussi pour amis le baron de Modène, cousin de Luynes. Bref, Picousa occupait une situation de choix pour connaître et relater au jour le jour les actes secrets de la comédie du pouvoir.

Ce soir-là, rentré dans sa chambre de l'autre côté de la Seine, non loin du palais de la défunte reine Marguerite de Valois, il ouvrit le registre qu'il avait acheté chez le fournisseur attitré de L'Estoile et relut les derniers passages avant de poursuivre sa chronique:

3 janvier 1617

« On a beaucoup parlé, dans le petit cercle du roi, de l'insatiable ambition de Concini. Déjà Maréchal de France, il vient de faire ériger le marquisat d'Ancre en duché-pairie et veut, maintenant, être connétable! Le roi a frémi d'indignation en apprenant cette exigence et a dit superbement: "J'interdirai à ma mère de le faire!"

« La morgue de l'Italien ne connaît plus de limites. Je l'ai vu ce matin arriver au Louvre accompagné de plus de cent gentilshommes de sa suite piaffant, narguant tout le monde et faisant fiente de toutes choses. La noblesse le déteste, le peuple le hait. Il y a deux semaines, son hôtel de la rue de Tournon a été attaqué par la foule. Ni lui, ni Leonora, n'étaient chez eux mais les deux gardiens ont été tués et la maison a été mise à sac. Les émeutiers ont tout brisé, crevé les tapisseries et les tableaux à coups de lance. Seul un portrait du roi a été épargné et respectueusement emporté. Aujourd'hui, le maréchal d'Ancre réclame 450 000 livres d'indemnité.

«J'ai l'honneur et le plaisir d'assister parfois, en qualité de messager, auxiliaire sans titre, à une réunion restreinte qui se tient chez le roi, après que celui-ci a rendu sa visite vespérale à Marie de Médicis et à la reine Anne d'Autriche. Ces réunions informelles sont soumises à la discrétion des participants. Concini, au courant, comme beaucoup, de ces rencontres, paierait cher pour lire ce que j'écris, mais je cache bien mon cahier. L'appartement de Louis Tronson, un juriste honnête et discret que Luynes a appelé pour conseiller le roi, a en effet été visité par les sbires de Concini. D'autres conseillers, choisis pour leur opposition au Toscan, participent à nos réunions. Ce soir, il y avait le baron de Modène, cousin de Luynes, et le sieur de Marsillac. Mais une personnalité se dégage dans ces discussions : Claude Déageant. C'est lui qui a la plus claire vision des affaires. Il en a d'ailleurs une grande expérience. Secrétaire ordinaire de Marie de Médicis, il est devenu premier commis du surintendant des finances. Il est le complément parfait de Luynes.

«Le roi qui acquiert peu à peu confiance en lui a, ce soir, critiqué ouvertement sa mère qu'il incrimine en même temps que Concini : "Bientôt cette comédie sera finie. J'assumerai mon pouvoir de roi !" s'est-il exclamé. Luynes l'a calmé dans ses élans : "Il faut, croyez-moi Majesté, tenter le plus doux plutôt que d'en venir aux extrêmes. – Je vous suis, mon ami, lui a répondu le roi, mais je vous presse tous d'envisager l'action qui me permettra d'évincer ma mère, puisqu'il faut en venir là pour débarrasser le royaume de Concini."»

C'était un pas difficile à franchir. Avant de lancer un roi de quinze ans dans une bataille aussi délicate et dangereuse, Luynes proposa d'engager discrètement des pourparlers avec Concini afin de chercher un compromis. Mais, une nouvelle fois, le Florentin ne sentit pas que ses excès dépassaient les limites d'un pouvoir devenu exorbitant. Il répondit publiquement aux avances de Luynes par l'insulte et la menace : « Il y a si loin de monsieur de Luynes à moi que nous n'avons pas sujet de nous craindre. Je m'aperçois bien, monsieur, que le roi ne me fait pas bonne mine, mais vous m'en répondrez ! »

Picousa suivit pas à pas les déroulements de cette affaire cruciale :

5 février 1617
« Je continue mon récit qui touche vraiment au cœur de la politique actuelle du royaume. C'est passionnant !

« Devant l'impossibilité d'attaquer Concini de face, Déageant a proposé hier au conseil privé du roi, dont l'importance pourrait bientôt grandir, de se tourner vers la reine : "Couvrons-la de lettres qu'elle croira venir de nobles anonymes, par lesquelles nous la supplierons de laisser le gouvernement au roi, même si, par respect, il n'en manifeste pas la volonté auprès d'elle. Mes fonctions auprès de la reine mère me permettront d'apprécier ses réactions."

« Une semaine plus tard, Déageant nous dit que la régente paraissait troublée. Tronson a proposé alors une intervention directe auprès de Marie de Médicis. Mais qui, en dehors du roi, pouvait lui dire que le moment était venu de renvoyer Concini ? "Pourquoi pas Richelieu ?" avança Tronson. Déageant hocha la tête : "Il faudrait se dévoiler et si l'évêque de Luçon n'accepte pas, ce qui est probable, nous aurons brûlé nos vaisseaux."

«Après quelques réticences, le roi, qui était toujours hésitant quand il s'agissait de passer à l'acte, a permis à Luynes de chercher un prélat qui se chargerait de la mission. L'idée n'était pas mauvaise, car l'Eglise manifestait de plus en plus son opposition aux agissements des Concini. Le nom de monsieur de Lestang, l'évêque de Carcassonne actuellement à Paris, fut avancé. Luynes se chargea de demander à son frère, le maréchal, qu'il savait acquis de la cause du roi, d'approcher l'évêque. Celui-ci a accepté de demander audience à la reine pour tenter de la convaincre.»

2 avril 1617

«L'intervention de monseigneur de Lestang n'est pas restée sans effet. D'après Déageant, qui n'a pas assisté à la scène, Marie de Médicis a dit à Leonora qu'il serait prudent qu'elle rentre au pays pour profiter, elle et son mari, de leur fortune. Leonora entendit ce conseil de sagesse et les deux femmes décidèrent de voir Concini. Cette fois, Déageant, qui travaillait dans la pièce voisine, perçut les cris et les jurons poussés en italien par le maréchal d'Ancre. Dans sa colère, il hurla qu'il mettrait à la raison ceux qui oseraient s'opposer à lui. Le jour même, il est parti pour la Normandie où son état-major personnel était en train de lever des troupes.»

17 avril 1617

«Les événements se précipitent. Concini est rentré à Paris plein de fureur. Ses hommes, qui tiennent au Louvre le haut du pavé, répandaient ce matin, d'évidence sur l'ordre de leur maître, des nouvelles menaçantes. Selon eux, Concini a dressé une liste de ses ennemis contre lesquels il va exercer une terrible vengeance.

« Par prudence, nous nous sommes réunis ce soir chez Déageant. Une décision capitale a été prise : dès son arrivée au Louvre, un prochain matin, Concini sera prié par le baron de Vitry, capitaine de la garde royale, d'aller voir le roi dans son cabinet des Armes. Là, la garde s'emparera de sa personne et il sera déféré au Parlement. "Et s'il se défend, s'il fait appel à ses gens, on le tue ?" a demandé Déageant qu'un assassinat camouflé ne semblait pas gêner. Le roi a refusé tout net : "Je n'ordonnerai jamais pareille chose, Concini doit être pris et jugé."

« Sa Majesté s'est pourtant tue lorsque Vitry a demandé lui aussi au Conseil : "Qu'arrivera-t-il si je suis contraint de me défendre et amené, défait de mon épée, à me servir de mon pistolet ?" Tous les yeux se sont portés sur le roi, qui a tourné la tête, et c'est Déageant qui a répondu : "Vous ferez ce que nous voulons tous !" La date du 24 a été retenue pour laisser au baron de Vitry le temps de mettre dans la confidence son frère et son beau-frère qui doivent le protéger dans son entreprise. »

24 avril 1617

« C'est fini, le Florentin n'est plus le maître du royaume. L'affaire s'est conclue ce matin à peu près comme prévu. Concini, descendu de son carrosse, avait à peine franchi le pont-levis du Louvre que les deux aides de Vitry refermaient le portail extérieur, empêchant ainsi son escorte, forte d'une cinquantaine d'hommes, de le suivre. L'instant était propice. Vitry surprit le maréchal d'Ancre qui s'avançait sans méfiance : "De par le roi, je vous arrête !" Concini recula, cria : "A moi !" et fit le geste qu'attendait Vitry, il mit la main à son épée pour dégainer. Le capitaine dit calmement à son frère et à son beau-frère qui l'avaient rejoint : "La justice du roi, messieurs." Trois coups de pistolet réveillèrent le Louvre encore somnolent. Voilà comment j'ai pu reconstituer la mort de cet Italien qui a réussi, sept années durant, avec sa femme Leonora, à gouverner le royaume de France.»

Et, trois jours plus tard :

27 avril 1617
«Je peux aujourd'hui revenir sur la fin de Concini. Elle fut en vérité effroyable. Dès qu'il fut tombé sous les balles, des hallebardiers accoururent, enveloppèrent le corps sanglant dans son manteau et le transportèrent dans une pièce attenante à la salle des gardes. Là, on lui ôta ses hauts-de-chausse, son pourpoint brodé, on le dépouilla de son linge, des papiers contenus dans ses poches, avant de recouvrir son cadavre entièrement nu d'une couverture. Le corps resta sous la surveillance de quatre gardes et, la nuit venue, fut transporté secrètement à Saint-Germain-l'Auxerrois, où on l'inhuma dans le caveau préparé pour un riche paroissien mort la veille. La dalle scellée hâtivement, il ne restait qu'à oublier le maréchal d'Ancre et sa fâcheuse intrusion dans la politique du royaume. Mais que pouvait-on faire contre le ressentiment du peuple ?

«L'enterrement, si discret qu'il fût, n'était pas passé inaperçu des voisins. Le lendemain, dès l'aube, le bruit courut dans Paris que le peuple devait se rassembler pour déterrer le corps de Concini et lui faire subir les sévices infamants infligés au cadavre de Ravaillac.

«La foule, en effet, ne tarda pas à envahir l'église. Des maçons qui réparaient une voûte dans le chœur eurent tôt fait de desceller la pierre. Le corps, vêtu d'une simple chemise de grosse toile, fut remonté à l'aide d'une corde et jeté sur le parvis. Les plus excités se ruèrent avec des bâtons et des couteaux sur le cadavre qui bientôt fut découpé en morceaux lancés au peuple comme une viande à des fauves. Un feu de joie fut allumé pour rôtir les restes de l'homme qui, la veille encore, était le riche favori, puissant et redouté, de Marie de Médicis.

« Et maintenant ? Que va-t-il advenir du royaume ? De son appartement la régente a entendu les coups de feu et, le lendemain, les cris d'une foule qui n'est ni tendre ni respectueuse à son égard. Elle a entendu l'un de ses serviteurs, La Place, lui annoncer que le maréchal était mort et a accueilli la nouvelle par des cris dont on ne savait pas s'ils traduisaient la douleur ou la colère. Un peu plus tard, La Place est revenu pour lui dire que Leonora lui demandait de la prendre sous sa protection. Sa réponse fut lamentable : "J'ai bien d'autres soucis que de m'occuper de cela !" Egoïste jusqu'à l'inconscience, seul son propre sort l'intéresse. Sans doute a-t-elle des raisons d'être inquiète : le roi refuse de la recevoir et elle sent la disgrâce proche.

« Je n'ai pas aperçu le roi tous ces jours. Déageant m'a dit qu'il savoure sa joie d'être affranchi du joug de son impérieuse mère et plus encore de l'être odieux qui la gouvernait. C'est maintenant Luynes qui va diriger. Luynes est son ami, et le roi a encore besoin d'un tuteur. Ensemble, ils ont décidé de rappeler les anciens ministres d'Henri IV, sauf Sully qui, retiré dans ses terres, jouit de sa fortune et écrit ses mémoires. L'idée est bonne de remplacer les suppôts du maréchal d'Ancre par les ministres d'hier. Cela rassure le peuple, les princes, la noblesse et Luynes lui-même. Quant au roi, il n'a encore que quinze ans et demi, il est comme un prisonnier transporté brusquement des ténèbres d'un cachot dans la lumière du trône. Nous sommes quelques-uns à penser que Luynes n'attendra pas pour profiter des bénéfices que lui offre la situation Déjà, Louis XIII lui a donné tous les biens des Concini. Voilà fortune faite en bien peu de temps! Le trésor amassé par les deux époux serait, sans compter les bijoux de Leonora, de 15 millions de livres[1]. »

Dans la tourmente, en attendant de retrouver un emploi à sa mesure, Charles de Picousa s'avoua qu'il n'était plus en mesure de conserver à son journal le caractère original qu'il souhaitait. Faute d'informations de première main, il rangea son registre en attendant des jours meilleurs.

Le cas de Leonora Galigaï fut promptement réglé. Vitry, chargé de l'arrêter, fouilla d'abord sa chambre pour retrouver le sac où elle cachait ses bijoux, puis la fit conduire dans un local retiré du Louvre. Elle resta là deux jours avant d'être conduite à la Bastille. Son sort dépendait du roi qui la détestait mais, en fait, de Luynes, devenu en quelques heures l'homme fort du royaume. Avant même le début de l'instruction, le nouveau favori annonça partout que la Galigaï devait être condamnée à mort. La raison de cet acharnement était claire. Luynes ne pouvait jouir de la fortune de Leonora tant que celle-ci était vivante. Elle avait d'ailleurs en son fils un héritier légal. Bien que l'issue du procès soit connue, les règles furent respectées. Il apparut au procureur que la reine

1. C'est le montant de la somme annoncée à son gouvernement par l'ambassadeur de Venise. *Cf.* Michel Carmona, *Marie de Médicis*, Fayard.

mère était souvent mise en cause dans les trafics d'influence décelés par l'enquête, laquelle montra par ailleurs que la condamnation à mort, suivie de confiscation des biens, n'était pas nécessaire.

Alors ? Luynes n'allait pas renoncer à la fortune pour une question de procédure et il existait une accusation imparable : la sorcellerie, le plus court chemin au bûcher. Luynes convainquit le roi et les juges. Dûment chapitrés, ceux-ci examinèrent l'accusation. Il fallait des motifs, on les trouva. Leonora se vit reprocher de s'être fait soigner par des médecins juifs, en particulier par un certain Philothée Montalto, qui se serait servi de la Kabbale pour la délivrer de tourments causés par le diable. Malheureusement, on dut se rappeler que Marie de Médicis avait eu longtemps recours à ses services et qu'elle l'avait même recommandé à son oncle le grand-duc de Toscane. Alors le tribunal, réuni le 6 juillet en grand apparat, accusa Leonora de s'être rendue au sabbat du diable. Elle nia, mais on ne l'écouta pas. Galigaï fut condamnée à avoir la tête tranchée sur un échafaud dressé place de Grève.

Le 8 juillet 1617, sous un radieux soleil, la foule se pressa sur le court chemin reliant la Conciergerie au lieu du supplice. Dans son tombereau, l'amie qui avait accompagné Marie de Médicis depuis sa jeunesse fut huée, menacée, insultée. Pensez donc : la Concini sorcière de surcroît ! Et puis, quand elle monta les marches de l'échafaud d'un pas ferme, qu'elle tendit son cou pour qu'on échancre le col de sa chemise et qu'elle se mit à chanter le *Salve Regina* avec les prêtres, il se produisit dans la foule comme un revirement. Les cris cessèrent et bien des badauds pleurèrent quand le bourreau lui trancha la tête et la jeta dans le brasier allumé près de l'échafaud. Personne ne se précipita sur le corps pour le mutiler davantage. La foule se dispersa en silence[1].

Le roi en éprouva-t-il quelque remords? Il avait préféré partir à la chasse hors de Paris le jour de l'exécution. Pourtant Héroard, son médecin, écrivit dans son journal : «On lui en parla si souvent et si longtemps qu'il fut en continuelle appréhension, sans se pouvoir endormir jusqu'à trois heures et demie après minuit.» Quant à Luynes, la disparition des Concini lui était tellement favorable que des regrets de sa part eussent fait sourire. D'ailleurs, le nouveau riche du Louvre devait s'occuper de son prochain mariage. Deux mois plus tard, devant la cour réunie, il épousa la belle Marie Rohan de Montbazon. Quelqu'un manquait parmi les invités : la reine mère, qui avait reçu du roi l'ordre de se retirer dans le château de Blois. Un exil qui devait durer quatre ans.

Quatre ans, ce fut aussi le temps où, un favori chassant l'autre, Charles d'Albert de Luynes eut loisir de diriger les affaires de France et de s'enrichir dans l'intimité du roi. Bien des connaissances dans la direction des affaires lui échappant, il dut s'appuyer sur le chancelier Sillery et, surtout, sur Déageant, son plus ancien commis, qui resta deux ans le bras agissant du gouvernement. Deux ans : le temps de se griser et de commettre des erreurs qui lui vaudront une éviction généreusement indemnisée.

---

1. L'ambassadeur de Venise écrira chez lui : «Avec une intrépidité d'âme et le mépris de la mort jusqu'à l'échafaud, elle a étonné tout le monde par son courage», et Richelieu, dans ses mémoires, condamnera le comportement des juges.

La reine mère, quant à elle, rongeait son frein à Blois. Elle avait organisé une petite cour, faisait appel aux meilleurs musiciens, aux comédiens célèbres, recevait des visites et tentait de vivre de la manière aimable dont Marguerite de Valois avait naguère aménagé son exil à Usson. Rien, il est vrai, n'avait été ménagé pour rendre le château habitable et digne d'abriter une reine. La partie ouest, qu'elle avait choisie, avait été restaurée, des dizaines de chariots lui avaient apporté les meubles qui se trouvaient dans ses appartements du Louvre. Ses ressources lui ayant été conservées, Marie de Médicis pouvait mener grand train et siéger à la tête de son conseil, où l'évêque de Luçon, le futur duc de Richelieu, tenait le premier rang. Souvent, l'orfèvre Nicolas Roger faisait le voyage de Blois pour lui apporter un diamant exceptionnel ou un nouveau collier de pierreries. Les libéralités, si généreuses soient-elles, ne remplacent pas la liberté, ni le pouvoir, cette drogue absolue qu'elle avait perdue dans des circonstances outrageantes. Ses lettres au roi reflétaient le regret et l'obéissance. Elle n'en manœuvrait pas moins secrètement, parce qu'elle avait le goût de l'intrigue et préparait son éventuel retour au Louvre.

Les relations qu'elle entretenait avec l'Espagne et l'Italie, ses contacts avec certains grands, son courrier abondant, ne pouvaient rester longtemps ignorés de la police. Prévenu, le roi adressa une lettre de remontrances à sa mère et permit à Luynes de réagir sévèrement. L'ambassadeur d'Espagne, qui souhaitait rendre visite à la reine, fut prié de s'abstenir, comme la plupart de ceux qui sollicitaient cette permission. Blois, spécialement les abords du château, fut surveillé nuit et jour. Mesure plus dure encore : monsieur de Luçon fut sommé de quitter Blois, mettant fin à une situation insupportable au roi et à Luynes : ils avaient toujours détesté Richelieu, en qui ils voyaient le mauvais génie de Marie.

Ils commirent là une erreur : privée de la présence intelligente et modératrice de l'évêque de Luçon, Marie de Médicis, exaspérée par la surveillance dont elle était l'objet, choisit le parti de se révolter. Secrètement elle fit le tour de tous ceux qui pouvaient lui être favorables, en plus grand nombre qu'elle l'aurait pensé. L'opinion publique qui l'avait honnie, les grands qui l'avaient délaissée pour complaire à Luynes la regardaient maintenant avec sympathie. Le duc d'Epernon était de ceux-là, qui voyaient en Marie de Médicis un défenseur du catholicisme beaucoup plus sérieux que le roi, alors empêtré dans son action brouillonne contre les protestants du Béarn et de La Rochelle. Le duc s'établit à Loches pour orchestrer, au nez et à la barbe des agents du roi, une opération audacieuse minutieusement organisée par l'entourage de la reine, en particulier par le comte de Brenne, Ruccelaï, un petit abbé florentin intrépide, et par Vicenzi, un ancien secrétaire de Concini.

Dans la nuit du 22 février, un homme enveloppé dans un large manteau couleur de muraille, comme dirent les chroniqueurs de l'époque, frappa à l'une des portes du château. C'était Duplessis, le secrétaire d'Epernon. Il fut aussitôt conduit près de la reine.

– Madame, le duc est prêt à vous offrir son épée, dit-il. Un carrosse dissimulé sous des branches vous attend au débouché du Pont de Blois, sur l'autre rive de la Loire. L'entreprise, inutile de vous le cacher, est risquée. Pensez-vous, Majesté, pouvoir vous enfuir par la terrasse ? Echelles et cordes sont en place, ainsi qu'une dizaine d'hommes résolus.

Marie n'hésita pas longtemps :

– Monsieur, on n'a pas l'habitude dans la famille de se dérober au danger. Je suis à vos ordres. Tout mon monde restera ici, sauf monsieur de Brienne. Je n'emporterai avec moi qu'un manteau et mes bijoux, ma seule richesse en la circonstance.

Tout cela était théâtral, mais l'évasion de la reine mère, quadragénaire plantureuse empêtrée dans ses jupes et serrant contre elle ses sacs remplis de bijoux, était bien réelle. Courageusement, soutenue par Brienne, elle réussit à enjamber le rebord de la fenêtre et à se lancer dans les bras de deux jeunes gentilshommes, qui la posèrent le plus délicatement possible sur les dalles de la terrasse. C'était un premier pas vers la liberté, mais le plus difficile restait à faire. Il fallait maintenant descendre l'échelle dressée sur la pente qui menait au chemin longeant le château. Brienne devant, Duplessis derrière, le franchissement de chaque échelon fut un supplice. Les fins souliers de la reine glissaient sur les barreaux, ses gants déchirés ne protégeaient plus ses doigts qui n'avaient jusque-là connu pire épreuve que la broderie. Elle avait lâché ses sacs, tombés sur la pierre dans un bruit banal de cailloux, et haletait.

Sortie majestueusement de sa chambre dix minutes plus tôt, elle était, au milieu de la descente, épuisée, crispée, le cheveu en bataille. Encouragée à chaque effort, elle réussit à franchir le dernier barreau de l'échelle et à poser le pied sur le sol. Duplessis s'attendait à la voir s'effondrer sur un talus, mais elle se redressa, conquérante :

– Eh bien messieurs, c'est fait ! Je vous sais gré de votre aide. Je crois bien que sans vous je serais descendue trop vite !

Vous avez, Majesté, été courageuse. Mais il faut repartir et nous éloigner le plus vite possible de Blois et de ses environs.

Déjà l'aube pointait quand la reine se remit en marche au bras des deux gentilshommes. Des paysans commençaient à se montrer sur la route et regardaient, étonnés, ces inconnus vêtus de riches habits froissés et déchirés.

– Le carrosse n'est plus loin, dit Duplessis. Pressons le pas.

La voiture était bien de l'autre côté du pont, cachée sous les arbres. Deux minutes plus tard, elle roulait au galop de ses deux alezans vers Loches, où attendait le duc d'Epernon. L'évasion n'allait pas tarder à être découverte, si elle ne l'était déjà, et il convenait de gagner au plus vite un refuge sûr. Ce serait Angoulême dont le duc était gouverneur et où il entretenait une troupe bien armée.

La nouvelle de l'extravagante évasion de Marie de Médicis parvint à Paris le lendemain, en fin d'après-midi, à l'heure où la cour riait et s'amusait dans le grand salon du Louvre après un concert particulièrement brillant. Un silence pesant succéda au son des violons jusqu'à ce que le roi, en proie à une violente colère, ce qui chez lui était rare, se mit à crier que les coupables seraient punis, la reine et tous ceux qui l'avaient aidée, à commencer par le duc d'Epernon et ce maudit abbé Ruccelaï. Au Conseil, réuni en hâte, Louis XIII annonça qu'il allait constituer trois armées pour déloger Epernon de sa citadelle d'Angoulême. Il commanderait le siège lui-même. Personne ne contredit le roi, mais plusieurs de ses conseillers, parmi les plus influents, Jeannin, Sillery, Puisseux et Luynes lui-même, suggérèrent la mesure et la recherche d'une négociation. C'est ainsi qu'on décida d'envoyer à Angoulême monsieur de Béthune, le frère de Sully, qui osa dire ce que la plupart pensaient :

– Sire, on a cru punir la reine en lui retirant l'évêque de Luçon, qui avait sa confiance et l'engageait à la modération. On l'a ainsi laissée à la merci de l'abbé Ruccelaï, ce dangereux déséquilibré. Ne pensez-vous pas qu'il serait habile de renvoyer auprès d'elle monsieur de Richelieu, qui se morfond à Avignon où il s'est exilé sur votre ordre et ne demande qu'à servir Votre Majesté et le royaume ?

Il fut entendu. La lettre du roi lui ordonnant de rejoindre Angoulême parvint à Richelieu le 7 mars 1619. Il se mit en route dès le lendemain.

On peut dès lors rendre la parole à notre chroniqueur, Charles de Picousa, qui, après une retraite chez ses parents, châtelains de Gouneau, dans le Beauvaisis, était rentré à Paris et avait été nommé bibliothécaire archiviste de la librairie du roi en remplacement du vieux d'Outrefage, mort le nez dans un incunable. Cette charge lui conférait un logement au Louvre et la libre circulation dans les cabinets du gouvernement. On ne se méfie pas d'un bibliothécaire. On croit qu'il n'a d'yeux et d'oreilles que pour les grimoires, les philosophes grecs et l'enregistrement des livres nouvellement parus à Genève. Pour un fureteur comme Picousa, la bibliothèque royale était un poste d'observation idéal. C'est avec volupté qu'il abandonna sa pauvre chambre de la rue des Prés et reprit son registre personnel pour noter les événements importants, ou simplement curieux, parvenus à sa connaissance.

6 septembre 1619

« Il m'arrive une bien singulière aventure. J'avais à peine pris mes nouvelles fonctions à la bibliothèque du roi que monsieur de Luynes me manda dans son cabinet. Il me connaissait depuis les conseils secrets auxquels j'avais eu la chance d'assister et, à en juger par ses paroles, devait garder de moi un souvenir indulgent : "Monsieur de Picousa, vous allez laisser quelque temps vos obligations de bibliothécaire pour remplacer le second secrétaire de Sa Majesté qui, malade, ne peut l'accompagner dans le voyage qu'il entreprend pour aller rencontrer la reine mère et, je l'espère, se réconcilier avec elle. C'est encore un secret et je vous demande la plus grande discrétion. Voyez donc dès maintenant monsieur Toussaint-Brenard, que vous seconderez ces jours prochains. Le départ du roi est fixé demain à huit heures le matin."

«Me voici donc au cœur même des secrets de l'Etat. Je ne puis rien en dire mais je puis écrire. Monsieur de Richelieu a donc gagné Angoulême et, après de longues tractations, a fait accepter à Marie de Médicis les propositions du roi : elle renonce à son gouvernement de Normandie et reçoit en échange le gouvernement de l'Anjou avec les places fortes d'Angers, de Chinon et des Ponts-de-Cé. La reine voit confirmer toutes ses charges, dignités et revenus. Ses dettes seront réglées par le Trésor royal et, de son côté, le duc d'Epernon est pardonné.

«Le roi et sa suite, dont je fais heureusement partie, sont arrivés hier à Couzières. Par un hasard de circonstances qui n'a pas fini de me surprendre, j'ai assisté à la rencontre du roi et de sa mère. En bonne place, puisque monsieur Toussaint-Brenard m'avait chargé d'en faire un rapport destiné aux archives.

«Le château de Couzières, près de Tours, est la propriété de monsieur de Montbazon, le beau-père de Luynes. C'est dans une allée du parc que le roi attendait sa mère. Il semblait ému, mais restait maître de lui, comme pour prouver à sa mère qu'à dix-huit ans il n'était plus l'adolescent timide qu'il était naturel d'ignorer.

«Marie de Médicis arriva bientôt jusqu'à notre groupe où j'essayais de me faire tout petit derrière monsieur de Béthune et le maréchal Schomberg. Elle était soutenue par le comte de Brienne. Derrière venait Richelieu, son nouveau chancelier, suivi de toute sa maison. Lorsqu'elle fut à la hauteur du roi, elle l'embrassa trois fois, sur la bouche et sur les deux joues. Louis XIII dit alors : "Soyez la bienvenue, ma mère. Je regrette fort de ne pas vous avoir vue plus tôt, car je vous attendais." Quatre mois en effet avaient passé depuis l'entremise de l'évêque de Luçon et la signature du traité d'Angoulême, qui avait mis fin officiellement à la guerre entre le fils et la mère. Au cours de la collation qui suivit, Louis XIII, j'ai noté ses paroles sur-le-champ, dit à Marie de Médicis : "Madame, j'ai déplaisir des événements qui nous ont séparés. La cause n'est pas la mauvaise volonté que j'ai manifestée à votre égard. Pour l'avenir, nous devons continuer à nous tenir dans une constante amitié et union."

«Cet après-midi, le roi et la reine mère sont allés ensemble à Tours pour faire ovationner par la foule le spectacle de leur rapprochement.»

17 octobre 1619

«Depuis le 5 septembre, le roi et sa mère ont vécu à Tours dans la paix. Le roi est plein d'attentions. Tout le monde sait qu'il n'a cessé de lui demander de rentrer avec lui à Paris et de reprendre sa place à la cour. A la cour, mais pas au Conseil ! Voilà de quoi ranimer la querelle. Marie de Médicis a soif de ce pouvoir qu'elle a exercé durant la régence et n'a cessé durant toutes ces semaines de demander au roi un fauteuil dans ce cabinet du Conseil où se décide la politique du royaume. J'ai lu ses suppliques et j'ai eu en main, pour les classer, les réponses négatives. La reine mère rend Luynes responsable de ce refus. Toussaint-Brenard, qui connaît mieux que personne les dessous de la politique et dont j'ai acquis la confiance, m'a dit que ce n'est pas tellement la reine mère que l'on craint, mais son chancelier conseiller, l'évêque de Luçon, ce Richelieu à l'intelligence exceptionnelle et aux dents longues.

« La reine mère s'en va répétant qu'elle a été trompée, qu'elle attend toujours le remboursement de ses dettes, qu'on poursuit de vindicte le marquis de la Valette, fils du duc d'Epernon, qu'on a donné un nouveau gouverneur à son fils Gaston sans la prévenir et, enfin, que le roi ne la voyait jamais seule, mais toujours en compagnie de témoins. A tous ces griefs, il faut prendre en compte la présence d'Anne d'Autriche qui a rejoint Tours et prend ostensiblement le pas sur la reine mère chaque fois que l'étiquette le lui permet.

« Finalement, le roi est parti ce matin pour Paris tandis que sa mère préparait son entrée officielle dans sa petite capitale, Angers, où Louis a ordonné de grandes fêtes et fait construire des arcs de triomphe. Je suis curieux de voir comment les choses vont tourner. Le royaume ne peut se donner le ridicule d'une nouvelle guerre entre la mère et le fils. »

30 janvier 1620

« J'ai délaissé mon registre tous ces temps. Je pourrais invoquer mon travail qui m'absorbe jusqu'à une heure avancée du soir, mais, soyons honnête, la jolie Jeanne de Pirieux, une nièce de Luynes, qui vient d'entrer dans la maison de la jeune reine, accapare très agréablement une bonne partie de mon temps. C'est Jeanne, d'ailleurs, qui me permet de revenir à mon registre par une nouvelle de première grandeur, sur laquelle elle m'a donné de précieux détails. Depuis quelques jours, le 25 janvier exactement, le mariage royal est enfin "parfait", c'est la formule employée par le nonce en apprenant que le roi, qui demeurait jusque-là irrésolu quant à savoir si le temps était venu de coucher avec la reine, s'était enfin décidé. "Décidé" n'est pas le mot qui convient, car il a fallu vraiment le pousser dans le lit de sa femme. Ma chère Jeanne m'a raconté l'affaire par le menu. Elle se trouvait dans la chambre de la reine avec la camériste espagnole Stéphanilia et madame du Bellier, la première femme de chambre. Elles venaient de mettre Anne au lit quand la porte s'ouvrit avec fracas. Monsieur de Luynes, fort énervé, boutait le roi à demi dévêtu devant lui. Quand ils furent au pied du lit où la jeune reine, effarée, demandait ce qu'il se passait, Luynes, qui est fort, prit le roi dans ses bras, le déposa dans le lit, lui enleva ses derniers vêtements et dit aux femmes de sortir avec lui. Après quoi, il ferma la porte à clef.

«Le roi a donc sauté le pas. Son médecin Héroard lui a tout de même conseillé de ne pas tomber dans l'excès contraire et de ne pas honorer trop souvent la reine. Quoi qu'il en soit, Louis et Anne, qui étaient restés durant quatre ans des étrangers l'un à l'autre, sont aujourd'hui heureux d'être ensemble. Cela se voit à la belle humeur de la reine et aux attentions que le roi a pour elle. Ainsi, pour ne pas rester des journées entières séparé de son épouse, Louis va moins à la chasse, ce qui étonne la cour.»

La reine mère, dans sa province, n'avait pas assisté à ce changement capital des rapports entre le roi et la jeune reine.

Non contente de déplaire au roi en refusant de rentrer à Paris sans la promesse du Conseil, elle avait repris ses intrigues et réussi à gagner à sa cause une partie des princes, mécontents de l'importance prise par Luynes. Ainsi Longueville levait-il des troupes dans son gouvernement de Normandie, et Epernon, Vendôme et le duc de la Trémouille s'agitaient-ils dans leurs régions. Du Poitou et d'Angers, deux armées se formaient pour, affirmait-on, marcher sur Paris.

Ce désordre irritait fort le roi. Louis hésitait entre une nouvelle négociation prônée par Luynes et les ministres et une campagne lancée en Normandie contre le duc de Longueville, le plus dangereux parce que le plus proche de Paris. On commençait à s'habituer aux prises de position personnelles et autoritaires de Louis XIII, mais son entourage s'étonna cette fois de son choix et de la manière dont il l'exprima :

– Je veux aller tout droit et n'attendre pas à Paris de voir mon royaume en proie à la rébellion et mes fidèles sujets opprimés. Ma conscience ne me reproche aucun manque de piété à l'égard de ma mère ni de justice à l'égard de mon peuple, ni de bienfaits à l'égard des grands que j'ai comblés. Par conséquent, j'en ai décidé. Allons[1] !»

Le roi était résolu à forcer la destinée. A la tête de son armée, forte de cinq mille fantassins, six cents cavaliers et deux canons, il quitta Paris le 7 juillet, bouscula le 10, dans le Perche, le duc de Longueville, qui s'enfuit, prit ensuite Caen et se dirigea pour passer la Loire vers les Ponts-de-Cé défendus par la petite armée de Marie de Médicis.

La guerre familiale, à armes réelles cette fois, ne dura que quelques heures. L'armée disparate de la reine, constituée

1. *Cf.* Michel Carmona, *Marie de Médicis*, Fayard.

des soldats du comte de Saint-Aignan, du duc de Retz et du duc de Vendôme fut battue sans presque combattre. A Paris, Picousa nota sur son registre que les gazettes la nommaient la «drôlerie des Ponts-de-Cé». Marie de Médicis, contrainte de plier, dut encore traiter avec le roi son fils. Richelieu s'en chargea. La réconciliation valait une récompense : Louis XIII s'engagea à intervenir auprès du pape pour l'élévation à la dignité de cardinal de l'évêque de Luçon. Richelieu obtenait ce à quoi il aspirait depuis cinq ans : le chapeau et un pied dans le gouvernement du royaume.

Le roi, qui s'était mis à aimer la guerre comme il avait aimé la chasse, repartit en campagne, cette fois contre les protestants. Après une victoire à Saint-Jean-d'Angely, il échoua devant Montauban et s'enlisa à Monheurt. C'est là, alors que l'armée royale piétinait et que son chef hésitait, qu'un tournant du destin vint modifier le paysage politique.

Mais laissons à Picousa le soin de nous narrer par le menu cet épisode extraordinaire :

19 décembre 1621

«Coup de théâtre à la cour. On vient d'apprendre que Luynes a été emporté, le 14 décembre, dans la petite ville de Monheurt où l'armée royale était tenue en échec. Pas par un boulet mais par la fièvre pourpre. La nouvelle m'a ému. Je sais les reproches, le plus souvent motivés, qu'on peut faire à Luynes, mais je dois reconnaître qu'il s'est montré toujours bienveillant à mon égard. Je ferai dans ce journal, quand j'en aurai le loisir, le portrait de cet homme attachant mais trop ambitieux et qui a plus servi les intérêts du roi qu'il les a contrariés.

«Je sais, par ma douce Jeanne, qu'Anne d'Autriche a essuyé une larme en apprenant la nouvelle. Elle non plus n'avait rien à reprocher à monsieur de Luynes. Il n'en est pas de même pour Marie de Médicis et Richelieu, qui n'ont pas caché leur joie au reçu de la lettre du roi à sa mère, qui annonçait la mort de son favori.

«Il est intéressant de voir s'agiter les politiques dans le bocal du pouvoir. La disparition de Luynes en a troublé l'eau. Tous ceux qui avaient joué la carte du favori tout-puissant se retournent sans vergogne du côté de la reine mère et de Richelieu dont l'heure semble venue. Le ministre Bérulle et le maréchal Schomberg ont fait, paraît-il, des offres de service au futur cardinal. Têtu, le roi persiste à refuser la porte du Conseil à sa mère. Celle-ci a beau lui envoyer des émissaires, il demeure inflexible.»

Marie de Médicis avait compris qu'elle avait plus de chances de retrouver la faveur du roi par la douceur que par d'incessantes réclamations. Cela demanda des mois mais, en janvier 1622, le roi décida que sa mère pourrait participer à certains conseils. C'était un premier pas. Bientôt la reine mère serait pleinement associée au gouvernement du pays tandis que Richelieu, promu cardinal, prodiguerait dans l'ombre des conseils de plus en plus appréciés.

Avec une joie aussi grande que celle causée par son retour aux affaires, Marie de Médicis retrouva son palais du Luxembourg qu'elle avait dû quitter lorsqu'elle avait été assignée à séjourner à Blois. La demeure était à peu près achevée mais les murs blancs, désespérément nus. Comment mieux combler ce vide que par d'immenses tableaux qui magnifieraient sa vie, de sa naissance à la réconciliation ?

CHAPITRE XII

Le Flamand chez la reine

Tout à sa gloire de peintre de la cour de Bruxelles et de souverain incontesté de l'art national, Rubens régnait dans son palais-atelier du Wapper sur sa centaine d'élèves et de collaborateurs. Il avait perdu Van Dyck, son meilleur disciple, parti en Angleterre puis en Italie, mais pouvait compter sur ses vieux amis, maîtres de la gilde, Snyders, Bruegel de Velours, Paul de Vos et nombre d'autres artistes occasionnels.

Un matin de novembre 1621, alors qu'il venait de distribuer les tâches et s'apprêtait à terminer par un relevé de touches de blanc, de jaune et de rouge un panneau de petite dimension, *Elie dans le char de feu*, Michel, l'un des apprentis, lui apporta dans son atelier personnel le pli que venait de déposer un messager venu de France.

Rubens s'essuya les mains et examina l'enveloppe, scellée aux armes du roi de France. Il fit sauter le cachet de cire et lut les trois phrases qui allaient changer sa vie, marquer son œuvre et asseoir sa réputation hors des Flandres : « Sur l'ordre de Sa Majesté, reine mère du royaume de France, Claude de Mugis, abbé de Saint-Ambroise, son trésorier, mande d'urgence à Paris le sieur Pierre-Paul Rubens, peintre de la cour de Bruxelles, choisi par Sa Majesté pour décorer sa nouvelle habitation du Luxembourg. »

Pierre-Paul relut deux fois le message, réfléchit tout en ajoutant une dernière touche de rouge sur le manteau d'Elie, puis posa son pinceau et descendit trouver Isabelle. Rubens ne manquait jamais de consulter son épouse et complice lorsqu'un événement important venait animer la vie calme du Wapper. La perspective d'une commande royale en était un à coup sûr :

— Ma mie, lisez et dites-moi ce que vous pensez de cette proposition.

Isabelle sourit, regarda une seconde son mari avant de prendre la lettre :

— Vos yeux me disent qu'il s'agit de quelque chose d'important. D'où vient ce message ?

— De Paris. De la reine mère en personne.

— On disait encore récemment qu'elle était brouillée avec le roi et qu'elle ne vivait plus à la cour.

— Leurs Majestés ont dû une nouvelle fois faire la paix, lisez plutôt.

Isabelle parcourut la lettre, la relut avec attention et répondit sans hésiter :

— Mon ami, c'est une occasion à ne pas manquer. A votre place, j'irais sans tarder demander à l'archiduchesse la permission de me rendre à Paris

— Je n'oublie pas que je suis au service de l'archiduchesse infante, mais ne doute pas de sa réponse. Je suis même sûr qu'elle sera ravie d'avoir sur place un artiste curieux et attentif, capable de lui relater ce qui se trame à la cour de France. Je partirai demain matin pour Bruxelles.

A Coudenberg, tout se passa comme il l'avait prévu. L'archiduchesse qui, depuis la mort de son époux, conduisait avec bonheur les affaires de sa patrie flamande et brabançonne ne balança pas :

– Mon ami, non seulement je vous permets d'aller peindre à la cour de France, mais je vous engage à gagner promptement Paris. Vous pourrez, par votre situation chez les grands du royaume, observer, écouter, noter et me rapporter, j'en suis sûre, des informations plus rares et utiles que celles recueillies par mes diplomates. Il est, en particulier, intéressant de savoir ce qu'on pense au Louvre de l'attitude des Provinces-Unies, toujours hostiles à l'Espagne depuis que la trêve a expiré.

C'était ce que Rubens souhaitait entendre de la bouche de l'archiduchesse. Elle lui confiait en quelque sorte un rôle de diplomatie secrète. Qu'une telle mission, fût-elle officieuse, s'ajoutât au but artistique de son voyage en France ne pouvait que lui plaire. C'est donc le cœur joyeux qu'il s'en fut à la chancellerie demander ses passeports.

Le voyage de Paris n'était pas une grande expédition, mais Rubens s'y prépara avec la méticulosité qu'il apportait à toutes choses. Il passa de longues heures dans sa bibliothèque à compulser des livraisons du *Mercure français*, qu'il se félicita d'avoir acquises à la librairie Plantin de son ami Balthazar Moretus, sans savoir s'il aurait un jour le temps d'y jeter un œil. Il y trouva, avant de partir, une foule de renseignements sur Paris, la cour du Louvre, la jeunesse de Louis XIII et les récits détaillés des disputes entre le roi et sa mère.

– Que cherchez-vous, mon ami, dans tous ces livres?
demanda un matin Isabelle.

– Tout simplement de quoi ne pas me sentir tout à fait
étranger chez les Français que je vais rencontrer. Et je veux
en apprendre le plus possible sur cette Marie de Médicis qui
me fait confiance sans avoir, je crois bien, vu un seul tableau
de moi. Je choisis aussi quelques ouvrages que je veux
emporter, tel ce vieux Theodor Branculazzi que j'ai acheté à
Venise. Vous savez, celui que j'appelle «mon talent». C'est
une histoire de la mythologie où j'ai déjà puisé tant de sujets.
J'en aurai besoin à Paris, comme de la Sainte Histoire, pour
magnifier princes et reines. Les hauts personnages de notre
temps, j'en ai été souvent le témoin, adorent figurer aux côtés
de Neptune, d'Apollon ou de Constantin.

Rubens écrivit encore, avant de partir, une lettre à Fabri
de Peiresc, conseiller au parlement de Provence mais surtout
érudit, féru de numismatique, curieux des lettres et des
sciences et grand amateur d'art, avec qui il correspondait
depuis des années et qui l'approvisionnait en livres français:
«Mon très cher ami, je veux que vous soyez le premier averti
d'un événement prodigieux qui va nécessiter ma venue
prochaine à Paris. La reine mère Marie de Médicis me
mande à sa cour pour décorer les murs de sa nouvelle
demeure du Luxembourg qui, je crois, n'est pas encore
complètement achevée. Si mon séjour pouvait coïncider avec
l'un de vos fréquents voyages à Paris, je serais le plus heureux
peintre du monde. Nous avons échangé une bonne centaine
de lettres et ne nous sommes jamais rencontrés! C'est un
fourvoiement de la vie qu'il serait grand temps de faire
cesser. Et puis, pardonnez cette pensée égoïste: votre
présence et vos conseils me seront d'un indispensable

secours. A bientôt donc à Paris, ami très cher. Mon affection, vous le savez, vous est acquise. Pierre-Paul Rubens. »

Isabelle appréhendait ce voyage, qui risquait d'être long, mais elle ne montrait pas sa tristesse. Au contraire, elle encourageait son époux, dressait avec lui d'interminables listes d'objets et de matériel de dessin à emporter. Comme la date du départ approchait, elle lança, comme si elle venait d'y songer à l'instant :

– Vous ne devriez pas, mon ami, voyager seul. Il vous faut un compagnon qui vous aide pour les bagages, les relais de poste et aussi à vos travaux. Prenez l'un de vos jeunes artistes ! Il sera si fier d'avoir été choisi qu'il vous sera dévoué à la vie. Tenez, je pense à Cornelis de Vos, que vous tenez, vous me l'avez dit, en haute estime. Que dites-vous de mon idée ?

– C'est le bon sens qui parle par votre bouche, ma mie. Je vais tout de suite prévenir Cornelis.

Tout le temps que dura le chemin, il sembla à Pierre-Paul qu'il vivait une nouvelle jeunesse. Ce voyage, qui était tout de même une enjambée dans l'inconnu, lui rappelait sa première chevauchée vers Venise et Rome. Il avait en Cornelis un auditeur enthousiaste et toujours désireux d'en savoir davantage sur les étapes incertaines, les repas payés par des dessins, les nuits passées dans des couvents et, aussi, sur la découverte des grands Italiens. Le voyage à travers la Flandre, le Brabant, la Picardie se déroula, malgré le temps maussade, dans l'enchantement de la lumière italienne. Passé Creil, Rubens, qui s'était tu depuis un quart d'heure, dit à son jeune compagnon :

– Vois-tu, je me demande s'il est mieux de voyager accompagné d'une bourse bien garnie ou de galoper en gueux, sans savoir si l'on dormira à la belle étoile ou dans une cellule de moine. Eh bien! je crois que les lieues du pauvre sont plus riches en souvenirs et en connaissances! Tiens, tu as bu mes discours sur le passé et tu t'es à peine intéressé aux paysages que nous avons traversés.

– Vous avez raison, mon maître, mais vos souvenirs de pauvreté lumineuse sont ceux de votre jeunesse. Je ne crois pas qu'aujourd'hui vous aimeriez tellement arriver à Paris sans avoir les moyens de choisir une bonne auberge. Il y a, je pense, un temps pour tout! Etre le meilleur peintre de son époque ne doit pas être tellement désagréable.

– Tu raisonnes juste. Il est vrai que je suis un notable, un homme arrivé, honoré, et que j'ai appris à apprécier les aises que procure la fortune, mais que je voudrais avoir vingt ans pour partir les poches vides, avec un crayon et du papier comme seules chances de souper! Allons, nous approchons de Paris, où une reine nous attend. C'est une perspective somme toute bien agréable!

Le maître et son élève trouvèrent près de Notre-Dame, qu'ils se promirent de visiter dès le lendemain, une auberge de bon aloi où ils purent faire soigner, nourrir et dormir les chevaux. L'aubergiste des Trois-Marches leur proposa sa meilleure chambre, dont la fenêtre donnait sur les jardins du couvent des sœurs de l'Adoration. Il leur jura que les draps étaient propres et qu'aucune punaise ne troublerait leur sommeil. Pierre-Paul, à qui l'on avait rapporté que les auberges parisiennes étaient mal tenues, se dit qu'ils avaient de la chance, d'autant que de la rôtisserie de la grande salle montait une bonne odeur de graisse qu'un colosse coiffé d'une toque blanche faisait ruisseler sur les poulets, canards et pigeons embrochés au-dessus d'un épais brasier. Comme

Pierre-Paul et Cornelis, qui avaient décidé de manger à l'auberge, regardaient avec intérêt ce spectacle de haut goût, le sieur Tournebroche, propriétaire de l'enseigne des Trois-Marches, s'approcha, une bouteille à la main :

– Seigneurs qui venez de si loin, acceptez de trinquer, c'est un mot que vous entendrez souvent en France, avec Jacobus Tournebroche, aubergiste et rôtisseur de son état. L'intérêt que vous portez au grésillement de la peau dorée de ces nobles volailles montre que vous êtes d'honnêtes chrétiens. Regardez avec quelle délicatesse, j'allais dire quel amour, Nicolas arrose ce canard ! Il manie sa longue louche avec l'élégance d'un joueur de viole. Cette pureté du geste va se retrouver tout à l'heure dans votre assiette. En attendant, donnez vos pichets, que je vous verse un rouge-bord !

Rubens, dont le visage commençait lui aussi à rôtir devant la cheminée, remercia en riant l'aubergiste poète.

Réveillés après une bonne nuit par les cloches de Notre-Dame, les deux Flamands gagnèrent le Louvre en longeant les bords de Seine. Le palais des rois de France les impressionna par ses dimensions. Avant d'arriver au pont-levis qui donnait accès à la salle des gardes, ils furent arrêtés par un chariot qui déversait des matériaux.

– On semble agrandir encore ce palais que je trouve triste comme une prison ! dit Rubens à son compagnon.

A ce moment, un homme dont l'habit recherché faisait penser qu'il n'avait rien à faire dans les terres boueuses d'un chantier, s'avança en souriant :

– Vous avez raison, monsieur, j'ai entendu vos propos, le palais des rois de France est d'un aspect sinistre. Je devine que vous êtes étrangers et j'espère que vous rapporterez chez vous un meilleur souvenir de notre ville si je vous dis que je suis ici pour ajouter au palais un pavillon dont l'architecture sera moins austère. Mais permettez-moi de me présenter, je suis Jacques Lemercier, dessinateur, graveur, premier architecte du roi. Et vous, messieurs, puis-je demander quelle est votre nationalité?

– Nous sommes flamands, nous arrivons d'Anvers et, comme vous, sommes des artistes. Je suis mandé par Sa Majesté la reine mère pour orner par de grands tableaux sa résidence de Luxembourg. Mon nom est Pierre-Paul Rubens…

– Comment? Vous êtes Rubens? Comme je suis heureux de vous avoir interpellé! Vos œuvres sont peu connues en France, mais tous ceux qui s'intéressent à l'art savent que vous êtes l'un des meilleurs peintres de l'époque. Vous allez sans doute vivre à Paris un certain temps et j'espère que nous aurons l'occasion de nous rencontrer.

– Ce sera un plaisir et un honneur. Une question, s'il vous plaît, connaissez-vous Fabri de Peiresc?

– Tout Parisien qui a touché un crayon dans sa vie connaît Peiresc. C'est le connaisseur d'art le plus subtil et l'homme le plus savant que j'aie approché. Monsieur de Peiresc est de vos amis?

– Oui, et je compte bien le rencontrer. Figurez-vous que j'échange avec lui depuis plus de dix ans un courrier régulier, des livres, des pièces rares, et que nous ne nous sommes jamais vus. J'espère que l'occasion me sera donnée de faire enfin sa connaissance.

– Cela ne manquera pas, je crois qu'il est en ce moment à Paris. Quant à votre mission artistique, je vous souhaite bonne chance. La reine mère est une femme de goût, plus que son fils, qui n'attache pas beaucoup d'intérêt aux choses de l'art, mais elle n'est pas d'un caractère commode. Bonne chance! Avec l'espoir de bientôt vous revoir.

Les deux Flamands saluèrent feutre bas et atteignirent un peu plus loin l'entrée du pont-levis gardée par des hallebardiers d'un autre siècle, qui rappelèrent à Pierre-Paul les gardes suisses du Vatican. Rubens dut, pour entrer, montrer la lettre de l'abbé de Saint-Ambroise. Le sésame était de haut rang. Il leur ouvrit la porte de la salle des gardes où, les propos criards se turent à l'arrivée des Flamands. Le capitaine lut la lettre à son tour et ordonna à un gendarme, ridicule sans son cheval, de conduire les visiteurs jusqu'au cabinet de la trésorerie. Après une cavalcade derrière l'homme dont les éperons sonnaient la charge dans les couloirs, ils furent introduits dans une pièce aux tentures sombres :

– L'intérieur est aussi rébarbatif que l'extérieur, constata Cornelis.

– Ce n'est pas, Dieu merci, ce château fort que nous aurons à décorer. Le palais de la reine mère se construit tout de frais dans un beau jardin.

L'arrivée d'un personnage encore jeune, élégamment vêtu, qui n'avait d'abbé que le petit collet, fit cesser les commentaires :

– Maître Rubens, je vous remercie d'avoir répondu si vite à l'invitation de Sa Majesté. Avez-vous fait bon voyage ?

– Très bon, monsieur l'abbé. Mon élève Cornelis de Vos, qui est déjà un excellent artiste, m'a accompagné et m'aidera à satisfaire Sa Majesté la reine mère.

– Sa Majesté vous expliquera elle-même ce qu'elle souhaite, mais je vais déjà vous dire de quoi il s'agit. C'est une mission considérable qu'elle veut vous confier : la peinture d'une vingtaine de compositions de grandes dimensions destinées à orner la galerie située au premier étage de l'aile ouest du palais du Luxembourg. Le sujet? Son histoire. Je n'ajoute pas «simplement», car il vous faudra beaucoup de talent et d'imagination pour raconter certains épisodes délicats de la vie de notre reine. Vous n'ignorez pas que, si Dieu a permis la réconciliation de Sa Majesté le roi et de sa mère, il n'en a pas toujours été ainsi. Vous devrez donc toujours avoir à l'esprit de ne pas offenser le roi dans vos représentations et de ne pas vous attirer l'hostilité d'une partie de la cour.

– C'est avec le plus profond désir de satisfaire Sa Majesté que j'entreprendrai ce travail. Je pense que c'est avec vous, monsieur le trésorier, que je devrai régler les modalités de l'affaire.

– Avec moi, mais, surtout, avec Madame la reine mère qui, vous pouvez en être sûr, étudiera le contrat dans ses moindres détails. Vous la rencontrerez demain vers quatre heures au Luxembourg, où elle va souvent, bien que les travaux ne soient pas complètement achevés. Puis-je vous demander où vous êtes descendu à Paris?

– Dans une auberge convenable, Les Trois-Marches, mais je compte dès aujourd'hui chercher une demeure plus pratique et plus digne. Je souhaite que ce logement soit assez vaste pour y travailler et proche du Louvre afin d'avoir facilement accès à la bibliothèque royale, que je vous demanderai de bien vouloir me rendre accessible. Il me sera nécessaire en effet de me documenter sur des points d'histoire que j'aurai à traiter.

– C'est facile. Je trouverai quelqu'un pour vous assister dans vos recherches. Quant à votre logement, une partie d'un hôtel autrefois propriété de feu le maréchal d'Ancre, Concini, est vacant. Je vais m'assurer que les domestiques y demeurent encore. Il est situé rue des Bons-Enfants. Passez-y et, si le local vous convient, installez-vous. Vous êtes l'hôte de Sa Majesté le roi. Je vous souhaite un bon séjour, maître Rubens. Je vous reverrai demain au Luxembourg vers deux heures.

Monsieur de Mugis, abbé de Saint-Ambroise, petit homme à l'œil vif et à la démarche sautillante, sortit par une porte que dissimulait une lourde portière et laissa Rubens et son compagnon à leur étonnement de voir les choses aller si vite :

– Eh bien, dit le maître, nous n'avons pas de temps à perdre. Allons tout de suite rue des Bons-Enfants, ce doit être tout près, et installons-nous chez le maréchal d'Ancre, qui, d'après ce que je sais, a été un fieffé *briconne* avant de se faire assassiner. L'abbé a parlé de domestiques, j'espère qu'il y aura un valet pour s'occuper des chevaux, sinon nous en engagerons un.

Le lendemain matin, ils étaient établis au rez-de-chaussée d'une confortable demeure où un maître d'hôtel, deux valets, une cuisinière et une femme de charge les traitaient en seigneurs, ce qui ne changeait d'ailleurs pas Rubens, habitué depuis longtemps à un train de maison important. Afin de pouvoir circuler aisément dans Paris qu'il ne connaissait pas, Rubens chargea Moupoux, le maître d'hôtel, de louer une voiture. C'est donc en carrosse que Pierre-Paul Rubens et son fidèle Cornelis, chargé d'un matériel léger de dessin, se rendirent au rendez-vous de Marie de Médicis.

Le palais du Luxembourg, tout de blanc sorti de la verdure d'un grand parc, montrait belle allure. La reine mère avait d'abord pensé construire « quelque chose dans la forme du palais Pitti » de son enfance. Elle avait fait venir des plans de Florence mais avait choisi finalement le projet de l'architecte Salomon de Brosse. Le 2 avril 1615, la régente, au sommet de sa puissance, avait posé la première pierre de son palais, et les travaux avaient vite progressé, mais l'assassinat de Concini et son exil à Blois les avaient interrompus. Ce n'est qu'à son retour que la reine mère leur avait donné une nouvelle impulsion, aidée par son plus proche conseiller, monsieur de Richelieu.

L'édifice était bien venu. Il surprit Rubens par sa grandeur et l'élégance de son architecture. Le Flamand s'étonna pourtant de voir partout des ouvriers, maçons ou peintres, s'affairer, pousser des brouettes ou porter des échelles. A l'évidence, le palais n'était pas achevé, et Rubens se demanda si les murs qu'il devait décorer étaient déjà élevés.

L'abbé de Saint-Ambroise les attendait à l'entrée d'un grand salon fraîchement peint, meublé de quelques fauteuils et d'une table.

– Messieurs, le palais de la reine n'est pas, comme vous pouvez le constater, encore en état. Il le sera avant un an, vos tableaux seront accrochés dans les appartements de Sa Majesté. Venez, je vais vous montrer la galerie du premier étage où éclateront les couleurs de vos œuvres.

C'était pour un peintre, même pour Rubens dont les tableaux ornaient les murs de plusieurs palais royaux, une occasion unique d'exprimer son génie.

– Ces murs et cette lumière, dit-il, appellent l'artiste à se surpasser. Je m'y essaierai, mais les thèmes que j'aurai à développer me sont encore inconnus.

– La reine, je vous l'ai dit, veut que vous illustriez les grands moments de sa vie. La liste n'est pas encore arrêtée et je laisse à Sa Majesté le soin de vous instruire de son choix.

Le carrosse de la reine s'arrêta peu après devant le portique de l'entrée et, de la fenêtre de l'étage, Rubens vit descendre l'imposante souveraine dont les formes lourdes, bien qu'il fût habitué aux grasses figures des femmes flamandes, le surprirent. Elle lui parut cependant agile dans sa démarche, et son visage, autant qu'il pouvait le distinguer, ingrat sans être disgracieux. «Diable, pensa-t-il, non seulement je vais avoir à peindre une apologie de cette dame mais encore devrai-je l'embellir!»

– Descendons, dit l'abbé de Saint-Ambroise, la reine vous attend dans le salon où je vous ai reçu, le seul où l'on puisse s'asseoir.

Marie de Médicis accueillit le peintre avec un sourire qu'il jugea un peu condescendant et, tout en le dévisageant avec curiosité, le pria de prendre place en face d'elle :

– Monsieur Rubens, tout le monde me dit que vous êtes l'artiste le plus capable de peindre ma vie en vingt grands tableaux. Est-ce que vos occupations qui, je le sais, sont multiples vous permettent de consacrer à cette commande le temps nécessaire?

– Madame, l'honneur de servir Votre Majesté est trop grand pour que je ne lui sacrifie tous mes autres travaux.

Elle opina et, comme elle n'avait pas eu un regard pour Cornelis, Pierre-Paul le lui présenta :

– Monsieur de Vos est l'un des meilleurs peintres flamands actuels et il est heureux qu'il puisse me seconder. Votre Majesté peut-elle me dire par quelle scène elle souhaite que je commence à peindre sa vie très illustre?

– Le premier acte important de mon histoire est le mariage par procuration à Florence. Il faudra trouver des gens qui assistaient à la cérémonie. Bellegarde, le Grand

Ecuyer, y était forcément, c'est lui qui a apporté, accompagné d'une quarantaine de gentilshommes, les documents nécessaires au mariage.

Rubens sourit :

— Votre Majesté, j'étais, le 5 octobre 1600, dans la cathédrale de Florence.

— Comment? Vous étiez là? Vous avez assisté à la cérémonie?

— Je l'ai même dessinée. Et peinte par la suite. Rappelez-vous le tableau que mon maître d'alors, le duc de Mantoue, votre beau-frère, vous a apporté en cadeau lors de sa visite à Paris.

— Mais oui, j'avais oublié l'existence de ce petit tableau. Il a été longtemps accroché dans mon cabinet et puis, avec tous les événements qui ont bouleversé ma vie, il a disparu. Mais il peut aujourd'hui vous servir, je vais le faire rechercher.

— Rassurez-vous, madame, j'ai gardé beaucoup de dessins de ma période italienne et ceux de votre mariage sont dans mes cartons. Je les ai même apportés. Cornelis, veuillez montrer à Sa Majesté les croquis de la cérémonie à la cathédrale.

La reine mère, qui semblait difficile à émouvoir, sembla touchée en reconnaissant, au hasard des crayonnés du Flamand, les traits de son oncle le grand-duc de Toscane, du cardinal Aldobrandini, du duc de Mantoue, de sa sœur Eléonore et de bien d'autres personnages familiers qu'elle n'avait jamais revus depuis sa venue en France.

Il sembla à Rubens qu'elle essuyait une larme du bout de son petit doigt, mais c'était peut-être une poussière. Elle regarda encore les quelques dessins que Rubens avait faits, et dit :

– J'étais belle en ce temps-là! Le roi Henri me l'a dit souvent et j'ai la faiblesse de croire qu'il disait vrai.

– Mais Votre Majesté est toujours belle!

– Monsieur Rubens, vous me flatterez des touches de votre pinceau si bon vous semble, mais ne vous croyez pas obligé de me louanger de vos paroles. J'ai cinquante-deux ans et, si je sais que je peux être fière de mon allure et de ma dignité dans le maintien, je n'ignore pas que les soucis ont marqué mon visage! Mais revenons à nos projets. Ne pensez-vous pas qu'il serait bien de commencer le cycle de ma vie par une peinture allégorique du roi Henri découvrant mes traits à travers le portrait qu'on lui a fait tenir?

– C'est, Madame, une très bonne idée. Voici déjà deux scènes mémorables…

– On continuera par le débarquement à Marseille, le vrai mariage à Lyon. L'apothéose d'Henri IV.

– Je vais, Madame, me mettre tout de suite au travail et vous apporterai très vite mes premières esquisses.

– J'y compte, monsieur Rubens. Je vous soumettrai alors le projet du contrat qui va nous lier pour quelques années.

Pierre-Paul Rubens n'était pas le seul occupant de la rue des Bons-Enfants. A l'étage supérieur vivait le comte François de Barradat, qui avait servi Schomberg en qualité de premier page et dont la compagnie, à la chasse, était fort prisée du roi. Questionné par Cornelis, Moupoux, le maître d'hôtel, avait dit qu'il était de plus en plus en faveur et que le roi ne tarderait pas à lui donner la charge de premier écuyer. Bel homme, jeune et avenant, il s'annonça un matin chez les peintres, au travail déjà dans la plus grande pièce de la demeure transformée en atelier.

– Maître, dit-il, je suis fier d'avoir pour voisin le peintre le plus célèbre, non seulement chez vous, dans les Flandres, mais à la cour. Au Louvre, on ne parle que de vous, de la commande de la reine mère et même du projet du roi de vous faire peindre aussi l'histoire de son père. C'est ce qu'il m'a confié hier dans le carrosse qui nous menait à la chasse. Aimez-vous chasser, monsieur Rubens ?

– Non, mais j'aime les chevaux. S'il fallait compter le nombre de lieues que j'ai parcourues en Flandre, en Allemagne, en Italie, en Espagne et en France !

– Vous êtes un homme heureux, monsieur Rubens ! L'art, mieux que la guerre et la vie de cour, enchante l'existence.

– Oui, quand on parvient, comme moi, au fait de la reconnaissance du monde. Hélas, il y a tant d'artistes qui peinent !

– Vous avez raison. Permettez-moi de vous poser une question. Allez-vous occulter certaines scènes capitales de la vie de Marie de Médicis, comme les guerres qui l'ont opposée à son fils ?

– Certes, ma mission n'est pas facile. Le palais n'est pas terminé, l'architecte Salomon de Brosse ne peut pas encore me donner la surface exacte des murs à décorer ni les dimensions de mes tableaux. La reine mère me demande de toute évidence de peindre son apologie et je n'ignore pas que les événements qu'on me demande d'illustrer m'interdisent un choix naturaliste.

– Alors, comment ferez-vous ?

– Je recourrai à un procédé qui m'a déjà réussi : l'allégorie.

Une autre visite lui apporta un plaisir plus profond, celle de Fabri de Pereisc qui, sitôt arrivé de sa Provence, courut rue des Bons-Enfants.

Les deux amis, qui ne se connaissaient que de façon épistolaires, tombèrent dans les bras l'un de l'autre. Ils avaient tellement de choses à se dire qu'ils restèrent muets un moment avant de redécouvrir la richesse de leurs passions communes.

– Que ne sommes-nous à Anvers que je puisse vous montrer mes collections d'antiques et mes derniers tableaux! répétait Rubens.

– Ou dans le jardin botanique qui entoure ma maison d'Aix, où poussent tant de plantes inconnues! répondait son compère.

Chaque fin d'après-midi, à l'heure où d'habitude le peintre faisait sa promenade à cheval du côté de la mer, Peiresc emmenait son ami dans de longues marches à travers Paris. Le maître avait naturellement son carnet de dessin dans la poche pour croquer vivement, sous le regard admiratif de son compagnon, le Pont-Neuf, la Sainte-Chapelle ou les étals du marché Saint-Honoré. Parfois, un peintre, protégé de Peiresc, accompagnait les deux amis et écoutait religieusement les propos de Rubens. Le jeune Poussin espérait une commande des jésuites et parlait du voyage en Italie qu'il remettait depuis des années, faute d'argent. Cela agaçait un peu le maître. N'était-il pas parti lui-même pour Rome sans un sou en poche? Et il rapportait le propos de son maître à lui, Otto Vénius: «Sur la route, avec un crayon et du papier, tu trouveras toujours le vivre et le couvert.»

Des semaines passèrent. Rubens profitait de ses visites à la bibliothèque pour flâner à la cour où son accent et son habit sans dorures ni rubans éveillaient les curiosités. Souvent, une belle dame ou un fringant officier l'abordaient et lui demandaient s'il était bien le célèbre peintre de la reine mère. D'autres, plus avertis des choses de l'art, le questionnaient sur son atelier anversois. Le maréchal de Bassompierre, qui avait vu à Madrid le portrait équestre du duc de Lerma, lui parla de son séjour à la cour d'Espagne. Rubens recherchait ces conversations, qui lui permettaient d'écouter, d'observer et même de poser des questions moins naïves qu'il n'y paraissait sur les affaires du royaume ou la position du gouvernement sur la guerre qui avait repris entre la Hollande et l'Espagne. Il n'oubliait pas la mission sous couvert dont l'infante Isabelle l'avait chargé et pour laquelle il recevait du gouvernement de l'archiduchesse une pension de 40 thalers par mois.

Il avait plusieurs fois été reçu par Marie de Médicis, à qui il avait montré quelques esquisses. Son charme opérant, il avait enfin obtenu le contrat sans lequel l'entreprise imposante du Luxembourg risquait d'être écartée du jour au lendemain de ses préoccupations. Que la reine mère se brouille à nouveau avec son fils et c'en était fait du projet le plus ambitieux de sa carrière. Mais la concorde régnait. Depuis la disparition de Luynes, la reine mère, après avoir renoué avec le roi, sans pour autant avoir retrouvé son entière confiance, profitait désormais du privilège de pouvoir assister à quelques séances du Conseil. Quant au cardinal de Richelieu, toujours au service de Marie de Médicis, il attendait patiemment l'heure où le jeune roi ferait appel à son expérience.

Le contrat allait de pair avec l'importance de l'enjeu. Il fut convenu que Rubens recevrait 60 000 livres tournois pour l'ensemble de la commande de deux séries de toiles, l'une consacrée à l'histoire de Marie de Médicis, l'autre à celle d'Henri IV. Cela n'allait pas sans retenues. La reine mère se réservait le droit d'augmenter ou de diminuer le nombre des œuvres et aussi de faire retoucher ou modifier les figures qui ne lui plairaient pas. Afin de se soustraire aux critiques et aux inévitables remarques de la reine et de son entourage, Rubens, quitte à faire la navette entre Paris et Anvers, décida qu'il travaillerait chez lui, près de sa famille, dans son atelier, en compagnie de ses aides habituels.

L'heure du départ n'était pourtant pas venue. Contrat en poche, il se lança avec ardeur dans la préparation de la grande aventure. Le maître sollicita une séance de pose de la reine mère afin d'emporter au Wapper deux sanguines, l'une de face, l'autre de profil, qui lui serviraient de modèles[1]. Ce tête-à-tête permit à Marie de Médicis de mieux connaître son artiste et à ce dernier d'expliquer à son royal modèle la manière dont il userait pour illustrer les grands moments de sa destinée.

Jusqu'à la fin de février, Pierre-Paul et Cornelis usèrent quantités de feuilles et de bouquets de fusains, achetés dans la boutique de Ducerceau, près de Saint-Germain-l'Auxerrois, à l'enseigne du Bon Peintre. Il s'agissait de présenter à Marie de Médicis les esquisses des sept premières toiles et de fixer le thème des douze suivantes. Ainsi furent conçues dans la fièvre *Les Histoires de la vie très illustre et gestes héroïques de la Dame-Reine*, comme on nomma officiellement le cycle destiné à orner les murs de la grande galerie du palais du Luxembourg.

Dans les premiers jours de mars 1622, par un temps glacial qui laissait mal augurer du voyage, les deux Flamands

---

1. Le deuxième portrait de face a été conservé et se trouve actuellement au Louvre.

quittèrent enfin Paris et s'engagèrent, après avoir longé le fleuve et le mur des Fermiers-Généraux, sur la route du nord. Rubens avait décidé de s'arrêter à Bruxelles afin de faire part à l'archiduchesse Isabelle de ses observations. Le 10 mars, il était de retour à Anvers. C'est son chien Flatt, qui, par de bruyants aboiements, prévint la maisonnée du Wapper de son arrivée. La nuit tombait, Isabelle qui donnait des ordres à la cuisine devina que seul le retour du maître pouvait réveiller si bruyamment le vieux Flatt. Elle se précipita pour accueillir Pierre-Paul qui, trempé par l'orage qu'il venait de traverser, mettait pied à terre. Il l'embrassa tendrement et dit à Cornelis qui le suivait :

– Pourvu que l'humidité n'ait pas détérioré les esquisses ! Sors-les de leur emballage et fais-les sécher dans l'atelier. C'est le fruit de deux mois de travail, ma mie, poursuivit-il à l'adresse d'Isabelle. Tu ne peux pas savoir, ma douce, combien il est difficile de magnifier l'histoire d'une reine vieillie et usée par une existence peut-être royale mais peu enviable.

A la table du souper, à laquelle les enfants furent exceptionnellement admis, le père, malgré la fatigue du voyage, dut raconter Paris, Notre-Dame, la cour et le Louvre.

– Père, allez-vous retourner dans le royaume de France ? demanda Albert, l'aîné.

– Il le faudra bien. J'aurais dû normalement exécuter le travail sur place mais je n'ai pas voulu rester longtemps éloigné de vous.

La commande de Marie de Médicis bouleversa l'organisation de l'atelier du Wapper. Avant de dégager les murs pour y tendre les gigantesques toiles commandées tout exprès à une filature de Bruges, le maître choisit les artistes qui abandonneraient les travaux en cours pour l'aider dans sa tâche pharaonique. Il s'était engagé à revenir à Paris au plus tard en mai, pour présenter à la reine une vingtaine d'esquisses plus poussées. Rubens avait décidé de les peindre en grisaille sur des cartons et des panneaux de chêne de petite dimension[1].

Cette phase préparatoire était la plus délicate. C'était celle de l'invention, de la recherche qui permettraient de traiter les scènes politiques sans choquer les acteurs. Ainsi les sujets *La Mère du roi et la Régence*, *La Paix de la régence* et *La Remise du gouvernement entre les mains du roi* furent-ils expurgés de toute idée polémique grâce au subterfuge des symboles et à la présence des anges et des divinités plantureuses.

Seul Rubens pouvait s'acquitter de cette étape préparatoire. Plus tard, quand il s'agirait de peindre la toile, Cornelis, Juste d'Egmont, Wildens, Frans Snyders et les autres pourraient l'aider, mais maintenant ils ne pouvaient que préparer les supports et écouter le maître faire crier la craie sur le bois pour disposer les personnages et leur donner vie selon les plans qu'il avait depuis longtemps en mémoire.

– Etonnant! dit Snyders à un compagnon qui regardait comme lui Rubens extraire des visages, des chairs, des décors lumineux de la grisaille des craies. Les tableaux destinés au palais de la reine, le maître les a tous dans sa tête. Je suis même sûr qu'il les voit déjà accrochés dans les galeries auxquelles ils sont destinés.

Ce furent donc vingt-quatre esquisses, grisailles ou, pour quelques-unes, études en couleur, toutes de sa main, que

---

1. 65 cm x 50 cm. Ces esquisses ont presque toutes été conservées. Seize sont aujourd'hui à la Pinacothèque de Munich, cinq au musée de l'Ermitage et une au Louvre.

Rubens emporta à Paris le 15 mai. Impossible cette fois de faire tenir les panneaux de chêne dans des sacoches pendues à la selle des chevaux. Le maître et Cornelis abandonnèrent avec regret leurs fidèles montures pour un long carrosse à deux chevaux, qu'ils firent aménager par le charron. Une voiture plus petite eût fait l'affaire mais Rubens pensait déjà aux grandes toiles peintes qu'il faudrait acheminer lorsqu'elles seraient achevées.

Au Louvre, l'abbé de Saint-Ambroise l'attendait :

– Vous êtes espéré, maître Rubens. Veuillez, s'il vous plaît, disposer vos études dans le grand salon où Sa Majesté viendra les regarder.

Pierre-Paul et Cornelis posèrent un à un les panneaux sur les bras des fauteuils en respectant l'ordre chronologique selon lequel les tableaux seraient accrochés dans la galerie qui leur était réservée. L'abbé suivit l'opération avec intérêt et parut apprécier le travail des Flamands. Son avis était important, car il était, à la cour, celui qui connaissait le mieux les œuvres d'art et, en particulier, la peinture. Il inquiéta Rubens en lui disant que la reine avait souffert toute la nuit d'une rage de dents. Marie de Médicis ne parut pourtant pas affectée lorsqu'elle fit son entrée, droite et imposante, en compagnie de la duchesse de Longueville. Un sourire éclairait même son visage.

– Maître, vous êtes ponctuel et je vous en sais gré. Je vois que vous avez installé vos œuvres, ou plutôt leurs esquisses. Par où commençons-nous ?

Rubens lui montra le premier panneau, qui, ce n'était pas un hasard, avait été rehaussé de couleurs :

– Voici, Madame, *La Présentation du portrait de Son Altesse au roi Henri IV*.

Marie s'approcha et fixa avec émotion la composition dominée par la fière stature du Béarnais, tête cabrée, barbiche en pointe, serré dans une armure dorée finement ciselée. Le roi découvrait les traits de sa future épouse sur le portrait que lui présentaient deux anges.

– J'étais belle, n'est-ce pas, quand j'avais vingt ans? demanda-t-elle à Rubens.

Il approuva en s'abstenant de faire marquer à la reine qu'elle en avait vingt-sept en 1600. Marie s'émut encore en remarquant les deux angelots qui, en bas du tableau, jouaient avec le casque emplumé et le bouclier du héros. Sur un autre fauteuil, elle retrouva *Le Souvenir du mariage par procuration à Florence*, et Rubens souligna dans un sourire :

– C'est la seule scène dont j'aie été le témoin. J'espère que vous la trouvez juste. Les figures des illustres protagonistes seront encore plus ressemblantes sur le grand tableau.

Marie de Médicis dut demander des explications à propos des scènes où le peintre avait eu recours aux allégories. *L'Apothéose d'Henri IV et la Proclamation de la régence*, où la mort du roi était figurée par son ascension au ciel, la retint un long moment. Mais *Le Sacre de la reine* l'émut plus que tous les autres sujets. Comme une confidence, elle dit à Rubens :

– La cérémonie du couronnement a été pour moi le plus grand jour de ma vie. Ce fut la plus belle chose qu'on puisse faire en France. Elle a été semblable en beauté à l'ordre divin du Paradis. Je vous en supplie, monsieur Rubens, faites que ce tableau soit admirable!

– Je le promets à Votre Majesté. Elle pourra reconnaître tous ceux qui ont assisté à la cérémonie, et aussi le décor de la basilique de Saint-Denis!

A son retour à Anvers, le 3 novembre 1622, c'est le premier tableau qu'il commença à peindre, une immense toile qui occuperait durant des semaines le plus grand mur de l'atelier[1]. Seule entorse au réalisme de la scène : Rubens pria son ami Frans Snyders d'ajouter en bas du tableau, à droite, deux chiens jouant sur les marches de l'autel, aux pieds de la reine couronnée[2].

Rubens entreprit ensuite l'exécution de *L'Arrivée de Marie à Marseille*. La composition, dont l'esquisse avait étonné la reine, était étrange. Aux personnages bien réels de Marie, de sa sœur Eléonore de Mantoue, de sa tante la grande-duchesse Christine et du chevalier de Malte don Pedro de Mendoza, Rubens mêla, comme dans l'étude, les allégories de la France et de Marseille, ainsi que, dans la partie inférieure, deux tritons et trois plantureuses sirènes. Juste d'Egmont s'était chargé des premiers et Pierre-Paul, après avoir cherché dans ses carnets de croquis parisiens, avait repris le pinceau pour donner des couleurs aux séduisantes baigneuses. Il prit visiblement plaisir à copier au fusain puis à peindre les trois sirènes dans des poses lascives. Cambrant le buste, s'enlaçant dans les flots, tendant les bras vers la passerelle, elles emportaient la scène et réduisaient presque au rang de figurantes les princesses florentines. Cornelis de Vos qui regardait peindre Rubens dit en montrant le tableau :

– Voilà, maître, qui nous rappelle une heureuse matinée.

Rubens le transperça du regard :

---

1. La toile mesure exactement 7 m 27 × 3 m 94.
2. Un chien figure aussi dans *Le Mariage par procuration à Florence*, aux pieds de Marie de Médicis, prêt à mordiller sa traîne. La seule raison plausible à cette présence insolite se trouve peut-être dans le fait que Rubens avait besoin de combler un vide et qu'il aimait beaucoup les chiens.

– Ce à quoi vous faites allusion, ce travail, s'est passé à Paris et s'efface au moment où mon pinceau le porte sur la toile. Oubliez-le aussi si vous tenez à m'accompagner lors du prochain convoi des œuvres.

Cornelis, penaud, pria le maître de l'excuser. Comme le paysagiste Wildens lui demandait un peu plus tard ce que cachaient ces propos sibyllins, Cornelis raconta :

– Un jour, nous flânions dans une rue derrière Saint-Germain-l'Auxerrois quand le maître remarqua trois jolies fileuses qui, derrière une fenêtre, maniaient alertement le fuseau. «Regarde, me dit-il, l'admirable chevelure brune de ces filles et leurs traits réguliers. J'ai trouvé mes modèles pour les sirènes du "Débarquement à Marseille". Entrons!»

– Et alors?

– Le maître expliqua aux femmes, deux sœurs et leur nièce, qu'il décorait pour la reine Marie son palais du Luxembourg et qu'il avait besoin de modèles pour figurer trois sirènes folâtrant dans les flots auprès de la galère royale. Il ajouta qu'il baillerai à chacune cinq beaux écus si elles acceptaient de poser nues un jour prochain. Les trois Grâces se firent un peu prier et, finalement, acceptèrent, puisqu'il s'agissait en quelque sorte d'un service royal. Nous revînmes le lendemain avec le matériel, et le maître leur fit prendre sur le lit des poses qui mettaient en valeur leur chair lumineuse. Elles l'inspirèrent. Il a rapporté moult dessins des trois Parisiennes.

– Et après? demanda Wildens intéressé.

– Après? N'as-tu pas entendu ce qu'a dit le maître!

– Mais il n'a peint qu'une brune, les deux autres sirènes sont blondes!

– C'est qu'il a dû changer d'avis!

Tout un hiver, durant six mois, l'atelier du Wapper travailla à plein régime. Peintre avec passion, Rubens, pressé par l'impatience de Marie de Médicis, mit en action ses surprenantes possibilités d'entrepreneur, de chef d'entreprise, d'homme d'affaires avisé. Sans se départir d'une constante politesse d'âme, il n'était pas un maître despotique, il partageait son temps entre son rôle de créateur et celui de superviseur des travaux qu'il déléguait.

Dans les arts, en particulier la peinture, l'atelier existait depuis longtemps, mais Rubens lui donnait un nouveau statut, une importance indispensable à l'accomplissement de ses engagements. «Une commande royale ne se refuse pas», disait-il. Et voilà qu'à celle de la reine mère s'ajoutait la demande de douze cartons de tapisseries consacrées à la vie de Constantin, un cadeau destiné à Louis XIII. Pas question de laisser filer Constantin dans un autre atelier. Le maître fit donc préparer des petites planchettes de vingt pouces, se procura à la librairie Plantin une chronique du règne de Constantin publiée par le cardinal Baroni, et ne sortit plus de son atelier personnel avant d'avoir élaboré douze études sur lesquelles les aides posèrent les couleurs subtiles employées en tapisserie.

Répondant à l'abbé de Saint-Ambroise qui lui écrivait que la reine voulait voir très vite les tableaux qui étaient achevés, Rubens reprit la route de Paris, où il arriva le 24 mai 1623. Il appréhendait ce transport, mais les neuf premières toiles, roulées comme des tapis et enveloppées dans des couvertures, arrivèrent sans encombre au palais du Luxembourg où il avait décidé de s'installer. Deux menuisiers montèrent des bâtis sur lesquels Rubens, aidé de Cornelis, tendit une à une les toiles, un travail délicat dont, Dieu merci, les couleurs souffrirent peu. Après quelques retouches, le maître et son aide procédèrent à un accrochage provisoire sans cadres. La partie ouest de la galerie brilla d'un coup des feux de la divine palette. Marie de Médicis pouvait venir revivre sur ses murs sa peu banale histoire.

Ainsi, le 29 mai, Rubens, qui, pour la circonstance, avait revêtu le pourpoint noir qu'il réservait aux grands événements, présenta ses œuvres à Sa Majesté venue tout exprès de Fontainebleau. Quand elle eut embrassé d'un regard l'univers rubénien de sa vie, le maître lui expliqua une à une les scènes représentées. Il ne les avait pas conçues et peintes sans en connaître les plus infimes détails et sut les commenter d'agréable façon. Marie était conquise. Elle loua sans réserve : «Excellent», «Admirablement réussi», «Que j'aime celui-là!»… trouvant pour chaque tableau une nouvelle manière d'exprimer sa satisfaction.

– C'est tellement beau que je ne vais plus pouvoir respirer avant d'avoir admiré le reste! Et il y en a beaucoup, si l'on compte la série du roi Henri! Il vous faut, maître Rubens, aller plus vite. Tout, je n'en démordrai pas, doit être en place au plus tard au début de 1625. Cela vous laisse presque deux ans pour achever votre travail, mais je suis certaine que vous aurez terminé bien avant!

Rasséréné, Pierre-Paul poursuivit ses promenades avec l'ami Peiresc et couvrit un cahier entier de croquis parisiens. Cornelis raconterait plus tard que le maître dut retourner chez les sœurs Capaïo pour dessiner la jeune nièce Louisa, beauté très particulière qu'il ne trouverait pas à Anvers.

Rubens profita de son séjour pour passer quelques heures chaque jour à la bibliothèque royale. En fait, il attendait le paiement de la première partie de la commande, règlement que l'abbé de Saint-Ambroise tardait à effectuer. Il s'y était fait des connaissances et, au hasard des conversations, moissonnait des renseignements sur la cour, les ministres, le rôle de la reine mère dans le gouvernement et d'autres informations susceptibles d'intéresser l'infante Isabelle.

Il apprit ainsi que Louis XIII, âgé maintenant de vingt-cinq ans, n'était pas heureux. Après la lune de miel qui avait suivi son « mariage parfait », un refroidissement était survenu dans le ménage. La reine mère n'y était pas étrangère et l'entourage d'Anne d'Autriche, auquel le roi reprochait sa légèreté, non plus. Il accusait madame de Luynes et mademoiselle de Verneuil, intimes de sa femme, d'être responsables de la perte de l'enfant qu'elle portait. En ranimant le douloureux problème de la succession, ce nouvel accident, qui survenait après plusieurs fausses couches de la reine, avait mis fin à la bonne entente des deux époux.

Tandis que Rubens, ravi de jouer les agents diplomatiques, rédigeait la note qu'il allait remettre à l'archiduchesse, un autre observateur continuait discrètement à remplir son registre, à la manière de feu de L'Estoile. Ce jour-là, Charles de Picousa jugea nécessaire de dresser l'état des lieux d'une cour où les deux reines se manifestaient ouvertement une antipathie réciproque.

10 juin 1623

« Le roi Louis XIII avait exprimé, après la mort de Luynes, la volonté de ne plus avoir de conseiller et de diriger personnellement les affaires. Il s'est persuadé, en se flattant de la réelle bravoure dont il a fait preuve au cours de ses expéditions dans le Midi, qu'il était prêt à marcher sur les traces de son père. Il avait en effet obtenu des résultats dans les affaires protestantes et dans l'arrangement du retour de sa mère. Abandonné à lui-même, il a dû, hélas, laisser au chancelier Sillery et au marquis de Puiseux le soin de conduire le gouvernement. Leur insuffisance éclate aux yeux de tous et ils ne sauraient attendre longtemps leur disgrâce.

«La solution existe : c'est monsieur de Richelieu. Mais il est la créature de la reine mère et le roi ne veut pas le voir mêlé aux affaires. Il est pourtant l'homme fort dont le royaume a besoin, et beaucoup pensent qu'il ne tardera pas à entrer au conseil du roi et remplira le vide du pouvoir, si néfaste au pays. J'ai quelques scrupules à parler ainsi, car le chancelier est aimable envers moi. Il m'a gardé au poste où m'avait placé monsieur de Luynes. Je continue à transcrire sur les beaux livres dorés aux armes du roi les faits importants de l'histoire du règne, mais je dois taire beaucoup de choses et en arranger d'autres au goût de ceux qui m'assurent une situation enviable.

«La vérité, c'est dans ce journal que je la transcris. Mes enfants plus tard en prendront peut-être connaissance. A propos d'enfants, ma chère Jeanne vient de me dire qu'elle était sans doute grosse. Je vais l'épouser. Avec la bénédiction de la reine qui l'aime beaucoup et qui, elle, n'arrive malheureusement pas à donner naissance à ce dauphin qui lui rendrait l'amitié du roi.

«Un Flamand, reconnaissable au grand chapeau dont il use pour saluer tous ceux qu'il croise, se mêle depuis deux semaines au va-et-vient de la cour. C'est un artiste peintre, paraît-il illustre en Flandre. Je le rencontre souvent à la librairie du roi, où il compulse des documents nécessaires à l'œuvre dont il a reçu commande de la reine mère. Il s'agit de l'illustration de sa vie par une série d'immenses tableaux destinés au nouveau palais du Luxembourg. L'homme, qui s'appelle Rubens, est affable, intéressant quand il parle de son pays et de son art. Et il pose beaucoup de questions qui n'ont rien à voir avec son travail.»

Enfin payé, Rubens quitta Paris. Pour gagner du temps et pour le plaisir de galoper sous le soleil d'été, il laissa à Cornelis le soin de rapatrier le carrosse vidé de ses chefs-d'œuvre et acheta un alezan fougueux qui lui donna beaucoup de plaisir sur le chemin de Bruxelles. Il s'arrêta au château de Coudenberg, où l'archiduchesse le reçut avec son habituel empressement. Elle apprécia les renseignements que le peintre lui rapportait, bien plus intéressants, dit-elle, que les analyses prétentieuses des diplomates de métier. L'homme est ainsi fait que, comblé par une remarquable réussite, il désire parfois recueillir d'autres lauriers. Rubens retira en effet de cet éloge plus de plaisir que des plus flatteuses appréciations de son talent de peintre. En longeant le canal de Vilebroek, dans les dernières lieues qui le ramenaient à Anvers, il se demanda pourtant si, parvenu au sommet de la gloire artistique, il était bien raisonnable d'aller plonger dans les intrigues des hommes. Il conclut qu'il n'était pas aberrant pour un artiste de s'intéresser à des activités qui lui donnent l'occasion de s'enrichir l'esprit.

Arrivé au Wapper, baigné dans la douce atmosphère familiale, content de retrouver son cher atelier où, en son absence, ses fidèles collaborateurs avaient continué de travailler sur les toiles ébauchées par son irremplaçable main, Rubens n'eut pas de mal à relancer sa *fabrica*, un mot qu'il avait rapporté d'Italie. Juste d'Egmont et Snyders avaient presque complètement achevé *La Rencontre de Lyon*, que Rubens contempla en souriant, surpris de ses propres audaces :

– Je me demande quelle tête fera la reine mère en se voyant en plein ciel, les seins à l'air, courtisée par Henri IV à demi dénudé, à cheval sur un fauteuil posé sur un nuage ! Bah ! Je lui expliquerai les symboles et elle ne verra que son visage, qui est parfait. Et ce bougre de Snyders a réussi un attelage de lions magnifique ! Dès demain, mes amis, nous entamons la vie héroïque du roi Henri IV. Il est étonnant de constater combien ce bon roi avait une tête facile à peindre !

L'atelier relancé, Marie de Médicis ballottée de nuages en cathédrales, Henri IV vêtu de velours ou d'acier, la commande allait bon train dans la fièvre du Wapper.

Surprenant Rubens ! Alors que se formait sous son pinceau magique le prestigieux cortège des toiles qui allaient assurer sa gloire, il pensait que des graveurs bruxellois et parisiens copiaient, le plus souvent avec maladresse, ses meilleurs tableaux et le privaient d'une source appréciable de revenus. Ainsi, en peignant le sein de Marie de Médicis échappé de son décolleté, il décida d'écrire le jour même à l'archiduchesse et à l'abbé de Saint-Ambroise pour qu'ils lui assurent par lettre patente l'exclusivité de la gravure de ses propres œuvres. Ce serait une innovation dans le marché de l'art, puisque, ainsi, l'acheteur d'un de ses tableaux n'aurait pas le droit de le faire reproduire[1]. Il pensa obtenir du même coup l'interdiction de reproduire ses œuvres sur les objets, tels les coffrets, les boîtes à poudre ou les éventails. Cette gérance de ses droits, en avance de plus de deux siècles sur l'histoire, nécessitait la création d'un atelier particulier de gravure, d'une imprimerie, ainsi qu'un service de vente. Le soir même il convoqua

---

1. Rubens obtint, lors de son voyage suivant à Paris, l'exclusivité durant sept ans du droit de gravure de ses œuvres.

son architecte Woverius pour lui demander de construire un local destiné à ses nouvelles activités.

Si étrange que cela pût paraître, c'était comme si la peinture ne suffisait plus à Rubens. Tout en passant chaque jour de longues heures sur la commande de Marie de Médicis, il lui fallait courir, s'agiter, galoper parfois jusqu'à Bruxelles pour s'entretenir avec l'archiduchesse, s'occuper de ses affaires, acheter des antiques pour ses collections, tenir une place dans la vie officielle ou encore correspondre avec l'évêque de Ségovie, qu'il avait connu jadis en Espagne, pour obtenir du roi la confirmation de la noblesse incertaine de son blason[1].

A la fin de l'an 1624, les toiles de la reine mère étaient pratiquement achevées. Il ne restait au maître qu'à peaufiner certains visages, à rectifier une attitude et à jeter çà et là ces quelques éclairs de blanc d'argent qui, par une magie souveraine, transcendaient le tableau. Au début de janvier, Rubens décida qu'on ne toucherait plus aux toiles, qui devaient sécher avant d'être acheminées vers Paris.

Dans l'attente du départ, une visite inattendue occupa le Wapper. L'archiduchesse, à son retour de la victoire de Bréda où elle avait accompagné le marquis Spinola, général des troupes catholiques, s'arrêta à Anvers pour admirer les

---

1. L'évêque présenta à Philippe IV un rapport favorable qui, outre l'honorabilité de la famille, signalait qu'à son rare mérite de peintre Rubens joignait des talents littéraires, la connaissance des langues et le fait qu'il avait toujours vécu splendidement. Ainsi Pierre-Paul Rubens se vit-il conférer le titre de « Gentilhomme de la Maison de Son Altesse Sérénissime l'infante Isabelle ». Un titre plus ronflant que celui de peintre de la cour.

toiles de Marie de Médicis. Isabelle demeura quatre jours à Anvers et passa une bonne partie de son temps au Wapper, où Rubens fit son portrait en habit de clarisse[1]. L'archiduchesse profita de l'intimité des moments de pose pour confier à Rubens de nouvelles missions, en le conjurant d'être prudent :

– Vous avez, je l'ai appris, éveillé des soupçons à la cour de France. Si la reine mère vous couvre de son amitié, il n'en va pas de même du Cardinal. Richelieu a parlé de vous devant M. de Baugy, l'ambassadeur de France à Bruxelles, en vous appelant «l'Espagnol». Dans sa bouche, ce n'était pas un compliment!

Isabelle partie, on commença le 20 janvier à rouler les toiles et à les emballer. Un messager de la cour de France avait déposé au Wapper un ordre de la reine mère rappelant que les tableaux devaient impérativement arriver dans les premiers jours de février et être exposés sans attendre dans la galerie du Luxembourg pour le mariage de Charles Ier, roi d'Angleterre, avec Henriette de France, la sœur de Louis XIII.

Cette fois, le maître avait décidé que Juste d'Egmont, le disciple qui avait le plus travaillé à l'*Histoire de Marie de Médicis*, serait du voyage. Le carrosse de la première livraison ne pouvant contenir les quinze toiles restantes, on en affréta un second. Avec les cochers et les trois peintres, c'est une véritable expédition qui, par un froid de loup, quitta Anvers, le 1er février 1625.

A part un barrage de la route par de faux soldats de l'armée de Spinola, à qui il fallut payer tribut, le voyage se

---

1. Gravé par Paul du Pont, ce portrait restera l'image officielle de l'archiduchesse jusqu'à sa mort en 1633.

déroula sans dommage. La demeure de la rue des Bons-Enfants, hélas, avait été cédée à la famille d'un conseiller. Après deux nuits passées à l'auberge des Trois-Marches, où le bon Tournebroche les reçut à bras ouverts, la famille anversoise emménagea dans une propriété de l'Etat moins agréable mais bien située, place Royale.

Dès l'arrivée, Rubens avait demandé audience à la reine mère, qui l'accueillit avec chaleur :

– Mon peintre est-il content de son travail ? Quand pourrai-je admirer ?

– Dès que les toiles auront été retendues et accrochées aux murs qui leur sont destinés. Est-il possible que j'installe mon atelier dans le palais de Sa Majesté, qui, m'a-t-on dit, est terminé ?

– Terminé, il ne le sera jamais, mais la grande galerie de l'étage est prête à accueillir vos œuvres. Vous pouvez vous y rendre dès demain. J'habite de plus en plus souvent mes nouveaux appartements et je pourrai facilement venir vous regarder travailler. Si vous m'y autorisez, bien sûr.

Cette perspective ne réjouissait pas Rubens, qui craignait devoir peindre sous les yeux critiques de la suite de la reine, mais il répondit en vrai gentilhomme :

– Je serai, Votre Altesse, extrêmement flatté si vous daignez paraître alors que je mettrai les derniers coups de pinceau aux scènes de votre illustre histoire.

– Le roi, mon fils, qui n'a jamais mis les pieds à Luxembourg, viendra aussi voir vos tableaux. Je pense que le cardinal voudra aussi découvrir la manière dont vous vous êtes acquitté de votre tâche périlleuse.

Elle rit, et Rubens pensa en voyant ses rides se creuser que la reine accusait le poids de ces deux dernières années et que son visage n'avait plus grand-chose de commun avec celui de ses peintures.

En attendant les royales visites, il se mit au travail avec Cornelis et Juste d'Egmont, qui découvrait avec étonnement le faste français. Comme la première fois, il sollicita auprès du maître de chantier l'aide de charpentiers et de menuisiers pour assembler les bâtis et monter les échafaudages. Les toiles n'avaient pas beaucoup souffert. Seules quelques craquelures nécessitaient des reprises, mais Rubens tenait à racheter certains défauts qui lui avaient échappé dans la fièvre des derniers jours. Il voulait en particulier reprendre les portraits du *Couronnement de la reine*. Une semaine plus tard, Marie de Médicis, accompagnée par Mme de Chevreuse et Mme de Montpensier, arriva un matin, à onze heures comme le maître l'en avait priée, afin de profiter de la meilleure lumière. Par chance, le soleil brillait et la galerie, resplendissante de couleurs, offrait un somptueux spectacle que ces dames apprécièrent avant que Rubens eût commencé de leur présenter, une à une, les stations du royal chemin.

Le Flamand, qui maintenant parlait un français presque parfait, commenta, expliqua, justifia ses hardiesses. Marie, qui connaissait une partie de la collection et que le maître avait initiée à son discours allégorique, arpenta sa vie avec enthousiasme tandis que Mme de Chevreuse s'interrogeait sur la présence de déesses à demi nues dans l'univers de la reine mère.

Marie de Médicis s'arrêta comme contrariée devant l'une des nouvelles toiles dont Rubens avait précisé le thème : *L'Exil loin de Paris*. Elle montrait Marie vêtue de noir, accompagnée d'une suite médiocre, attendant sur les marches de son palais un carrosse qui s'approchait. Deux motifs allégoriques censés représenter la calomnie et le mensonge n'apportaient pas grand-chose à la tristesse de la scène. Après un temps de réflexion, la reine s'adressa au peintre :

– Maître, ce tableau évoque une période de ma vie si pénible que je veux l'oublier. Il faut le remplacer par une composition plus positive qui, par exemple, mette en valeur mes succès durant la régence. Mais vous n'allez pas le peindre à Anvers pour me le rapporter Dieu sait quand !

– Je le peindrai ici même, Votre Majesté. Ce sera, je crois, la première fois qu'une œuvre de cette envergure sera réalisée à l'endroit de son exposition. Dès demain, je vous soumettrai une proposition.

Voilà comment la sinistre évocation de la rupture de la mère et du fils devint en deux semaines l'envolée allégorique de *La Félicité de la régence*, qui, sans préciser d'hypothétiques bienfaits attribués à Marie, représentait celle-ci parée de voiles intemporels, trônant, la balance de la justice entre les mains, dans un univers de déesses demi-nues, de *putti* volants et de génies musiciens.

* *
*

Journal de Charles de Picousa, 16 mai 1625
« La cour est en effervescence. Le 8 mai ont été signées les fiançailles d'Henriette, la sœur du roi, avec Charles Ier, roi d'Angleterre, mais on ne parlait ce jour-là que de la suite des peintures représentant la vie de Marie de Médicis qui orne une galerie du nouveau palais du Luxembourg. Peu de gens ont vu ces tableaux qui ne devraient être dévoilés à la cour

que lors des festivités prévues pour le mariage. Celui-ci a eu lieu trois jours plus tard. J'y étais en mission pour relater l'événement dans le Grand Livre du roi. Madame Sœur a été épousée par le duc de Chevreuse au nom et par procuration du roi d'Angleterre avec toutes les solennités usitées en ce cas. C'est le cardinal de La Rochefoucauld qui a officié et, comme souvent lors de ces manifestations officielles où tout le monde veut paraître, les choses ont failli mal tourner. Une estrade réservée en principe à la suite de messieurs les ambassadeurs s'est soudainement affaissée sous le poids énorme de la foule qui l'avait envahie. J'ai aperçu M. de Valavès tomber du balcon où s'accrochait, une jambe sur la rambarde du balcon, celle du peintre Rubens lui-même. Il y eut, heureusement, plus de peur que de mal. Ceux qui avaient été précipités dans le vide n'ont été que légèrement blessés et le Flamand s'en est tiré avec une enflure du genou[1].

« Un mot sur le couple royal. Louis XIII a épousé il y a juste dix ans Anne d'Autriche, et l'on ne peut dire que ce mariage soit une réussite. Les fausses couches successives de la reine et des propos malveillants ont éloigné le roi de son épouse. D'après Jeanne, ils vivent le plus souvent séparés. Il se passe des semaines sans que le roi vienne honorer son épouse, et Jeanne m'a dit bizarrement : "On a l'impression que c'est sa piété religieuse qui le conduit à ne pas négliger complètement son épouse." Je crois, moi, que contrairement à son père, le sexe féminin le laisse indifférent.

« M. de Malherbe, le poète apprécié du roi comme il l'avait été de son père, m'a honoré d'une conversation à la

---

1. Rubens lui-même a raconté l'incident dans une lettre à son ami Peiresc, alors dans sa maison d'Aix.

bibliothèque, où il venait compulser les œuvres de Desportes. C'est un vieux monsieur aimable qui ne fait pas jeu de sa grandeur. Il m'a tenu des propos très élogieux sur le cardinal de Richelieu entré au Conseil depuis la disgrâce de M. de La Vieuville. Je les note, car ils justifient un changement important dans la politique du royaume : "Mon humeur n'est ni de flatter ni de mentir, mais il y a en M. de Richelieu quelque chose qui excède l'humanité, et si notre vaisseau doit un jour vaincre les tempêtes, ce sera tandis que cette glorieuse main tiendra le gouvernail." On pouvait dire la chose plus simplement, mais M. de Malherbe a l'habitude de ne parler comme personne. »

20 mai 1625

« Toute la cour s'est déplacée aujourd'hui au palais du Luxembourg, où Sa Majesté la reine mère donnait une fête pour inaugurer la galerie qui porte désormais son nom. J'ai persuadé l'abbé de Saint-Ambroise que l'événement devait être rapporté dans le Grand Livre et, grâce à Jeanne, que deviendrais-je sans elle ! j'ai trouvé une place dans la voiture de la maison de la reine. L'œuvre de Rubens est magnifique et a été bien reçue des invités. Comment aurait-il pu en être autrement ? La reine Marie était aux anges, criait au génie et expliquait à tout le monde les subtilités des allégories, la nature des événements et en faisait reconnaître les personnages.

« Le roi, venu pour la première fois voir l'ensemble de la composition, s'est attardé devant chaque toile et a exprimé ses louanges les plus flatteuses à Rubens qui, suite du malencontreux accident du mariage, devait s'aider d'une canne pour se déplacer. Le Flamand semble entretenir les meilleures relations avec la reine mère. Je l'ai entendu lui dire qu'il souhaitait peindre un tableau d'elle et le lui offrir avant de s'en retourner chez lui.

«Un hôte prestigieux, le duc de Buckingham, arrivé le matin de Londres, assistait aussi à la fête. Après avoir été le favori du roi d'Angleterre Jacques Ier, il est celui de son fils Charles Ier, auquel, dit-on, il est lié depuis longtemps par une amitié particulière. Il a semblé porter beaucoup d'intérêt aux tableaux du Flamand, avec qui il a longtemps parlé. C'est, paraît-il, un grand amateur d'art. On raconte bien des choses à son sujet, en particulier qu'il ne cache pas sa passion pour la reine Anne, une adoration qui troublerait la jeune femme.

«Ce genre de réunions est fort intéressant. J'ai rencontré au Luxembourg nombre de gens aimables et ai appris des choses piquantes qui auraient fait le bonheur du regretté M. de L'Estoile. M. de Bautru, qui a bonne réputation chez les amateurs d'épigrammes, m'a ainsi conté que l'autre soir Rubens avait été convié au cercle de la reine mère, qui, en quête de divertissement, avait lancé à son artiste : "Monsieur, vous qui avez peint tant de femmes superbes, vous allez me désigner quelle est, à votre goût, la plus belle dame de ma cour." Gêné, le Flamand dit que toutes étaient ravissantes mais qu'il ne pouvait se permettre d'évaluer leur grâce. "Allons! Monsieur Rubens, il s'agit d'un jeu. Regardez ces dames et jugez, comme fit Pâris!" Malcontent mais obligé, Rubens plongea son regard sur le brillant assemblage de robes et de beautés, salua à la ronde, regarda avec soin toutes et chacune et s'inclina devant l'une des dames d'honneur qui, certes, était digne de son choix. "Puisqu'il me faut dire un nom, ce sera Mme de Guéménée!" On applaudit, mais bien des visages se figèrent. De rage, de jalousie?... Marie de Médicis sembla contente de son idée.»

Son contrat rempli avec succès, Rubens serait volontiers rentré à Anvers retrouver sa femme, ses fils et sa maison. Il savait en outre que des commandes s'accumulaient et que ses collaborateurs le pressaient de revenir pour achever certaines œuvres et en mettre d'autres en chantier. Mais les affaires traînaient. Le cardinal, que Marie de Médicis avait si long-temps soutenu, était ingrat à son égard et la détestait. Rubens la suivait dans sa mésestime car il le savait lié à l'archiduchesse. Sans doute est-ce là la raison qui empêcha la signature du deuxième contrat, celui de la série devant retracer les épisodes de la vie du bon roi Henri IV. Une autre raison retenait le Flamand à Paris : la somme considérable de 20 000 écus lui était encore due !

* *
*

– Nicolas, sois gentil de ne plus bouger durant quelques minutes. Il ne manquerait plus que le grand peintre Rubens fasse de son fils un portrait qui ne lui ressemble pas !

Des éclats de rire emplirent l'atelier. Rubens, qui avait enfin retrouvé son chez-soi, était un homme heureux[1]. Sous le regard attendri de sa femme Isabelle qui cousait près de lui, il exécutait dans la bonne humeur le portrait de ses deux fils.

Il avait voulu les représenter dans leur taille réelle et avait choisi pour cela un grand panneau de chêne. L'aîné, Albert, fier de ses douze ans, posait vêtu en adulte, feutre noir sur la tête, sa main droite gantée et la gauche posée sur l'épaule de

---

1. Rubens était rentré à Anvers le 21 février 1626.

son frère Nicolas, de quatre ans son cadet, campé au premier plan dans un costume surprenant. Les visages ensoleillaient le haut du tableau et c'est eux que Rubens avait du mal à terminer tant les deux frères bougeaient et se chamaillaient.

– Pourquoi, père, demanda Nicolas, n'avez-vous pas peint maman avec nous ?

– Je voulais mes deux fils. La prochaine fois, maman sera de la fête.

En disant cela, il pensa qu'à part deux portraits et un dessin du début de leur mariage il n'avait pratiquement pas peint sa femme, alors qu'il avait fait tant de portraits de Suzanne.

– Ma femme, dit-il, dès que j'aurai terminé *L'Assomption de la Vierge* pour la cathédrale, vous viendrez poser dans la robe de velours blanc et ocre qui vous va si bien. Il faut pour notre chambre un pendant à la *Tonnelle de chèvrefeuille*. Je vous vois serrée dans vos plus beaux atours au milieu de fleurs des champs. Un ange, peut-être, dans le coin droit, pour rappeler que vous êtes une créature divine.

Isabelle sourit :

– Ce portrait me fera paraître bien vieille à côté de celui de mes vingt ans ! Nous l'accrocherons dans la galerie.

Une semaine plus tard, Rubens, juché sur l'échafaudage installé au-dessus de l'autel de la cathédrale Notre-Dame, expliquait à Cornelis qui l'assistait pourquoi Dieu n'apparaissait pas dans son *Assomption*.

– Marie, portée par les anges, s'élève vers lui, mais le spectateur doit l'imaginer très haut, au-delà du cadre et des sculptures de marbre qui l'entourent. Je suis le premier à adopter ce parti, que Titien lui-même n'a pas imaginé.

Aimes-tu mon tableau ? Je ne suis pas fâché d'en entrevoir la fin. Songe que messieurs les jésuites me l'ont commandé il y a plus de cinq ans ! Il est vrai que l'appareil de marbre qui le met en valeur vient seulement d'être achevé[1].

– Maître, ce tableau m'émeut plus qu'aucune autre de vos œuvres religieuses.

– Alors, mon bon Cornelis, arrange-moi les doigts de l'homme de droite. Celui-là qui accompagne l'envol de Marie d'un geste invocatoire. Son rôle est essentiel, car, regarde bien, c'est lui qui pousse la Vierge et toute l'organisation du tableau vers le ciel.

Rubens avait à peine achevé sa phrase que Julia, l'une des servantes du Wapper, fit irruption dans la cathédrale et cria, sans se soucier de la sainteté du lieu :

– Maître, maître, rentrez tout de suite à la maison ! Madame Isabelle est malade !

Pierre-Paul blêmit, posa sa palette et, au risque de se rompre le cou, empoigna l'échelle pour se laisser glisser. Tout en se précipitant vers la sortie, il assaillit Julia de questions, mais la pauvre fille ne pouvait que répéter en pleurant : « C'est arrivé tout d'un coup. Dame Isabelle s'est sentie mal, on l'a allongée, le médecin est prévenu. »

Rubens, qui avait prévu de rendre visite à Déodat à la fin de la journée, était venu à cheval. Sa monture l'attendait devant le porche, gardé par le vieux Philippo, factionnaire à tout faire de la vieille ville. Pierre-Paul sauta en selle et, en moins de dix minutes, parvint dans la cour du Wapper, où régnait une activité inaccoutumée. Des femmes entraient et

---

1. Rubens a peint plusieurs Assomptions de la Vierge. Celle de la cathédrale d'Anvers mesurait 5 m × 3 m.

sortaient, chargées de bassines, des valets couraient en tous sens et les peintres, maîtres et apprentis, tous descendus de l'atelier, conversaient par petits groupes à voix basse. C'est Jean Bruegel qui vint au-devant de Pierre-Paul :

– Ne t'inquiète pas. Deux médecins, Valbrock et Jordaens, sont là et soignent Isabelle.

– Mais va-t-on enfin me dire ce qui est arrivé ? éclata Rubens. Cette idiote de Julia qui est venue me chercher n'a pu que pleurnicher et toi-même tu sembles embarrassé. Où est Isabelle, d'abord ?

– Dans la chambre de la maison du bas. Elle s'est effondrée subitement alors qu'elle parlait aux filles du dîner de ce soir.

– Mais qu'a-t-elle ? Est-ce un simple malaise... est-ce plus grave ?

Pâle, tremblant, il se dirigea vers la maison et entra. Figé par un sombre pressentiment, il s'arrêta devant la porte de la chambre. Lui qui n'était pas porté sur les démonstrations extérieures de piété se signa et, enfin, poussa le loquet.

La pièce était pleine de monde. Rubens, dans un premier mouvement, faillit crier et chasser tous ces gens qui tournaient autour du lit. Il écarta simplement deux femmes, porteuses d'oreillers et s'approcha de sa chère Isabelle qu'on avait dévêtue et couchée. Elle avait les yeux clos, la sueur perlait à son front et elle semblait avoir du mal à respirer.

– Est-elle éveillée, nous entend-elle ? demanda Rubens à Valbrock, le meilleur médecin d'Anvers, qui venait de prendre le pouls de la malade.

– Par moments, je pense. Nous avons attendu, mon confrère Jordaens et moi, pour la saigner, mais la fièvre ne cède pas et nous allons le faire sans attendre.

Saigner une malade dont ils ignoraient visiblement la cause du tourment était la seule chose que pouvaient faire les meilleurs médecins de la ville. Cette trop banale intervention ne rassurait pas Rubens, qui se détourna pour pleurer. Une idée lancinante lui rappelait l'hiver précédent, lorsque la peste avait fait de nombreuses victimes, dont la mère et le frère de Nicolas Rockox, le bourgmestre, emportés en quelques jours.

Rubens passa la nuit au chevet de sa femme qui, plusieurs fois, ouvrit les yeux et prononça des mots incompréhensibles. Le lendemain matin, les médecins se prononcèrent : c'était bien la peste. Dans les heures qui suivirent, le maître essaya tout pour conserver à sa tendresse la chère vie qui s'enfuyait. L'archiduchesse envoya son propre médecin de Bruxelles et on fit venir le docteur van Stimgher, considéré comme spécialiste de la peste parce qu'il avait soigné, sans les sauver, hélas, un grand nombre de malades durant l'épidémie de Gand.

Restait la religion, que Rubens avait tellement servie par son art. Toutes les congrégations de la ville se mirent en prière pour obtenir la guérison de l'épouse du peintre de Dieu. Mais rien n'y fit, Isabelle expira le 20 juin 1626. Elle avait trente-quatre ans.

Pour Rubens, la douleur était cruelle, injuste et sans parade. Il resta prostré toute une journée, puis trouva quelque apaisement à ordonner lui-même les funérailles de sa bien-aimée, des funérailles grandioses, en rapport d'ailleurs avec le rang qu'il occupait dans la ville.

Le service fut célébré en l'abbaye de Saint-Michel, devenue, depuis la mort de sa mère Maria et celle de son frère, la dernière demeure de la famille. Le maître dessina lui-même le projet de la décoration de l'abbaye et tout l'atelier travailla à sa mise en œuvre. Avec la gilde de Saint-Luc, la confrérie savante des Romanistes, les corps constitués, c'est la ville tout entière qui pleura Isabelle.

La pompe des obsèques dissipée dans l'encens, la flamme de cierges soufflée, les derniers mots de condoléances déclinés et les trois repas funéraires d'usage appréciés, il ne restait à Rubens qu'à pleurer l'absente et à égrener ses regrets.

– Je ne me pardonnerai jamais d'être resté tous ces temps éloigné d'Isabelle, dit-il à Déodat et à Balthasar, venus comme le feront longtemps ses amis, l'aider à supporter la solitude du soir.

– Le travail t'y a contraint, objecta Déodat. Il fallait bien l'honorer, cette commande de la reine Marie de Médicis!

– Rien ne m'obligeait à sacrifier des mois de bonheur pour satisfaire les caprices d'une reine autoritaire et égoïste. Isabelle, elle, n'était ni faible ni chagrine, mais si bonne, si honnête et si pleine de vertus que tout le monde l'a aimée durant sa vie et la pleure depuis qu'elle est morte.

Au Wapper où l'atelier continuait d'œuvrer sous les ordres de Jean Brueghel, Rubens eut à subir la douloureuse épreuve des visites de condoléances. C'était pour beaucoup l'occasion de montrer ou de faire croire qu'ils étaient des intimes de la famille. Une visite pourtant lui fut précieuse : celle de Suzanne Fourment, devenue Suzanne Lunden, son aimable modèle dont le portrait ornait tant de salons.

– Mon pauvre ami! dit-elle en lui prenant les mains et en le fixant de ce regard profond qui l'avait naguère subjugué. Mon cœur en ce moment est près du vôtre. Il va vous falloir beaucoup de courage, mais vous n'en manquez pas et vos amis vous aideront.

– Merci, murmura-t-il en levant vers elle un visage aux traits affaissés. Vos tendres paroles me font du bien, mais l'avenir est sombre. Que vais-je devenir ? Je ne veux même plus peindre !

– Rubens n'a plus envie de peindre ? Qui pourrait croire cela ? Je sais, moi, que dans quelques semaines, que dis-je, quelques jours, vous achèverez cette Assomption dont tout le monde parle comme d'un chef-d'œuvre. Et puis, vous reprendrez vos activités politiques qui vous plaisent tant... Enfin, vous élèverez vos fils dans l'amour et le respect de leur mère. N'est-ce pas suffisant pour vous éviter de sombrer dans votre mélancolie ?

– Je vous obéirai sans doute, Suzanne. Mais puis-je solliciter une faveur ?

– Bien sûr, maître.

– Quand la première messe aura été dite devant l'enlèvement miraculeux de la Vierge, accepterez-vous de venir une fois encore poser pour moi ? Vous êtes mon bon génie.

Il regarda la jeune femme dont les traits du visage lui étaient si familiers, sourit tristement et dit soudain :

– Mais pourquoi vous êtes-vous mariée si vite ?

– Il le fallait, mon ami, et vous le savez bien.

Rubens se pencha sur ses doigts fins, les effleura d'un baiser de cour et la laissa partir, ses beaux yeux embués de larmes. Il ne peindrait plus jamais le beau visage de Suzanne.

Comme Suzanne l'avait prévu, Rubens reprit bientôt le chemin de la cathédrale. Quand il l'avait laissée, *L'Assomption* était pratiquement achevée, mais la souffrance qui lui déchirait l'âme l'engageait à remanier sa peinture. Si Cornelis ne l'en avait dissuadé, il aurait refait entièrement son tableau. Il se contenta d'accentuer l'émotion des personnages, de dramatiser certaines attitudes. Allait-il toucher à la Vierge qu'il avait trouvée si réussie? Comme Cornelis lui posait la question, il répondit :

– Le destin m'a empêché de faire le portrait que j'avais promis à Isabelle. Eh bien! elle sera la Vierge. C'est elle que mon pinceau hissera jusqu'au ciel!

Il gratta le visage de Marie à peine sec et lui donna par la douce caresse de sa main magique les traits de sa bien-aimée.

Rubens avait repris ses pinceaux depuis deux mois et rendu à l'atelier une activité d'autant plus vive que son absence et la mort d'Isabelle avaient entraîné un grand retard dans la finition des commandes, quand une affaire inattendue le surprit. Il avait durant son séjour à Paris fait la connaissance du duc de Buckingham, qui lui avait dit être intéressé par ses collections et lui avait demandé s'il accepterait de les lui céder. Paroles en l'air, avait pensé le peintre, qui avait oublié cette conversation quand il reçut au Wapper la visite d'un nommé Balthazar Gerbier :

– Maître, je suis peintre moi-même, mais c'est en ma qualité d'ami du duc de Buckingham que je viens vous voir. Le duc, qui connaît la richesse de vos collections, vous propose de les acheter et est prêt à engager une somme très importante dans cette transaction. Si ce projet vous agréait, nous pourrions dresser un inventaire que je rapporterais en Angleterre.

– Je suis très flatté de l'intérêt que porte le duc à mes collections. Mais me séparer de tous ces antiques, monnaies, pierres précieuses et tableaux que je réunis depuis plus de vingt ans est pour moi épreuve difficile. Je vais donc y réfléchir. Combien de temps comptez-vous demeurer à Anvers?

– Le temps qu'il faudra pour rapporter une réponse positive à mon ami le duc.

– Bien. Soyez s'il vous plaît mon hôte pour souper ce soir. Je sais un peu qui vous êtes et le rôle que vous jouez dans la diplomatie de nos états. Vous êtes bien entendu au courant des activités que j'exerce moi-même, plus par passion et par souci patriotique que par intérêt, au service de Son Altesse l'archiduchesse. Je suis sûr que nous avons beaucoup de choses à nous dire, en dehors de notre affaire.

– J'apprécie, maître, l'honneur que vous me faites.

– Vous serez, en dehors du cercle de mes amis intimes, le premier étranger que je reçois depuis la mort de ma femme. Nous souperons en tête à tête et vous voudrez bien excuser les imperfections du service.

Balthazar Gerbier, qui n'avait sans doute pas l'habitude d'être traité avec autant d'égards, se confondit en remerciements et laissa Rubens à ses pensées. Le peintre, qui réfléchissait vite, avait tout de suite entrevu l'intérêt que pouvait présenter cette relation avec Buckingham dans les affaires anglo-espagnoles et la transmission de messages confidentiels pouvant aider à l'établissement d'une paix durable entre la Belgique, son pays, et les Provinces-Unies du nord.

Le souper, des pâtés d'oiseaux des marais de Damme et des grosses soles de Knokke, fut excellent. Rubens, distrait de son chagrin par cette présence étrangère, fut prolixe et presque gai. Il poussa son hôte à raconter sa vie aventureuse, partagée entre un talent modeste de peintre et un autre, plus affirmé, d'agent politique et diplomatique.

– J'ai passé, dit Balthazar Gerbier, une partie de mon enfance en France et, suis arrivé vers ma vingtième année en Angleterre. J'ai beaucoup écrit, à la commande de nobles qui voulaient laisser à la postérité l'histoire de leur famille. J'ai été aussi l'auteur de nombreux libelles, qui ont fait s'entrebattre de belliqueux cousins de sang. C'est ce dernier genre d'exercices, dont je ne suis pas tellement fier, qui m'a aiguillé vers les besognes de la politique. Le duc de Buckingham a considéré que mes capacités pouvaient être utiles à ses affaires et à celles de la Couronne. C'est ainsi qu'il m'envoya à La Haye avec la mission d'aider sir Dudley Carleton, ambassadeur de Sa Majesté britannique, et aussi de faire le point sur les relations entre la Flandre du Stadhouder, prince d'Orange, et celle de l'infante Isabelle. Mais vous connaissez bien Carleton, à qui vous avez vendu, déjà, une partie de vos collections et des tableaux censés être tous de votre main.

– Ils l'étaient, si tant est que la main du maître efface en dernier ressort, par la magie de son talent, le travail préliminaire de ses collaborateurs, qui, il ne faut pas l'oublier, sont des maîtres à part entière.

Ils rirent et convinrent que Carleton était un habile homme et qu'il avait su défendre ses intérêts dans ses tractations avec Rubens :

– Votre correspondance m'a bien amusé à l'époque! dit Gerbier. Le duc, près de qui j'étais à ce moment, m'en a tenu informé et a bien voulu prendre en compte mes conseils. Vous voyez que ma connaissance de votre talent ne date pas d'aujourd'hui.

– Eh bien, monsieur Gerbier, continuez à m'être agréable tout en servant les intérêts de votre maître. Sachez que vous n'aurez pas affaire à un ingrat! Nous commencerons, dès demain matin, si vous le souhaitez, à dresser l'inventaire des pièces rares pouvant convenir à Son Excellence. Vous connaissez d'ailleurs la plupart de ces pièces. Ce sont, par un curieux hasard, les marbres que sir Dudley Carleton m'a rétrocédés lors de notre marché de 1618. Pour le reste, les tableaux sont des merveilles de Raphaël, Vinci, Véronèse, Tintoret et Titien, auxquels il faut ajouter treize Rubens. Les crédits dont vous disposez vous permettront-ils d'acquérir tout cela?

– Je le crois, monsieur Rubens.

L'affaire fut en effet conclue sur la base de 100 000 florins, une somme considérable. Beaucoup, à Anvers, se demandèrent pourquoi Rubens, le grand homme de la ville, avait cédé une partie de ses collections au favori du roi d'Angleterre, alors que l'inventaire dressé à la mort d'Isabelle avait détaillé l'opulence du maître propriétaire de huit maisons, de propriétés aux champs et de nombreuses valeurs. Seuls ses amis intimes, Déodat et Nicolas Rockox, devinèrent que cette opération avait pour but d'asseoir sa promotion sociale par l'agrandissement de sa fortune mobilière – il achètera de nouvelles maisons autour de la sienne, des fabriques, un château –, et de reprendre des voyages diplomatiques bienvenus pour le distraire de son deuil. Deux jours plus tard, il partait pour Bruxelles exposer ses vues à l'infante.

CHAPITRE XIII

Peintre et diplomate

Journal de Charles de Picousa, 30 novembre 1626

«La décapitation de François de Montmorency-Boute-ville et du marquis des Chapelles, coupables d'avoir participé à un duel suivi de mort d'hommes, occupe toute la cour. Les plus grands noms de France se sont pressés chez le cardinal de Richelieu et chez le roi pour obtenir la grâce des condamnés, mais sans aucun effet. On a vu, au sortir de la basse messe de la Fête-Dieu, à laquelle le roi était présent, Elisabeth de Vienne, comtesse de Bouteville, se jeter à ses pieds. Le roi passa son chemin et dit à l'un de ses suivants : "Cette malheureuse me fait pitié, d'autant qu'elle attend un enfant, mais c'est mon autorité qui est en jeu. Le roi doit savoir dans certains cas se montrer inflexible[1]." Les deux duellistes reçurent leur châtiment avec une grande dignité.

---

1. Madame de Bouteville accouchera deux semaines plus tard d'un fils qui deviendra le maréchal de Luxembourg et méritera, par le nombre des drapeaux pris à l'ennemi, le surnom de «tapissier de Notre-Dame».

« Il semble que Richelieu, qui règne maintenant sur le Conseil, soit disposé à mettre fin aux difficultés suscitées par les huguenots dans les villes de sûreté, en particulier La Rochelle. Le mariage d'Henriette, la sœur du roi, avec Charles Ier, n'a en rien arrangé nos difficultés avec l'Angleterre, qui soutient ouvertement les protestants et menace d'envoyer sa flotte en direction des côtes de l'océan.

« Un revenant, le Flamand Rubens, est à Paris. Vient-il essayer de relancer le projet du cycle Henri IV qui devait faire pendant à celui de Marie de Médicis ou, comme on le dit dans les couloirs, en qualité de représentant occulte de l'infante Isabelle ? Le fait est que le célèbre peintre n'a pas touché un pinceau depuis son arrivée. Il est, m'a dit M. de Malherbe qui est au courant de beaucoup de choses et m'a pris en amitié, chargé d'aider au retour de la paix dans son pays par un rapprochement entre l'Espagne et l'Angleterre, assemblage qui ne convient pas du tout à la France. Aux dernières nouvelles, Rubens, qui vient de perdre sa femme, voyagerait pour se distraire de son malheur, ce qui fait sourire dans l'entourage de la reine Anne où j'ai toujours la plus charmante des informatrices, ma chère Jeanne.

5 décembre 1626

« Je reprends mon journal après quelques jours pour noter que le mystère Rubens semble éclairci. Le Flamand n'a pas quitté durant quarante-huit heures un nommé Gerbier, qui doit remplir pour le duc de Buckingham les mêmes fonctions que Rubens pour l'archiduchesse. Tout cela est compliqué mais follement intéressant. »

En cette année, Rubens ne toucha sa maison du Wapper que le temps de relancer, entre deux voyages, la bonne marche de l'entreprise. Des contrats avaient été signés, qu'il fallait honorer. Ses aides habituels y travaillaient sous les directives de Bruegel, mais, comme toujours, la main du maître, sans laquelle un tableau n'aurait pas été un Rubens, devait intervenir pour affiner, rectifier et parachever l'œuvre qui serait livrée sous son nom. Il lui en coûtait de demeurer trop longtemps dans la maison où Isabelle manquait toujours cruellement. Alors, dès que l'activité de l'atelier le permettait, il posait sa palette de peintre, revêtait sa tenue de gentilhomme-diplomate, glissait son épée dans le fourreau et prenait la route du sud.

Pour l'heure, il repartait avec Cornelis et ses deux carrosses de déménagement vers Calais, où il devait retrouver Gerbier. Les voitures étaient chargées d'un premier lot des collections qu'il avait vendues au duc de Buckingham, et l'on avait dû doubler les attelages, car les marbres et les pierres sculptées pesaient plus lourd que les toiles roulées.

Le convoi s'arrêta place de la Cathédrale, devant l'auberge du Lion d'or où Rubens demanda Balthazar Gerbier. Il n'était pas là, mais un homme vêtu d'une grosse houppelande de voyage bleue, bordée de rouge, se présenta :

– Michel Le Blond, expert pour les affaires artistiques du duc de Buckingham et de la reine Christine de Suède. Je suis honoré de connaître le grand peintre du siècle. Mon ami Balthazar Gerbier m'a demandé de vous accueillir, monsieur Rubens. Il est au port, où il s'occupe d'affréter le bateau qui transportera votre collection à Londres, collection que j'ai hâte de découvrir.

Rubens salua le courtier et dit en souriant :

– La plupart de ces pierres ne vous sont pas inconnues, elles ont fait il y a sept ans le voyage inverse pour enrichir les collections de ma maison du Wapper. Vous avez sans doute à l'époque eu connaissance de cette sorte d'échange convenu avec sir Dudley Carleton. Ces sculptures venues d'Angleterre retournent en Angleterre, n'est-ce pas drôle ?

– Je me souviens en effet que vous aviez négocié cette collection de médailles, statues et intailles antiques contre des tableaux certifiés comme étant votre œuvre. Ils ont pris beaucoup de valeur, ne les regrettez-vous pas ?

– Que non, monsieur Le Blond. J'ai profité durant des années de la beauté des collections de sir Dudley Carleton et je les revends pour la somme royale de 100 000 florins. En outre, cette vente me permet de satisfaire le désir du duc de Buckingham et d'entrer en relation avec cet éminent personnage.

Les œuvres d'art dûment convoyées jusqu'à Londres par l'homme à la houppelande bleue et rouge, Balthazar Gerbier annonça qu'il était porteur d'une lettre du duc de Buckingham l'accréditant auprès de lui et de l'infante Isabelle pour faire avancer la conclusion d'une trêve entre l'Angleterre, l'Espagne, les Provinces-Unies et le Danemark.

– Fort bien. Vous connaissez mon avis sur la guerre semeuse de malheurs et combien j'aspire à écarter ce fléau. Je vous propose de m'accompagner jusqu'à Bruxelles où je vous ferai rencontrer l'archiduchesse qui souhaite plus que tout au monde réconcilier l'Espagne et l'Angleterre pour faire cesser la guerre dans son pays.

Gerbier fut logé dans un discret appartement proche du palais du Coudenberg et, au bout de longues journées de discussion entre les deux agents, l'infante reçut le représentant de Buckingham et put envoyer au roi Philippe IV, son neveu, les résultats obtenus par l'entremise de Rubens.

Le peintre crut à la réussite de ses efforts. Il nourrit des ambitions plus vastes pour le grand diplomate qu'il était devenu, en marge de son métier. Les faits semblaient, il est vrai, lui donner raison. Philippe envoya à sa tante un pouvoir l'autorisant à continuer les négociations avec Buckingham, mais avec l'ordre de ne rien conclure avant l'arrivée à Bruxelles de son envoyé don Diego Messia. Il ne disait pas qu'il venait de signer un accord avec la France, aux termes duquel les deux pays s'engageaient à poursuivre la guerre contre l'Angleterre !

On tergiversa, Diego Messia s'en tint contre son gré, car c'était un homme droit, aux ordres de son maître, l'archiduchesse déçue par l'attitude ambiguë de son neveu lui obéit et Rubens, dépassé par les procédés des grands, put rentrer à Anvers où les commandes continuaient d'affluer. L'infante, faute de pouvoir lui donner une mission diplomatique, lui demandait quatorze cartons de tapisserie à la gloire de l'Eucharistie. Dans le même temps, les augustins commandaient pour leur église une monumentale Vierge entourée des saints.

* *
*

Journal de Charles de Picousa, 1ᵉʳ novembre 1628
« A l'annonce de l'approche des côtes atlantiques par les Anglais, le roi s'est lancé résolument à la tête de l'armée. Il n'ira pas plus loin que Villeroy, près de Corbeil, terrassé par une forte fièvre accompagnée de frissons et de maux de tête.

L'état du roi Louis a paru si grave qu'on l'a laissé dans l'ignorance de la situation et qu'avec l'accord de la reine mère les ministres, sous la haute main du cardinal, prennent la direction des affaires, c'est-à-dire la poursuite du siège de La Rochelle devenue militairement rebelle sous l'incitation des Anglais.

« Le roi est resté malade jusqu'au 15 septembre. Après un bref retour à Saint-Germain, il est reparti pour la côte atlantique et, comme son secrétaire était en Saintonge avec le cardinal et Schomberg, j'ai été désigné pour l'accompagner. Le roi a retrouvé Richelieu devant La Rochelle. L'opération coûte un prix fou. Les caisses sont à peu près vides et le cardinal doit faire des miracles. Son crédit heureusement est grand. Il a, dit-on, emprunté 20 millions de livres !

« Je n'ai pas à consigner dans le livre du roi les questions de finances, mais je dois raconter la grande aventure de la digue. Il faut en effet isoler la ville de la haute mer pour empêcher la flotte anglaise de la secourir. L'entreprise est considérable, car elle se fait sous la double menace des assauts de la mer et des bombardements des insurgés. Enfin, les navires anglais ont approché deux fois de la ville, mais ont dû deux fois rebrousser chemin.

« Je laisse là mon journal, car on m'annonce que La Rochelle est reprise aux huguenots et que le roi s'apprête à entrer dans la ville et à y rejoindre le cardinal. Une dernière remarque : aux yeux de tous, il apparaît que, si Louis XIII est le roi de la France, Richelieu en est le maître. »

* *
*

C'est à cette époque que, une nuit, Rubens fut réveillé par une intense douleur.

– C'est, dit le médecin, une atteinte de la goutte. Je vais vous saigner, vous irez mieux, mais le mal, hélas, reviendra.

– Quand? demanda Pierre-Paul, inquiet.

– Dans huit jours, dans un mois, dans un an… Si vous lui peignez de beaux tableaux, Dieu se montrera peut-être miséricordieux!

L'homme aux saignées avait été pessimiste. Dès le lendemain, Rubens, debout dès sept heures, commença à esquisser les cartons de l'infante. Le sujet ne l'enthousiasmait pas mais il y avait longtemps qu'il ne peignait plus les œuvres de son choix.

Les pourparlers continuaient pourtant cahin-caha entre l'Angleterre impatiente, l'Espagne traînarde et l'infante désabusée de voir s'estomper les espoirs de paix entre son pays et les provinces du Nord contrôlées par le Stathouder Henri-Frédéric de Nassau. Rubens, lui, avait repris en main ses troupes d'artistes, de compagnons et d'élèves, qui commençaient à mettre en couleurs les cartons de tapisserie dont il avait dessiné les sujets. Le maître finissait, quant à lui, la commande des augustins. L'ombre d'Isabelle n'avait pas déserté le Wapper, et les soirées lui auraient été douloureuses s'il ne les avait passées à peindre jusqu'à une heure avancée de la nuit.

Un matin de juillet, la panique gagna l'atelier : la fabrique qui fournissait la toile n'avait pas livré depuis plus d'une semaine et les réserves étaient épuisées. Les panneaux de bois, quasi intransportables, ne convenaient que pour les petites surfaces, en tout cas pas à une nouvelle commande que venait de passer l'infante Isabelle : huit tableaux dont elle voulait faire cadeau à son neveu le roi d'Espagne. Sans la toile d'Anderlecht qui supportait depuis des années les œuvres du maître, l'atelier devrait bientôt cesser son activité.

– Cette situation est ridicule! s'écria Rubens en apprenant la fâcheuse nouvelle. Qui s'occupe des commandes de toile?

– C'est moi, dit penaud le vieux Vertrech, un compagnon de la première heure, qui réussissait bien les fonds de paysages et que Rubens aimait.

– Toi? Je ne te félicite pas! Te rends-tu compte de la situation où tu nous as mis! Prends tout de suite une voiture et file avec Brock à Anderlecht. Si les frères Lembourg ne peuvent nous livrer aujourd'hui, allez jusqu'à Alost, chez Antonius, que j'aurais dû prendre depuis longtemps comme fournisseur, et rapportez coûte que coûte cinquante aunes de bonne toile.

Tout s'arrangea naturellement. Les Lembourg, filateurs inconstants, pleurèrent dans leur cotonnade et M. Engilbert Antonius se félicita de servir le plus grand artiste du monde.

Le temps de la peinture semblait revenu au Wapper, et celui de la diplomatie oublié, quand Pierre-Paul fut convoqué au palais de Coudenberg.

– J'ai beaucoup réfléchi, dit la sérénissime infante. La situation présente ne saurait durer. Nous croulons sous le poids de vos analyses, de votre correspondance et de la mienne avec Madrid, Rome et Paris, et nous n'arrivons à rien. Je veux que le roi Philippe soit mis directement au courant des affaires et vous propose la mission la plus importante, sans doute, de votre vie. Vous allez porter à Madrid tous les documents qui sont en notre possession, ainsi que mes propres instructions. Mon neveu sera sensible au cadeau que vous allez lui tenir. A propos, les tableaux que je lui destine sont-ils prêts?

– Ils le seront, Votre Altesse. Mais votre proposition me surprend et bouleverse mes projets…

– Ce n'est pas une proposition, monsieur Rubens! C'est un ordre plus qu'un désir!

– Je croyais en avoir fini avec ces tractations diplomatiques qui, jusqu'à présent, n'ont eu aucun effet tangible.

– Qu'en savez-vous? Achevez, mon ami, vos commandes en cours et préparez-vous à ce voyage que j'ai décidé. Vous partirez cette fois en mission officielle, muni de tous les passeports nécessaires, dans une voiture et sous escorte du sérénissime archiduché.

Rubens s'inclina sans trop de regrets. Une fois de plus il ressentit ce petit picotement de fierté que lui causait l'idée d'accomplir une tâche au-dessus de sa condition. A ce sentiment de vanité s'ajoutait l'allégresse de partir pour Madrid. Il se rappelait l'intérêt qu'avait suscité à la cour d'Espagne son premier voyage, alors qu'il n'était que le convoyeur des cadeaux du duc de Mantoue. Cette fois, c'était un peintre célèbre, doublé d'un ambassadeur dûment mandaté, qui allait se présenter à l'Alcazar, le palais du roi.

D'Anvers à Madrid, dans un carrosse aux armes de l'archiduché, Rubens goûta aux plaisirs du voyageur officiel, salué bas dans les auberges, respecté aux barrages militaires, nombreux sur la route qui menait en Saintonge. Les lettres de crédit que lui avait remises à son départ le chevalier de Saint-Georges, trésorier de l'infante, lui permettaient d'honorer son rang. Il fit le voyage dans un temps rapide, un peu plus de deux semaines, bien qu'il eût accompli un détour afin de passer voir le fameux siège de La Rochelle. Là, il écrivit à son ami Fabri de Peiresc pour lui dire combien le spectacle l'avait étonné : «Je n'ai pas pu naturellement approcher l'immense digue en construction, mais ai eu la chance de rencontrer à Laleu, où je suis descendu et d'où je vous écris, l'ambassadeur vénitien Zorzi, qui m'a décrit le retrait sans gloire de la flotte anglaise et la soumission des députés de La Rochelle qui ont obtenu du roi et de Richelieu la grâce royale et le maintien de l'édit de Nantes. D'après le même Zorzi, le cardinal agit, fait tout à sa guise sans le conseil de personne et toutes choses lui réussissent. »

Le 12 septembre, Rubens arriva en vue du château royal de l'Alcazar, érigé sur un tertre isolé, entre la ville d'une dizaine de milliers de maisons et la campagne brûlée de soleil. Dans les environs gravitaient de nombreux couvents, pourvus chacun d'une église. Comparé à Paris, aux villes italiennes et même à Anvers, Madrid lui sembla une chétive agglomération. Il ne connaissait pas, en effet, la capitale de l'Espagne, puisque la cour de Philippe III se tenait à Valladolid lors de son premier voyage.

Il fut désappointé par la suffisance et le mépris hautain que lui montrèrent les premiers nobles qu'il rencontra. Il s'attendait à être accueilli comme un personnage illustre dans son art, porteur des hauts intérêts dont il était chargé, mais Philippe IV lui-même lui fit triste figure lors de leur rencontre. Le soir, au débotté du messager de la cour de Bruxelles, le roi écrivit à Isabelle : «J'ai finalement regretté, ma chère tante, que pour traiter d'affaires aussi importantes on ait eu recours à un peintre, ce qui est une cause de discrédit, comme cela se conçoit pour cette monarchie, puisqu'un homme d'aussi peu d'importance suscite nécessairement une diminution de considération. »

Rubens n'eut certainement pas connaissance de cette missive désagréable, mais la fraîcheur de l'accueil suffit pour l'incliner à la réflexion. «Que la noblesse de Castille, la plus fière du monde, se montre jalouse d'un peintre flamand qui arrive avec des prérogatives de diplomate étendues mais assez mal définies, est assez normal. Les préventions du roi sont moins compréhensibles, mais c'est à moi de vaincre malveillances et réserves. Une fois de plus, je vais être obligé de m'imposer par mes qualités et mon talent. A nous deux, Madrid!»

Malgré sa mauvaise humeur, le roi, amadoué par le cadeau d'Isabelle, ces huit tableaux dont il ne put s'empêcher d'admirer la facture, ne renia pas le choix de sa tante. Il appela le comte-duc d'Olivares, favori, premier ministre et maître de la politique espagnole :

– Monsieur, je sais que l'arrivée du peintre Rubens irrite la cour, mais puisque ma tante, l'archiduchesse Isabelle, a cru bon de désigner cet intermédiaire, qu'elle défend avec énergie, je vous prie de le considérer comme un plénipotentiaire, d'écouter les propositions qu'il a charge de nous transmettre, bref, de l'utiliser en faveur de nos intérêts avec une discrétion somme toute favorable à nos négociations.

Une discrétion relative, puisque l'ambassadeur de la République de Venise, le subtil Alvise Mocenigo, s'arrangea dès l'arrivée du peintre pour le rencontrer et lui dire après l'avoir congratulé :

– Des bruits sérieux courent qu'il se traite à Madrid de la paix avec l'Angleterre. Bien des personnes assurent même qu'elle est conclue, ainsi qu'une trêve avec les Hollandais, un espoir que vous poursuivez depuis longtemps en marge de votre génie artistique. Pouvez-vous me confirmer, dans le secret naturellement, que vous êtes ici pour négocier ce traité de trêve ?

Rubens avait acquis au cours de ses missions assez d'adresse diplomatique pour répondre en souriant :

– Un jour, Excellence, j'aurai grand plaisir à parler avec vous de la Sérénissime Venise dont je garde un si merveilleux souvenir. Quant à la trêve, il est bien vrai que je serai le plus heureux des peintres flamands si un jour, en train de faire le portrait d'un prince castillan, j'apprenais que les deux régions de ma patrie avaient cessé de s'entre-déchirer.

L'Anversois avait entrepris une conquête. Il s'y livra avec la rigueur, la passion, qui le portaient lorsqu'il commençait de peindre un tableau, et ne tarda pas à vaincre l'hostilité affectée qu'on manifestait à son encontre. Bientôt, il ne resta plus qu'un quarteron de courtisans arrogants pour dédaigner Rubens. Le roi et son favori, d'Olivares, appréciaient l'envoyé choisi par Isabelle. Le Flamand, dont la haute silhouette était devenue familière à la cour, sut qu'il avait gagné l'estime des dirigeants espagnols lorsqu'il fut prié d'exposer ses suggestions devant le redoutable conseil de la Couronne, qui menait les destinées de l'Espagne sous l'auto-rité du comte-duc d'Olivares et se réunissait chaque vendredi dans la plus grande salle des appartements royaux.

C'est dans cet immense et austère salon que Rubens attendit au milieu de conseillers et de secrétaires bavards l'ar-rivée du comte-duc et des ministres. Un silence respectueux s'établit à l'entrée du favori et des membres du Haut Conseil que précédaient les tambours de la garde du corps. Olivares fit signe aux subalternes présents qui s'inclinaient devant lui de quitter la salle, salua Rubens et le pria de prendre place à son côté sur la tribune érigée face au trône encore vide.

Le ministre se pencha vers Rubens :

– Une nouvelle importante vient de me parvenir : le duc de Buckingham a été assassiné.

Le peintre pâlit :

– C'est grave. J'aurais pu traiter directement avec Buckingham que j'ai connu à Paris. Par son intermédiaire, je viens de vendre une très belle collection d'antiques et de peintures au roi Charles Ier...

L'entrée du *mayordomo mayor*, porteur de la grande clé à poignée d'or, interrompit la conversation. Elle annonçait l'arrivée du roi. Rubens se ressaisit et suivit avec curiosité ce rite aussi ancien que la couronne. Il regretta de ne pouvoir dessiner l'arrivée du roi dans l'auguste assemblée. Aujourd'hui, ce n'était pas l'artiste, mais le diplomate, qui devait faire preuve de talent. Philippe IV apparut enfin, droit et majestueux, portant haut son large front et le menton proéminent des Habsbourg.

Toute l'assemblée, toque à la main, se prosterna, un genou en terre, et demeura ainsi jusqu'à ce que le roi fût assis. Il parcourut l'assemblée de son regard perçant mais sans dureté, s'arrêta une seconde sur le visage immobile de Rubens et ordonna :

– Asseyez-vous.

Tout le monde obéit et la voix royale s'éleva à nouveau :

– Couvrez-vous.

Les conseillers coiffèrent leur toque et Philippe IV étendit le bras :

– Le Conseil désire entendre l'envoyé de Son Altesse la gouvernante des Flandres. Qu'il expose selon ses vues la situation qui nous préoccupe et nous soumette ses propositions, s'il en a à formuler.

Rubens se leva et avec son aisance et sa noblesse coutumières s'avança d'un pas.

– Sire, commença-t-il d'une voix nette, presque sans accent, l'archiduchesse ne désire en fait qu'une paix stable qui garantirait son pays contre les entreprises des Hollandais toujours activement soutenus par l'Angleterre. Or, voici que ce pays, après l'échec de sa flotte devant La Rochelle, semble devoir cesser la lutte contre la France. L'archiduchesse croit qu'il convient d'envisager un retournement de Charles Ier contre l'Espagne, qui devrait se rapprocher de l'Angleterre, même s'il lui faut rompre avec la France. Je suis prêt à mettre au service du royaume d'Espagne les connaissances que j'ai de longtemps acquises sur la question, et même à me rendre à Londres si, comme Son Altesse, Votre Majesté croit à l'utilité de mes services.

Rubens, prudemment, ne parla pas de la mort de Buckingham et développa son point de vue pour le roi et ses conseillers avant de saluer respectueusement Philippe IV en mettant genou à terre, comme le lui avait conseillé Olivares avant la cérémonie.

– Très bien ! lui glissa le premier ministre quand il revint s'asseoir. Vous avez été convaincant. J'avais peur que vous ne fissiez allusion à l'assassinat de Buckingham. Personne n'est encore au courant, je n'ai même pas eu le temps de prévenir le roi.

Philippe IV, son long menton dans la main, hocha la tête, en signe d'acquiescement aux paroles de Rubens, pouvait-on penser.

– Vous voudrez bien m'en référer encore, monsieur le duc, dit-il à Olivares.

C'était la fin du Conseil. Tous les présents, ministres et grands d'Espagne, se levèrent comme mus par un ressort et se courbèrent devant le roi, qui partit comme il était venu, majestueux, dans un roulement de tambours.

Quand il fut revenu dans l'appartement qu'il occupait, égard exceptionnel, dans l'aile nord du palais, Rubens se jeta dans un fauteuil, épuisé par la tension et accablé de la mort de son interlocuteur à la cour de Charles Ier. Avec Buckingham, il perdait son principal atout pour négocier un rapprochement entre l'Espagne et l'Angleterre. Sa présence à Madrid n'avait plus guère de sens et, sans doute, allait-il devoir bientôt s'en retourner à Anvers.

Il eut le lendemain des précisions sur le drame anglais. Quelques jours après son départ d'Anvers, Buckingham avait été assassiné d'un coup de poignard par l'un de ses officiers. Le messager de l'ambassade d'Espagne ayant été blessé lors d'une attaque de brigands, la nouvelle était parvenue à Madrid avec un retard considérable. Le personnage ne suscitait pas l'estime. Sa prodigieuse ascension, due à une liaison particulière avec le roi Jacques Ier, puis à l'amitié de son successeur Charles Ier, avait fini par dresser contre ce roturier. George Villiers, devenu successivement vicomte, comte, marquis, duc de Buckingham et, surtout, favori et véritable maître de l'Angleterre, suscitait autant de haine outre-Manche que Concini en avait motivé en France. Il avait, comme lui, exploité sa position à des fins d'enrichissement personnel, et sa fortune était une insulte à tous les seigneurs du royaume. Rubens n'ignorait rien de cela, mais l'oubliait, tant Buckingham avait favorisé ses affaires tout en étant un inappréciable relais politique.

Rubens, pourtant, ne fut pas invité à faire ses bagages. Entré à l'Alcazar comme diplomate, il y resta en qualité de peintre. Son charme et son génie n'avaient pas tardé à séduire le roi et le duc d'Olivares. Philippe IV, peu intéressé jusque-là par la peinture, ignorait même, à son arrivée, que l'envoyé de sa nièce était l'auteur de l'immense tableau suspendu dans son grand cabinet, le portrait équestre du duc de Lerma, unanimement loué par les visiteurs. Quand Olivares lui suggéra de demander à Rubens de le peindre sur son cheval brun, en habit de grand apparat, sur une toile encore plus grande, il convint que la peinture était un art royal et que son portrait ferait bonne figure en face de celui du duc.

– Vous êtes, monsieur Rubens, dit-il au Flamand, un grand peintre qui a fait par hasard de la diplomatie. Celle-ci vous fuit, reprenez vos pinceaux. Je vais faire demander au jeune Vélasquez, un bon artiste attaché à ma maison, qu'il vous fasse installer un atelier près de votre appartement.

Quinze jours plus tard, Rubens écrivait à son ami Peiresc : « Je me plais ici à peindre, comme je le fais partout. J'ai déjà fait le portrait du comte-duc d'Olivares qui l'a bien goûté et travaille en ce moment à celui, équestre, du roi. Sa Majesté semble maintenant prendre beaucoup de plaisir à la peinture. Comme j'ai un atelier dans le palais, il vient me voir presque tous les jours, garde la pose à ma convenance et parle avec moi très librement. Cela est surprenant quand on connaît la rigueur de l'étiquette espagnole. A mon arrivée, il a à peine regardé les huit toiles que je lui apportais, en cadeau de l'archiduchesse, et voilà qu'il les fait accrocher à la meilleure place dans le salon Nuevo, le plus somptueux du palais ! Sa Majesté possède aussi de moi *L'Adoration des Mages*, l'un de mes premiers tableaux, que je vais reprendre vingt ans après et agrandir. Je vais ajouter une bande de toile en haut et une autre plus grande à droite. Cela me permettra d'augmenter le ciel et de placer deux angelots ainsi que quelques nouveaux personnages[1]. La collection du roi comprend encore *Achille reconnu parmi les filles de Lycomède*. Je n'ai pas avoué au souverain qu'il est de la main de Van Dyck lorsqu'il était mon élève et que ma participation se borne à d'infimes retouches. A propos d'élève, j'en ai un très doué à l'Alcazar. Il n'est pas encore peintre officiel de la cour mais ne tardera pas à le devenir. Le portrait du roi qu'il a fait est excellent et aussi ses natures mortes et ses copies du Titien. Philippe IV le protège et il a raison, car Vélasquez, c'est son nom, est déjà un remarquable artiste. Il m'a demandé de le conseiller, ce que je fais volontiers, car c'est le plus aimable des hommes. J'ai déjà réussi à ce qu'il donne plus de souplesse à sa touche et de vivacité à ses couleurs. Son rêve est naturellement de faire le voyage d'Italie. Il m'a embrassé le jour où je lui ai conté mon périple. Je conseillerai au roi de l'y envoyer. »

Rubens pensait encore souvent à sa femme, mais, le dépaysement aidant, il arrivait à oublier des journées à la suite la chère disparue. Il n'avait, il est vrai, pas le temps de pleurer sur son sort. Après le portrait équestre, il peignit le roi en buste, ainsi que la reine Isabelle qui durant les séances de pose le questionnait sur la cour de France, son frère Louis XIII et sa mère Marie de Médicis. Il fit aussi le portrait des infants, les jeunes Carlos et Ferdinand, ainsi que leur sœur Marie, la future reine de Hongrie. Sur la demande du roi, il recopia même quelques-uns de ses propres tableaux pour les rapporter à l'archiduchesse à Bruxelles.

Malgré la différence d'âge – il avait quarante-neuf ans, et Diego Vélasquez, vingt-huit –, les deux hommes vécurent en

---

1. Les sutures sont aujourd'hui bien visibles à l'envers du tableau.

belle amitié au cours des sept mois que le Flamand passa à Madrid.

Un jour de grand beau temps, Vélasquez dit à Rubens :

– Maître, il me reste à vous montrer l'une des beautés de notre Castille. Avez-vous envie de passer deux journées à cheval à travers des paysages sévères, désolés presque, mais admirables ? Oui ? Alors je vous emmène demain à l'Escurial.

Les deux artistes chevauchèrent sur les pentes de montagnes abruptes qui menaient à la sierra de Guadarrama, dont les cimes dentelées dominaient l'horizon. Ils englouti-rent ainsi près de vingt lieues sous le soleil. Vélasquez, bon cavalier, caracolait en chantant et Rubens, qui adorait les chevaux, profitait pleinement de l'arabe doré que lui avait choisi le premier écuyer de l'Alcazar. Elégant et nerveux, il répondait sans rechigner à tous les ordres du Flamand. Les peintres dormirent dans l'auberge du petit village de San Lorenzo del Escorial et, le lendemain matin, Vélasquez fit visiter au maître le couvent-forteresse édifié par Philippe II en exécution d'un vœu en l'honneur de saint Laurent. Rubens fit quelques croquis de la façade du palais royal, des deux campaniles, du tombeau de Charles Quint, puis les deux amis reprirent le chemin de Madrid. Rubens trouva le spectacle des montagnes de Castille encore plus impression-nant sous la lumière du retour.

– La touffeur de cette journée ne vous fait-elle pas regretter la grasse et verdoyante campagne flamande ? demanda Vélasquez.

– Je n'ai jamais regretté, ami, de découvrir la beauté hors de chez moi. Cela dit, mes enfants, ma maison et mes amis me manquent. Et mon atelier, où tant de toiles blanches m'attendent! J'espère vraiment que Sa Majesté ne me retiendra pas encore longtemps loin de chez moi.

Ces deux journées laissèrent à Rubens un souvenir assez tenace pour que, onze années plus tard, il en parlât encore dans une lettre adressée à Olivares.

Le grand Flamand, dont les manières aimables et la peinture flamboyante enchantaient la cour de l'Alcazar, n'en avait pourtant pas fini, comme il le croyait, avec la politique. Si Philippe IV se délassait des soucis du pouvoir en posant près du chevalet du peintre, il ne réservait pas moins au diplomate une place importante dans ses projets. En avril 1625, il nomma Pierre-Paul Rubens secrétaire de Sa Majesté catholique en son conseil secret. Le titre, embrelicoqué à la mode espagnole, ravit l'artiste toujours sensible aux honneurs extra-artistiques. Il présageait en tout cas un prochain emploi de ses talents politiques.

Le problème restait inchangé : l'Angleterre hésitait toujours entre la France et l'Espagne, et Philippe IV pensait que l'homme le plus capable de faire pencher la balance en faveur de son pays était encore Rubens, dont le pinceau faisait oublier le réalisme politique. Et Rubens, encore une fois, fut invité à abandonner sa palette pour filer à Paris, puis tout de suite à Londres. Pierre-Paul pouvait mesurer le pouvoir qu'on lui accordait à l'équipage chargé de le conduire. Cette fois, c'était la grande cavalerie : six magnifiques andalous, dont le roi venait de lui faire présent avec une bague ôtée de son doigt à l'heure du boute-selle.

Le 10 mai, Rubens toucha barre à Paris où il ne resta que deux jours, le temps de renseigner le baron de Vicq, représentant d'Isabelle, sur la situation, et d'apprendre de lui quelles étaient les dispositions présentes de Richelieu. Il sut

ainsi, avant de gagner Bruxelles et le château de Coudenberg, qu'une sérieuse algarade avait éclaté à Fontainebleau
entre le cardinal et Marie de Médicis.

L'infante reçut Rubens comme son fils et lui dit combien
elle était heureuse et fière de son succès à Madrid :

– Succès médiocre en ce qui concerne les affaires, qui
n'ont guère avancé, remarqua-t-il.

– En politique, le *statu quo* peut être un avantage. Vous
avez maintenant beaucoup à faire. La France, libérée de cet
abcès que constituaient les huguenots de La Rochelle, peut
se retourner contre nous. Quelle serait alors l'attitude de
l'Angleterre ?

– Ma mission est de le savoir et d'obtenir à Londres une
bonne paix !

– Allez donc, et que Dieu vous inspire !

Il n'était pas question de s'attarder. Rubens pourtant, était
trop près d'Anvers pour ne pas y faire un saut. Il y passa trois
jours, presque entièrement consacrés à ses enfants, et eut de
longs entretiens avec le jeune William Panneels, à qui il avait
confié en partant le soin de ses intérêts. La plupart des élèves
avaient pris leur envol et Bruegel, s'il s'occupait de quelques
travaux ne nécessitant pas l'intervention du maître, s'intéressait
surtout à ses propres œuvres. «Comme cela serait agréable
de rester et remettre en marche l'atelier!» pensa-t-il. Mais il
fallait faire honneur à sa mission. Le 5 juin, l'envoyé du roi
d'Espagne débarqua à Londres où Charles Ier avait chargé
Balthazar Gerbier, une vieille connaissance, de l'héberger
honorablement.

Ses lettres de créance remises à leurs adresses, Rubens
s'aperçut qu'il avait été devancé par des émissaires de Richelieu, ce que lui confirmèrent ses premiers interlocuteurs, sir

Francis Cottington et Lord Pembroke. Le roi lui-même, qui tint à s'entretenir avec Rubens, lui précisa que la visite avait eu des suites :

– Je regrette que ce ne soit pas le grand peintre qui vienne s'exprimer à Londres, car vous savez combien j'admire votre talent. Mes conseillers m'ont fait part de la mission dont vous êtes chargé. Si je suis heureux de me réconcilier avec votre roi, mieux vaut que vous sachiez exactement où en sont nos relations avec la France. Lassé des lenteurs excessives de la cour de Madrid, je me suis entendu avec celle de Paris. J'ai conclu il y a tout juste une semaine une alliance avec le cardinal de Richelieu.

Sur ces mots, le monarque chercha à surprendre sur le visage du Flamand l'effet qu'avait pu lui produire sa révélation impromptue. Mais Rubens savait maintenant cacher ses réactions. Il répondit sans marquer le moindre trouble :

– Dans ce cas, ma mission auprès de Votre Majesté n'a sans doute plus d'objet.

– Allons, monsieur, les affaires ne sont pas aussi simples. L'alliance avec la France n'est pas un motif suffisant pour rompre toute négociation avec mon cousin d'Espagne.

– D'autant, enchaîna Rubens, que Sa Majesté catholique envisage elle aussi un traité avec la France. Elle préférerait s'entendre avec l'Angleterre, mais, à défaut, tentera tout pour arrêter ces guerres qui épuisent les peuples.

– C'est bien. Discutez de cela avec mes ministres. Je vous reverrai, monsieur.

Cette prise de contact n'était, en somme, ni une réussite, ni un échec. Rubens continua donc à consulter et à envoyer ses analyses à Madrid, tout en profitant des charmes de la cour anglaise, si différente de celle de Madrid. L'humeur y était moins austère que dans la rigoriste Castille, plus brillante, moins figée. Les gentilshommes recevaient avec largesse, tenaient table ouverte, menaient grand train, un mode de vie que le Flamand appréciait. Les collectionneurs étaient nombreux sur les bords de la Tamise. Ils invitaient le peintre, lui montraient leurs antiques ou leurs tableaux. Rubens retrouva ainsi avec surprise chez le comte Carlisle deux petites toiles peintes à Paris lors de son premier séjour.

Les professeurs de Cambridge le nommèrent maître ès arts de l'université, et d'autres honneurs flattèrent son orgueil. Il ne comptait que des amis à Londres. Seuls, dans le milieu diplomatique, l'ambassadeur de Venise, Alvise Contarini, et Joachimi, le ministre hollandais, supportaient mal cet intrus qui avait tant de succès et gênait les manœuvres de leurs gouvernants.

Jusqu'où pouvait aller cette animosité ? Rubens se posait la question en écrivant ce jour de juin 1629 à son ami Carlisle qui séjournait dans ses terres du Wiltshire : « Un bien curieux accident a failli l'autre jour envoyer pour toujours votre serviteur au fond des eaux discrètes de la Tamise. J'allais en bateau à Greenwich avec notre ami Pierrefeu, l'ambassadeur de Savoie, quand, pour une raison demeurée obscure, la barque chavira. Les deux matelots eurent toutes les peines du monde à nous tirer de ce mauvais pas et à nous ramener sur la berge tandis que notre barque coulait. Mes amis sont nombreux qui suspectent l'ambassadeur Joachimi d'avoir favorisé ce naufrage. Il est aisé en effet dans ce pays de trouver un spadassin prêt à monnayer la vie d'autrui. Rien, pourtant, ne me permet d'accorder crédit à cette accusation. L'accident reste dû, pour les autorités, à un mouvement trop vif des passagers. Je ne peux croire qu'on accorde autant d'importance à mes activités politiques, mais, sait-on jamais, je me tiens sur mes gardes. »

Cet incident, pas plus que sa vie mondaine, n'empêchaient Rubens de suivre les affaires défavorables à ses maîtres de l'Alcazar. Lorsqu'il apprit l'arrivée du plénipotentiaire français M. de Châteauneuf, il envoya un messager à Olivares pour réclamer l'envoi d'urgence d'un ambassadeur. Mais Madrid, comme à son habitude, ne sortit pas de son inertie et répondit qu'il « fallait voir ». Tenté un moment de tout abandonner, le peintre décida finalement de jouer une dernière carte et de faire, seul, face à la situation. C'était risqué, mais pourquoi ne pas tenter de se servir des bonnes dispositions que Charles Ier montrait toujours à son égard ? Il esquissa son projet comme un tableau de bataille, avec enthousiasme et lyrisme devant le roi, lequel, conquis, s'engagea « sur sa foi royale » par une note écrite à ne conclure avec la France aucun accord susceptible de nuire à l'Espagne.

C'était là le plus brillant succès de l'action diplomatique de Rubens et, bientôt, au palais royal de Whitehall, il ne fut question que de ce diable de Flamand qui, en plus de ses réussites de négociateur, venait d'enlever, pour 3 000 livres sterling, la commande du plafond de la grande salle des Banquets !

Justement, c'était de ce plafond que parlait Rubens avec le comte d'Arundel, maréchal d'Angleterre, chargé maintenant d'enrichir les collections artistiques de la Couronne. Il avait ainsi acquis, l'année précédente, à Paros, les admirables marbres qui resteront célèbres sous son nom. Ces tables couvertes d'inscriptions constituaient la fameuse Chronique de Paros, qui relatait tous les événements de l'histoire grecque, de 1592 av. J.-C. à 264 av. J.-C.

– Je n'ai eu, disait Rubens, aucun scrupule à enlever au Hollandais Honthorst la commande de Whitehall.

– Vous réussirez bien mieux que lui, et c'est la seule chose qui compte. Mais allez-vous avoir le temps de peindre ce plafond et toutes les décorations souhaitées par le roi ?

– N'ai-je pas trouvé les heures qui m'ont permis de peindre Votre Seigneurie en compagnie de la comtesse, de votre nain et de votre bouffon ? C'est l'un de mes portraits les plus réussis, celui qui m'est le plus cher, en tout cas, puisqu'il m'a permis de devenir votre ami. Une fois rentré à Anvers, dans mon atelier, je remplirai mon contrat, par commodité, mais aussi pour avoir le plaisir de revenir à Londres afin d'accrocher mes toiles et de vous revoir.

A ce moment, ils entendirent Châteauneuf, l'envoyé du cardinal, qui ne les avait pas remarqués, dire à un attaché diplomatique :

– La peste soit de l'artisan, voyez comme il vous manie les grands de la terre à son gré !

Rubens sourit. Il aurait pris cette remarque pour un compliment si le courtisan, flatteur, n'avait cru devoir ajouter :

– Il est vrai. L'ambassadeur de Sa Majesté le roi d'Espagne s'amuse parfois à peindre !

Le Flamand se retourna tout d'une pièce, une lueur allumée soudain dans le regard, et lança :

– Vous vous trompez, monsieur. C'est le peintre Rubens qui s'amuse quelquefois à jouer l'ambassadeur.

M. de Châteauneuf, embarrassé, marmonna comme une excuse, mais Rubens, indifférent, continua de traverser la salle en conversant avec le comte d'Arundel.

Quand l'ambassadeur d'Espagne Coloma arriva enfin à Londres le 11 janvier 1630, l'engagement était pris par l'Angleterre de ne rien faire qui pût nuire à l'Espagne, à commencer par son soutien à la Hollande.

– Monsieur l'ambassadeur, votre travail est en bon point d'être terminé, dit Rubens en accueillant don Carlos Coloma.

Celui-ci sentit la nuance d'ironie et accepta l'inconfort de sa situation :

– Monsieur, vous m'accablez, mais vous n'ignorez pas les lenteurs de la politique.

– Je ne les connais que trop, hélas ! Maintenant, j'ai grande hâte, je vous l'avoue, de retourner chez moi, d'où je suis parti depuis tantôt dix-huit mois.

– C'est bien normal, mais je vous prierai de demeurer encore un peu à Londres afin de m'initier à cette cour comme aux pourparlers que vous avez si brillamment conduits.

– Je le ferai, pour votre service et pour celui du royaume d'Espagne.

Il fallut de longues semaines à l'ambassadeur officiel pour se mettre en état de remplacer sans défaillance l'amateur auquel il succédait. Ce fut seulement le 3 mars que Rubens sollicita de Charles Ier son audience de congé. Le roi trouva tous les moyens de montrer son contentement à l'habile homme qui, sans mandat, avait su mener à bien de difficiles négociations. Il le nomma chevalier, lui fit cadeau de l'épée à la garde incrustée de pierres précieuses qui avait servi à l'adoubement. Il donna encore au peintre une bague enrichie de diamants qu'il portait souvent à son doigt. Quant au maître, il offrit à Charles Ier, en guise de cadeau d'adieu, une magnifique toile de neuf pieds, *L'Allégorie de la Paix et de la Guerre*, message d'espoir au moment de quitter l'Angleterre. Le symbole aussi de ses efforts diplomatiques. Rubens croyait vraiment qu'il avait fait avancer la paix. C'était vrai, en ce printemps de 1630.

Les trois jours qui le séparaient de l'heure de son embarquement, il les passa en compagnie de ses amis anglais, qui, eux aussi, le comblèrent de cadeaux. On le remarqua souvent en compagnie de Lady Harisson, nièce de Buckingham, dont on disait qu'elle était la plus belle femme du royaume. Il avait fait d'elle un portrait sublime peu de temps après son arrivée en Angleterre, et nul n'avait eu connaissance, jusqu'à ces derniers jours, de la liaison nouée autour d'un tableau. Maintenant, au moment de partir, les amants ne se cachaient plus. Pierre-Paul, au contraire, était fier de paraître au côté de celle qui, dans l'ombre, l'avait initié aux manières de la cour. Arrivé effacé dans un costume qui ne lui allait pas, il repartait glorieux avec, dans sa poche, le passeport extraordinaire par lequel Charles Ier, en personne, priait les navires hollandais, en cas de rencontre, de ne pas intercepter le navire qui avait à son bord le chevalier Pierre-Paul Rubens, conseiller personnel du roi.

Le matin du départ, Lady Harisson se tenait sur le quai de Londres avec le maréchal d'Arundel, le comte Carlisle et le vieil ami Balthazar, quand Pierre-Paul Rubens franchit l'échelle de coupée du *Devon* au son des trompes du *Royal postillon*. Comme chaque fois qu'il s'en retournait chez lui, le maître avait revêtu son habit de gent brodé, sans oublier la grâce raffinée du chapeau flamand qui lui permettait, en guise d'adieu, ce large salut qui n'appartenait qu'à lui.

La mer fut clémente et le voyage se déroula sans encombre jusqu'à Calais, où il loua une voiture pour transporter les toiles qu'il rapportait de Londres, en particulier deux portraits de Lady Harrisson qui ne quitteraient qu'à sa mort la maison du Wapper. Il ne s'arrêta qu'une journée à Bruxelles pour rendre compte de l'exécution de sa mission à l'archiduchesse infante, laquelle lui réserva un accueil chaleureux.

– Je sais que vous avez réussi à Londres une œuvre patriotique très difficile. L'honneur qui vous en revient rejaillit un peu sur moi qui ai insisté pour que vous l'entrepreniez.

Rubens, ému, baisa la main que lui tendait sa bienfaitrice. Il s'aperçut qu'elle était maigre, presque décharnée, et que l'infante, naguère si belle, était en ces dernières années devenue une très vieille dame. Seul son sourire ramenait un fugace éclat de jeunesse sur ce visage desséché, étroitement encadré par la guimpe de clarisses.

– Mon ami, je sais que vous rapportez maints témoignages de la faveur des grands. Je vous offre pour ma part un objet qui m'est cher, une aiguière et un bassin d'argent ciselé qui sera à sa place dans votre belle maison. Maintenant, rentrez enfin retrouver la famille dont je vous ai privé si souvent. Réalisez en paix les œuvres magnifiques que vous avez en projet. Et, de temps en temps, priez pour moi. Je vais bientôt quitter cette vie et les pénibles responsabilités que Dieu m'a confiées. J'aimerais imaginer au moment de rendre l'âme que le grand Rubens pense à moi en peignant un ange…

– Cela sera, Votre Altesse, et je serai près de vous quand mon pinceau poussera vers le ciel le plus bel ange de ma peinture.

Lorsque Rubens rentra enfin dans sa bonne ville d'Anvers, il jouissait d'un prestige éclatant. Les magistrats et le peuple le reçurent comme le valeureux défenseur de la patrie qu'il avait honorée en servant la paix et en faisant triompher partout en Europe la peinture flamande.

La première chose que fit Pierre-Paul en retrouvant son Palais italien, parfaitement surveillé par son ami Paneels, fut de reconstituer l'atelier. La grande salle du Wapper sentait encore l'odeur suave de l'huile de lin, car on n'avait jamais cessé de dessiner, d'enduire des toiles et même d'avancer des esquisses laissées par le maître. Mais seuls quelques chevalets étaient occupés, la plupart des élèves étaient partis dans d'autres ateliers et les vieux et talentueux compagnons attendaient le retour de Rubens en peignant leurs propres œuvres. L'annonce de ce retour, répandue comme une traînée de blanc d'argent sur une toile du maître, remplit de curieux le Palais italien et Rubens profita de l'occasion pour engager quelques jeunes talents. Ce fut une grande fête quand le maître réunit l'atelier reconstitué et annonça :

– Il y a beaucoup de commandes en retard que nous devons honorer, mais je rapporte d'Angleterre la plus prestigieuse : un plafond et neuf compositions destinés au palais de Whitehall. Il s'agit, à la demande de son fils, Sa Majesté Charles Ier, de glorifier le règne et les bienfaits du feu roi Jacques Ier. J'ai tracé à Londres les esquisses. Comme pour l'histoire de la reine Marie de Médicis, il va falloir en faire des toiles grandioses. Mes amis, au travail !

– Et les compositions consacrées à Henri IV dont vous avez peint les premières ébauches? demanda Jan Wildens, l'un des plus anciens du Wapper.

– La reine mère m'avait en effet commandé en souvenir de son mari les toiles d'une deuxième galerie au Luxembourg. Ce thème qui, entre nous, m'inspirait davantage que sa propre histoire n'ira hélas pas plus loin. Le cardinal de Richelieu, qui ne m'aime pas, a insisté pour que cette commande soit confiée à un artiste italien. N'importe, les choses vont si mal entre la reine mère, le roi et Richelieu, que ce projet n'aurait de toute façon pas abouti.

En effet, la France qui avait vécu une période de calme et de bon gouvernement depuis que Marie de Médicis, réconciliée avec son fils, avait obtenu du roi que le cardinal devienne premier ministre, était retombée dans une nouvelle crise familiale et politique.

Il serait utile, à ce propos, de revenir sur certains faits en feuilletant le journal de Charles de Picousa, mari de la jolie Jeanne de Pirieux, dame de compagnie de la reine Anne d'Autriche, et père d'un beau garçon de deux ans.

Juin 1625

« Ce que tout le monde à la cour nomme "l'affaire Buckingham" va laisser des traces. La reine Anne aurait accepté l'hommage de la passion qu'elle inspire au favori du roi d'Angleterre venu à Paris chercher Henriette, la femme de son maître ! L'événement, même s'il a été grossi, est lourd de conséquence. Que s'est-il passé au juste entre la jeune reine et le beau Buckingham lors d'une promenade à deux, à la nuit tombée, dans les jardins de l'évêché d'Amiens ? Le roi a évidemment eu connaissance des rumeurs qui circulèrent toute la journée du 7 juin 1625. Il a fait une grande colère. Jeanne n'était pas présente, mais elle m'a assuré que la reine, délaissée par un époux occasionnel et attiré par les jeunes hommes, était réellement éprise de l'Anglais. Elle a entendu la princesse de Conti, amie de la reine, déclarer à Louis XIII qui la questionnait : "Sire, de la ceinture aux pieds, je réponds de la vertu de la reine, mais je ne saurais en dire autant de la ceinture en haut."

« Je transcris cette déclaration perfide, car elle me semble bien traduire l'état d'esprit qui règne dans l'entourage royal. Mais n'est-ce pas la même chose dans toutes les cours ? »

30 juin 1627

« Le 28 juin 1627, la reine mère a fait don au cardinal du Petit-Luxembourg, si proche de son palais que Richelieu n'a que quelques pas à faire pour se retrouver au premier étage de l'aile ouest, dans les appartements de Marie de Médicis, au bout de la galerie si superbement décorée pas Rubens. Un fait marque l'excellence des relations qui règnent entre la mère, le fils et le cardinal : c'est dans la chambre de la reine que le roi a pris l'habitude de tenir son conseil. Le Louvre décidément déplaît à tout le monde, la cour s'y morfond et passe son temps à cancaner. »

13 novembre 1630

« C'en est fait du triumvirat qui a gouverné le pays en bonne intelligence durant trois ans. Le lundi de la Saint-Martin marque la rupture entre Richelieu et la reine mère. Celle-ci voulait gouverner et ne songeait depuis son retour au Conseil qu'à s'en rendre tout à fait maîtresse, à quoi le cardinal de Richelieu, premier ministre en titre, se montrait un obstacle qu'elle ne pouvait plus supporter. »

C'est ainsi en effet que, le 11 novembre, chez elle au Luxembourg, au cours d'une discussion avec le roi, elle mit son fils en demeure de choisir entre elle et son ministre qu'elle venait de destituer des fonctions qui étaient les siennes dans sa maison. La reine avait pour la circonstance fait interdire l'entrée de sa chambre à Richelieu, mais le cardinal, qui connaissait bien les lieux, parvint à s'y introduire en empruntant un escalier caché qui menait à la chapelle. Cette intrusion surprit Marie de Médicis qui s'apprêtait à se lancer dans une de ses célèbres colères quand le cardinal demanda :

– Vos Majestés parlent de moi?

Après une hésitation, la reine, ivre de rage, répondit :

– Oui. Il faut que vous sachiez, monsieur le cardinal, que je ne puis plus supporter votre arrogance ni dissimuler la haine que je vous porte!

Le roi essaya en vain de calmer sa mère et donna quelques bonnes paroles à Richelieu en l'assurant qu'il ne consentirait jamais à l'éloigner de sa personne mais qu'il était préférable qu'il allât à Pontoise, à quelques lieues de Paris, pour lui laisser le temps d'accommoder les choses. Les deux hommes quittèrent ensemble le Luxembourg et, quand ils furent seuls, le roi dit à Richelieu :

– Vous n'allez pas à Pontoise, vous me rejoindrez à Versailles.

Versailles était un relais de chasse de quelques pièces, sorte de jardin secret du roi où ni les ministres ni la cour n'étaient invités. Seuls les favoris – en ce moment, c'était Claude de Saint-Simon –, quelques amis chasseurs et les gens de sa maison passaient la porte de cette retraite. Le fait que le roi ait donné l'ordre à Richelieu de l'y retrouver était donc tout à fait inhabituel. Il reçut le cardinal auprès du feu, assisté de

Claude de Saint-Simon[1], de M. de Mortemart, premier gentilhomme de la chambre et de son premier valet de chambre M. de Beringhen. Au terme d'une courte et anodine conversation, le roi congédia son entourage et resta seul avec le cardinal. Celui-ci pensa que l'heure de sa disgrâce était venue et que Louis XIII allait lui ordonner de gagner son château et d'y résider. Il se trompait. A ce moment, le roi avait pris sa décision de garder Richelieu et de le sauver de la ruine politique qu'avaient complotée Marie de Médicis.

– Sachez, monsieur le cardinal, que dans ces heures pénibles je n'ai jamais songé à me priver de vous. Je sais qu'en ce moment les courtisans et vos adversaires se réjouissent de votre renvoi, car ils vous croient relégué à Pontoise. Ils pensent que ma mère a gagné la partie contre vous et que M. de Marillac va prendre votre place, qu'il brigue depuis si longtemps. Cela les rend imprudents. Au roi d'agir maintenant !

Tard dans la soirée, il manda à Versailles les ministres étonnés, sauf le garde des Sceaux, Marillac, qui fut prié de se rendre au petit village de Glatigny, proche de la gentilhommière royale, et d'y attendre ses ordres. Le roi tint conseil dans la nuit et, une fois le renvoi de Marillac décidé, on désigna son successeur : M. de Châteauneuf, très proche de Richelieu. Il fut encore décidé que, dès le lendemain matin, le secrétaire d'Etat M. de la Ville aux Clercs se rendrait auprès de Michel de Marillac, se ferait remettre le coffret contenant les sceaux de France et annoncerait à celui qui convoitait la place de Richelieu qu'il allait être conduit en un lieu où il serait retenu captif.

---

1. Père de Louis de Saint-Simon, le mémorialiste.

Il restait une mission à accomplir à M. de la Ville aux Clercs. Pas la plus facile, puisqu'il s'agissait d'aller annoncer à la reine mère, encore persuadée de sa victoire, les décisions prises par le roi. Marie de Médicis tomba de haut. Elle n'eut même pas la force de se mettre en colère et pensa sûrement qu'elle allait pouvoir encore une fois rétablir la situation. Mais la nouvelle se répandit, et la liesse qui régnait au Luxembourg depuis la veille tourna à la désolation.

Le spirituel Bautru, comte de Serrant, trouva le mot pour qualifier justement ce jour de la Saint-Martin où se précisa le déclin de Marie de Médicis : «C'est la journée des dupes!»

CHAPITRE XIV

La beauté d'Hélène

Rubens suivait, à travers les rares nouvelles qui parvenaient à Anvers, les événements de France. Il savait que l'entente entre la reine mère et le cardinal était rompue mais ignorait qu'il allait se trouver, bon gré mal gré, mêlé aux affaires de Marie de Médicis. Il n'avait en effet pas revu cette dernière depuis sa déjà lointaine visite au palais du Luxembourg.

Après quelques brefs séjours à Bruxelles pour donner à l'infante les derniers éclaircissements sur sa mission en Angleterre, le maître avait pleinement repris son activité dans l'atelier reconstitué. Il avait, avec ses principaux lieutenants, entrepris les premières compositions destinées à Whitehall et une autre œuvre monumentale, commande de l'infante Isabelle pour honorer feu l'archiduc Albert, *La Vision de saint Ildefonse*, où le peintre la représenterait avec son cher mari. Ce qui devait être un tableau était devenu, dans sa version finale, un immense triptyque qui occupait tout le fond de l'atelier.

Ce fut l'époque où, rentré glorieux dans sa maison, il commença à éprouver le vide de son cœur. C'est ce qu'il expliqua à Suzanne Fourment un jour qu'elle était venue lui rendre visite comme chaque fois qu'elle séjournait en famille à Anvers :

– Je n'ai pas oublié ma chère Isabelle. Sans femme, cette belle résidence du Wapper est froide et morne. Certes, mes enfants l'égayent et l'aîné, Albert, qui s'intéresse à l'archéologie, me comble de satisfaction, mais…

– … mais, mon ami, rentré de vos ambassades, il faut ranimer le foyer de cette maison.

– Que voulez-vous dire, Suzanne ?

– Et ranimer le feu de votre cœur ! En un mot, il faut vous remarier.

– A mon âge ? J'ai déjà cinquante-trois ans !

– Avec, en plus, le génie et la fortune ! Combien de femmes à Anvers refuseraient de devenir Mme Rubens et maîtresse du Wapper ?

– Une seule suffirait, mais où la trouver ? Je ne vais tout de même pas demander au crieur de ville d'annoncer que maître Pierre-Paul Rubens cherche une femme !

– Nul besoin du crieur. Une idée me vient, connaissez-vous ma petite sœur Hélène ?

– Hélène ? Vous vous moquez ! Elle avait six ou sept ans quand, en visite chez vous, je lui apprenais à dessiner un cheval.

– Elle en a seize aujourd'hui et vous voue une admiration sans borne depuis le jour où vous l'avez peinte, enfant, dans *La Toilette de Vénus*. Croyez-moi, elle est prête à vous aimer !

Je suis sûre qu'une demande de vous serait favorablement accueillie.

Rubens se sentait perdu. Il se rappelait la fillette blondinette, éclatante de fraîcheur, à la peau de pétale de rose, que son pinceau avait eu tant de plaisir à peindre. L'imaginer dans son lit au Wapper lui semblait presque sacrilège. Mais le regard affectueux et encourageant de Suzanne le troublait, et il ne s'entendit pas prononcer ces mots qui étaient déjà une acceptation :

– Je n'oserai jamais faire cette démarche… Voulez-vous vous en charger auprès de vos parents et de votre sœur ? souffla-t-il après un moment de silence.

– Laissez-moi faire, mon ami. Je suis sûre que, bientôt, un vent de jeunesse balaiera vos tristes humeurs.

– Vos propos inattendus me laissent à la dérive. Je vous laisse faire, mais j'ai l'impression de ne plus maîtriser ma vie, de me lancer sur une mer houleuse à bord d'une vieille barque qui prend l'eau.

– Que de mots inutiles ! Il n'est mieux qu'un brin de folie pour effacer l'insulte des années. Vous êtes, chevalier Rubens, encore un bel homme, dont l'âge n'a fait que rehausser l'esprit et le génie.

Deux mois plus tard, Rubens faisait, dans une longue lettre à son ami Peiresc, la confidence de cette idylle d'automne : « Je me suis déterminé à me remarier, ne me jugeant pas encore assez vieux pour me résoudre à l'abstinence du célibat et, comme après s'être d'abord voué à la mortification, il est doux de jouir des voluptés permises, j'ai pris une femme jeune, née d'une famille honnête, mais bourgeoise, bien que tout le monde cherchât à me persuader de m'allier à une dame de la cour. Mais craignant de me heurter à l'orgueil, ce vice inhérent de la noblesse, il m'a plu de prendre une compagne qui ne rougit point en me voyant prendre en mains mes pinceaux. Et pour dire le vrai, il m'eût paru dur de perdre le précieux trésor de la liberté en échange des caresses d'une vieille femme. »

Personne, à Anvers, n'eut besoin de ces explications laborieuses pour comprendre que le maître préférait, à toute comtesse décrépite, la fraîcheur d'une radieuse bourgeoise.

Le mariage fut célébré très vite, le 6 décembre 1630.

– Je ne peux à la fois tenir le pinceau et l'anneau, dit Rubens au jeune Panneels, son élève préféré, la veille de la cérémonie. Tu prendras donc un cahier et tu me dessineras quelques moments de la cérémonie. J'en savais bien moins que toi quand j'ai dessiné à Florence, sur l'ordre du duc de Ferrare, le mariage par procuration de Marie de Médicis. Pourtant tu vas comprendre comme il est difficile de saisir autant de personnages en si peu de temps !

– C'est ce dessin qui vous a valu, vingt ans plus tard, la commande de la fabuleuse suite du Luxembourg ?

– Pas du tout ! La reine avait oublié dans un placard du Louvre le petit tableau que j'en avais tiré et que le duc lui avait offert. Je promets à ton dessin une meilleure destinée.

De longtemps on n'avait vu une si belle cérémonie. Les gens les plus considérables de la ville étaient présents, ainsi que tous les vieux amis du peintre : Jean Bruegel, Jordaens, Snyders, le compagnon de la chevauchée italienne Déodat, Balthazar Moretus le libraire, Nicolas Rockox le bourgmestre, le collectionneur Cornelius Van der Geest et celui qu'il n'attendait pas, car la veille encore il était sur la route qui le ramenait de Venise, Antoon Van Dyck, son élève le plus doué, le seul qui était presque parvenu à sa hauteur.

La mariée, malgré sa belle taille et ses rondeurs, semblait une femme-enfant, exquise dans sa toilette à la française, large robe noire décolletée en carré et ouverte sur une jupe de satin blanc. Piqué au-dessus de la frange de ses cheveux blonds, un rameau d'oranger rappelait le côté nuptial de la cérémonie qui se termina par le plus fastueux banquet et la plus folle kermesse qu'Anvers ait connus. Il fallait que cette dernière fût extraordinaire pour que Pierre-Paul en fît le motif d'une des premières œuvres entreprises après son remariage.

Hélène ne mit pas longtemps à s'habituer à la vie de première dame d'Anvers, car elle était bien la première, aucun autre notable de la ville ne pouvant rivaliser avec le renom et la richesse de Pierre-Paul Rubens. Dès son arrivée, elle apporta sa grâce et son rire malicieux dans la vaste maison du Wapper et dans la propriété à la campagne que Rubens avait achetée trois ans plus tôt.

Pour la femme qui lui offrait gaîté et jeunesse, Rubens haussa encore le niveau de son train de vie. De nouveaux serviteurs furent engagés, des travaux commandés pour embellir le Palais italien. Rien n'était trop beau pour la petite idole parée des riches bijoux créés pour elle à Bruxelles par l'orfèvre Muhelin. Si la peinture demeurait cependant le centre vital de l'existence au Wapper, tout gravitait autour d'Hélène. Le maître retrouvait chez sa nouvelle épouse le modèle commode qu'avait longtemps incarné Isabelle.

Après avoir connu les chaudes Italiennes, les piquantes Espagnoles, les fraîches Anglaises, Rubens retrouvait dans sa vie la belle et radieuse Flamande. L'hiver passa ainsi près d'Hélène et des amis retrouvés dans une félicité rompue seulement, au lendemain de Noël, par une crise de goutte qui obligea le maître à garder le lit durant plusieurs jours. Ce mal sournois le touchait de plus en plus souvent et lui rappelait qu'il n'avait pas l'âge tendre de sa femme. Mais chaque fois, le mal endormi, le grand Rubens reprenait sa vie de cavalier amoureux et de premier peintre du monde.

Au même moment, le roi Philippe IV, de son sombre Alcazar, écrivait à l'archiduchesse pour lui demander si elle croyait possible de renvoyer Rubens en Angleterre, où sa présence pouvait être utile. La tante du roi lui répondit que le peintre, submergé de commandes, avait poliment refusé son offre.

Rubens, qui croyait en avoir fini avec les micmacs diplomatiques, se vit pourtant sollicité par l'archiduchesse Isabelle, qui le convoqua à Bruxelles. Encore une fois, le peintre dut poser sa palette, faire ses recommandations à ses assistants et partir sur la route. Le motif était inattendu. Mieux vaut une fois encore recourir au journal de Charles de Picousa pour le découvrir.

juillet 1631

« La "journée des Dupes", comme tout le monde appelle maintenant ces trente-six heures qui ont été fatales à Marie de Médicis et ont conforté Richelieu dans sa fonction de premier ministre, engendre une situation difficile dans la famille royale. Loin de s'assagir, la reine mère recommence à comploter et la répression s'abat sur ses amis. Michel de Marillac a été interné à Châteaudun et son fils, le maréchal, arrêté[1]. La reine Anne d'Autriche, compromise avec Marie de Médicis, boude, et Louis XIII constate qu'il ne réussira décidément pas à rétablir la paix entre sa mère et le cardinal, d'autant que son frère, Gaston d'Orléans, s'évertue à mettre de l'huile sur le feu et se conduit comme un véritable factieux.

«Finalement, après une dernière offre de réconciliation, Louis XIII a décidé d'éloigner Marie de Médicis de la cour jusqu'au moment où les cabales qui l'entourent auront cessé. Ma Jeanne a été témoin d'une scène navrante. La reine Anne, mise au courant par le roi, a aussitôt fait prévenir la reine mère, qui s'est précipitée chez elle. Elles se sont jetées dans les bras l'une de l'autre en communiant d'une même haine contre Richelieu.

«Le fait est que Marie de Médicis est bel et bien prisonnière à Compiègne sous la surveillance du maréchal d'Estrées et de huit compagnies de la Garde française. Le roi a choisi Moulins comme résidence pour sa mère, mais celle-ci refuse de quitter Compiègne.»

«Je reprends mon récit deux semaines plus tard. Le duc d'Orléans a quitté la France et s'est établi dans les Etats de Lorraine. De là il a organisé dans le secret la fuite de la reine mère qui a reçu l'autorisation de l'archiduchesse de séjourner dans les Pays-Bas espagnols. Le bruit de ces manigances circule à la cour et tout le monde s'attend à ce que la reine Marie, douze ans après son évasion acrobatique de Blois, fausse compagnie à ses gardes.»

---

1. Le premier mourra en captivité deux années plus tard, et son fils, condamné à mort, sera exécuté.

Rubens parvint à Bruxelles le 20 juillet 1631 et se présenta à l'archiduchesse qui, après quelques propos gentils, lui expliqua pourquoi elle l'avait fait mander :

– Mon ami, vous connaissez mieux que personne ici la reine Marie de Médicis. Eh bien, elle s'est enfuie la nuit dernière du château de Compiègne où elle était exilée et me demande asile !

– Je savais que les relations étaient tendues avec son fils et le cardinal de Richelieu, mais je n'aurais jamais imaginé que cette dame orgueilleuse que j'ai vue souveraine dans son palais du Luxembourg, une cour brillante à ses pieds, devait un jour vous demander de la recueillir. Que souhaite faire Votre Altesse ?

– En attendant de connaître les intentions de mon neveu, je vais envoyer mes hommes à la rencontre de la reine, dont la condition me touche. Elle se trouve pour l'instant à Avesnes, un refuge peu sûr à sa grande infortune.

– Qui donc comptez-vous envoyer à sa rencontre ?

– Deux personnes qui ont depuis longtemps ma confiance : le marquis d'Aytona et vous, monsieur le chevalier.

– Moi, madame ? Cet honneur, encore ! Et aussi cette charge qui va m'arracher à ma jeune épouse et à mes travaux !

– Il vous en coûte donc tant de remonter à cheval pour mon service ? Vous avez déjà parcouru un bon tiers du chemin. Et il ne s'agit que de quelques jours d'absence.

– Quand partons-nous madame ?

– Tout de suite. Aytona a dû préparer les chevaux et l'escorte.

Une heure plus tard, Rubens, botte à botte avec Aytona, un charmant diplomate espagnol, quittait Bruxelles par la route de Hal. Douze lanciers les suivaient, et Rubens s'enorgueillit un instant de chevaucher à la tête de sa garde.

Les échevins d'Avesnes avaient reçu de leur mieux Marie de Médicis mais ne furent pas fâchés de remettre l'encombrante reine de France et sa suite exigeante aux envoyés de l'archiduchesse.

– Oh, maître Rubens! s'écria Marie en reconnaissant «son peintre», comme elle avait l'habitude de l'appeler à Paris. Est-ce hasard qui vous met sur mon chemin?

– Non, Votre Majesté. C'est la sérénissime archiduchesse qui m'envoie, en compagnie du marquis d'Aytona, vous dire qu'elle est honorée de vous recevoir dans ses Etats. Elle nous a chargés de vous conduire jusqu'à Bruxelles, votre sécurité n'étant pas assurée dans cette petite ville frontière contre un coup de main du cardinal.

Marie de Médicis, émue, faillit embrasser Rubens. Elle lui tendit seulement les mains, qu'il baisa respectueusement. Le marquis lui témoigna à son tour la plus grande déférence :

– Si Votre Majesté le veut, nous partirons dès demain matin. L'archiduchesse Isabelle vous attend à Mons pour vous accueillir.

– Merci, messieurs. La bonté de l'infante me va droit au cœur et votre obligeance m'est précieuse. En attendant, je vous invite à partager mon souper. J'ai dû laisser mon cuisinier à Paris, mais j'espère que celui qu'on m'a réservé ici nous nourrira convenablement.

Rubens ne marqua pas son étonnement. Il ne lui serait jamais venu à l'esprit qu'il puisse un jour s'asseoir à la table d'une tête couronnée, fut-elle exilée. Son anoblissement, son titre de chevalier, n'avaient jamais vraiment fait oublier à la noblesse, celle d'Espagne en particulier, qu'il était un manuel. Travailler de ses mains, même pour tenir le pinceau du génie, pour peindre des œuvres qu'on était fier de posséder dans sa demeure, était considéré comme une tare. C'est pourquoi l'idée de souper avec une reine lui procura un sentiment de fierté qui lui fit oublier l'attitude condescendante qu'il était habitué à rencontrer chez les nobles. Pourtant, lui qui pensait connaître celle qui avait été son plus illustre modèle, avec laquelle il avait conversé assez librement durant les séances de pose, découvrit à la table du premier échevin une femme aux idées confuses, qui passait de l'abattement à la révolte et aux menaces.

Quelques jours plus tard, le 13 août, la reine douairière, accompagnée par l'infante, le marquis d'Aytona et le chevalier Rubens faisait son entrée solennelle dans la capitale des Flandres. La cérémonie eut lieu aux flambeaux, à la mode nordique, ce qui ajouta la féerie des lumières au spectacle des cavalcades. Les rues étaient illuminées, on dansait sur la grand-place où brûlaient des centaines de chandelles de cire vierge.

Rubens, à la demande de l'archiduchesse, conduisit Marie de Médicis au palais ducal du Coudenberg, où les appartements de l'archiduc, remis à neuf, lui avaient été réservés.

– Je me sens un peu perdue dans toutes ces magnificences. Voudrez-vous, mon peintre, m'assister ? Vous êtes ici, avec l'archiduchesse, les seules personnes en qui j'ai confiance.

– Votre Majesté m'honore. Je serai, autant que se prolongera mon séjour à Bruxelles, votre guide et, si vous le souhaitez, votre confident. Mais les seigneurs français qui vous accompagnent vous sont, je pense, très dévoués.

– Oui, mais ce sont des courtisans grisés par toutes ces cérémonies et qui ne cherchent pas à comprendre mon grand dessein, car je n'ai pas, croyez-moi, abandonné l'espoir de bouter l'homme en rouge hors du Conseil. Je vous ferai part un jour prochain de mes projets, liés comme vous le savez à ceux à mon fils cadet le duc d'Orléans et de grands du royaume.

Dans les premiers jours de septembre 1631, ce fut folie, à Anvers, de recevoir la reine mère de France. Là aussi, arcs de triomphe, décorations et réjouissances diverses célébrèrent l'arrivée de la reine. On logea cette dernière dans le palais ducal, tout près de la cathédrale Notre-Dame où trônait *L'Assomption* de Rubens, qu'elle admira en assistant le lendemain à la grand-messe.

De sa ville, retrouvée avec la joie que l'on devine, Rubens continua durant quelques jours à montrer les richesses à la reine. Le 10 septembre, il l'accompagna pour visiter l'imprimerie Plantin, de son ami Balthazar Moretus. C'était un lieu mythique d'où sortaient depuis un siècle, en toute liberté, les livres qu'on s'arrachait partout en Europe.

Balthazar fit arrêter les presses pour prononcer le compliment qui convenait. Son ton emphatique fit sourire Pierre-Paul. Et comme toutes les fois où une personne de haut rang visitait l'imprimerie, Balthazar Moretus remit à Marie de Médicis, au moment de son départ, le texte tout frais imprimé de son discours. Les officiers de sa suite, aux noms sans gloire, auraient très bien pu raccompagner leur souveraine, mais Marie insista pour que « son peintre » monte avec elle dans son carrosse.

– Je voulais vous dire, monsieur, que l'on m'a tant parlé de votre Palais italien que j'aurais grand plaisir à vous rendre visite.

– Votre Majesté nous fera grand honneur, à mon épouse et à moi.

– Alors, dès demain dans l'après-midi je serai chez vous.

Le maître n'eût pas de grands efforts à faire pour recevoir la mère du roi de France tant sa demeure était fastueuse. Hélène, quant à elle, n'eut qu'à revêtir la robe mauve que venait de lui tailler Mme Van Guest, la meilleure couturière de la ville, et à remplir de pâtisseries et de dragées au musc les plateaux d'or ciselé que son mari avait autrefois achetés au duc de Buckingham.

Marie de Médicis s'extasia devant les richesses exposées et les peintures du maître dont elle ne connaissait que les œuvres religieuses et celles de sa propre vie :

– Les portraits de votre femme et de vos enfants sont admirables. Voulez-vous me montrer le célèbre atelier où ont été peints, entre autres, les tableaux qui racontent mon histoire ?

Il l'emmena et, avant d'ouvrir la porte de l'ancien séchoir, dit, de la façon un peu pompeuse qu'il affectionnait lorsqu'il faisait visiter son royaume :

– Voilà, Majesté, le cœur de la maison. Il bat au rythme du talent de ceux qui sont fiers d'appartenir à notre communauté.

Il tourna le bouton de la porte, un aigle de bronze ciselé par son ami le sculpteur Van Ruiss. Tous ceux qui travaillaient devant leur chevalet se levèrent et placèrent sur leur cœur la main droite tenant le pinceau. C'était une mise en scène imaginée par le maître, qui ne laissait rien au hasard, pour recevoir les visiteurs de marque.

416

Dans son atelier personnel où il conduisit ensuite Marie de Médicis, celle-ci dit recevoir un grand choc. Rubens terminait *Jardins de l'Amour*, une toile[1] qui occupait tout un mur. Sur le sol étaient empilées des dizaines d'études et d'esquisses, qui constituaient chacune une œuvre véritable :

– Comme c'est beau ! s'exclama la reine en découvrant le tableau. J'aime ces tendres enlacements, ces confidences. Et tous ces amours fripons !

– Merci, Majesté. Ce tableau est celui que je préfère. Mais j'ai dit cela tant de fois ! ajouta-t-il en riant. Il est vrai que celui-ci fait partie des œuvres que je ne vendrai jamais. Avec d'autres tableaux, les portraits de mes deux épouses en particulier, il restera au Wapper jusqu'à ma mort !

– En d'autres temps je n'aurais pu résister au désir de vous commander un tableau de même facture...

Marie de Médicis demeura un instant rêveuse et demanda :

– Je souhaiterais, mon ami, vous entretenir un instant en particulier.

– Je suis aux ordres de Votre Majesté, répondit-il en fermant soigneusement la porte de son atelier et en assurant la retombée de la tapisserie qui revêtait l'issue.

– Nous sommes, Madame, à l'abri des indiscrétions.

– Voici l'affaire : j'ai l'intention d'envoyer à La Haye mon écuyer pour porter une lettre engageant le prince d'Orange à conclure une trêve avec l'Espagne. Mes préoccupations, je crois, sont les vôtres.

– Certes. Si Sa Majesté marquait son passage parmi nous en contribuant à mettre fin aux guerres interminables qui

---

1. Cette toile, mesurant 2 m × 3 m, est conservée au musée du Prado, à Madrid.

épuisent le pays, Son Altesse l'archiduchesse lui en serait très reconnaissante.

– Mon écuyer partira donc pour La Haye. Mais il lui faudra soutenir un train convenable et, par la faute de ce maudit cardinal que j'ai eu bien tort de pousser jusqu'à la tête du royaume, je n'ai pu sortir de France qu'une somme dérisoire.

– Si Sa Majesté le veut, j'éprouverai un grand plaisir à lui avancer la somme qui lui conviendra.

La reine douairière manifesta une grande joie :

– Je n'attendais pas moins de vous, mon peintre. Mais nous ferons les choses dans les règles. Un reçu…

Quand il s'agissait de son argent, Rubens réfléchissait vite. Tout en répondant : «Oui, c'est mieux», il pensa aux difficultés qu'il avait rencontrées à Paris pour se faire payer ses travaux et n'hésita pas à ajouter :

– Votre Majesté pense sans doute à me confier en gage quelques-uns de ses bijoux. Ils seront d'ailleurs plus en sécurité dans mon coffre que sur les routes.

La reine acquiesça. Et voilà comment Rubens, peintre vivant du travail de ses mains, devenu gentilhomme puis chevalier, se trouva amené à garder, ne fût-ce qu'en nantissement, les bijoux de la couronne de France.

Marie de Médicis n'était pas seule à croire qu'elle pouvait encore influer sur la politique des grandes puissances européennes. Son second fils, le duc d'Orléans, qui haïssait Richelieu autant qu'elle, avait quitté la France pour tenter de conclure des alliances et de lever dans la Flandre espagnole une armée qui libérerait la France de l'emprise du cardinal. En janvier 1632, il rejoignit donc sa mère dans les Pays-Bas, où il fut reçu par l'infante avec le luxe et la générosité habituels. Il fit dans Bruxelles une entrée en fanfare avec sa nombreuse cour et fut installé au palais des archiducs, où cinq tables étaient dressées pour lui, son favori Puylaurens et ses officiers.

Dès l'arrivée de Gaston d'Orléans, les intrigues politiques se développèrent et Rubens, mal inspiré, assouvit sa haine contre Richelieu en se mettant, bien que personne ne le lui demandât, au service de la mère et du fils de France.

– J'ai conservé, dit-il à Gaston, des relations à Madrid, dont le comte-duc d'Olivares, second du royaume. Je puis, si cela vous agrée, lui écrire pour lui démontrer que l'intérêt de l'Espagne est de soutenir votre entreprise. Philippe IV ne déclarera sans doute pas la guerre à la France, mais il peut vous fournir une aide financière substantielle qui financera votre projet et celui de Son Altesse, madame votre mère, de remettre en état votre royaume en le libérant de ce terrible Richelieu.

Le 1er août, le peintre-diplomate se retira dans le bureau voisin de son atelier, ce bureau d'où il écrivait à son ami Van Dyck, à ses connaissances espagnoles ou anglaises et, surtout, à son cher Peiresc. Il termina la lettre qui lui était destinée et dans laquelle il le tenait au courant de sa nouvelle passion pour les découvertes scientifiques. Songeait-il à Léonard de Vinci en traçant ces lignes de son écriture irrégulière mais parfaitement lisible : « ... Pour finir, je suis charmé que vous ayez reçu le dessin du mouvement perpétuel ; il est fait avec vérité et dans l'intention sincère de vous communiquer le véritable secret. Si vous n'avez pas réussi à lever toutes les difficultés, j'obtiendrai de mon compère qu'il fasse faire ici un instrument complet comme si c'était pour le tenir auprès de moi dans mon cabinet secret[1]» ?

Ayant signé la lettre, il commença celle destinée au comte-duc pour lui dire qu'il était urgent d'aider le duc d'Orléans et ses conjurés à chasser ce Richelieu qui «n'a jamais rien fait que de consacrer toutes ses forces et toute sa ruse à ruiner, humilier et blesser la monarchie espagnole». Et de conclure que celle-ci avait tout intérêt à soutenir l'entreprise du duc d'Orléans et de sa mère. A ce réquisitoire nourri de sa rancune contre le cardinal qui avait refusé la commande de la vie d'Henri IV, il ajouta : «La somme qui se demande pour mettre Monsieur à cheval et faire son expédition est 300 000 mille écus d'or.»

Pour la première et la dernière fois, Rubens prenait le parti de la guerre. En pure perte, car le comte-duc ne se laissa pas convaincre et se contenta de faire savoir de Madrid à la sérénissime infante qu'elle n'avait point à soutenir plus longtemps la reine mère de France et son fils.

Cette gifle signifiait pour Rubens la fin de son aventure diplomatique... et politique. Il le sentit et jura qu'on ne le reprendrait jamais à se mêler des affaires internationales. Une chance pour l'Art, à qui le Flamand allait désormais consacrer ses dernières années.

* *
*

C'était la fin d'une belle journée d'été. Il faisait frais à l'ombre des grands arbres, Hélène brodait à cartisane le

---

1. On n'a pas trouvé trace de la réponse de Peiresc ni de la destinée du mouvement perpétuel qui passionna Rubens entre une commande de l'infante et la peinture du dernier grand rectangle destiné au plafond de Banketing Hall.

blason des Rubens destiné à orner un coussin. A deux pas, son illustre époux peignait sur un panneau le château qu'il venait d'offrir à l'aimée. Hélène trouvait en effet trop sommaire la propriété acquise par Rubens quelques années plus tôt dans la campagne d'Eeckeren. Il avait donc acquis sur le territoire d'Elewyt, à deux lieues de Malines, la seigneurie de Steen, mieux assortie au niveau de vie qu'il avait atteint. Steen portait toute l'apparence d'un fief féodal. Terres, bois, étangs, entouraient le château fort et sa ferme. Pour mieux marquer la noblesse du lieu, le château était cerné et protégé par une large douve et on ne pouvait y accéder qu'en franchissant un pont-levis.

Cet aspect médiéval ne déplaisait pas à Rubens, qui avait tout de même façonné à son goût l'intérieur. Le maçon du pays avait suivi scrupuleusement ses plans, rajeuni murs et fenêtres et, surtout, ajouté une aile bâtie avec les pierres de la carrière de Meetez, les mêmes que celles qui avaient servi jadis à construire le château. N'auraient été leur blancheur et les immenses fenêtres, la nouvelle bâtisse s'insérait bien dans le paysage. C'était l'atelier vaste et clair que souhaitait Rubens pour sa résidence estivale. Le maître pourtant le laissait souvent vide. Il préférait peindre la nature et le travail des hommes dans cette campagne très vivante animée par des bouquets d'arbres, de doux dénivellements, des ruisseaux, et où évoluait le monde tranquille des paysans.

Le nouveau châtelain qui avait peint tant de lieux austères se révéla grand paysagiste, observateur scrupuleux du travail des hommes. L'humanité rurale tout entière était ainsi saisie par le pinceau de Rubens. Au premier plan des toiles aérées qui virent le jour à Steen ces années-là le bûcheron attaquait un chêne, l'oiseleur se tenait à l'affût, la laitière trayait une vache. Tandis que le grand Rubens peignait les champs, les bois, les ciels brabançons, la belle Hélène menait à bien une nouvelle grossesse, la troisième! Pierre-Paul Rubens, à près de soixante ans, savait montrer à sa jeune épouse qu'il n'y a pas d'âge pour vivre un grand amour.

La chevauchée de Rubens dans le siècle eût continué d'être magnifique de vie et de force sans la maladie qui le poursuivait depuis dix ans et l'accablait de plus en plus souvent. Perfides, les crises de goutte survenaient sans prévenir et, après avoir longtemps touché les pieds, gagnaient la main droite, celle qui tenait le pinceau, celle dont le monde attendait toujours de nouveaux chefs-d'œuvre. A la douleur de ne pas pouvoir peindre durant des jours s'ajouta une nouvelle qui le toucha profondément. L'archiduchesse infante, qui l'avait toujours soutenu dans son art, qui l'avait aiguillé à son grand contentement sur la voie de la politique, était décédée d'une pneumonie.

– Je crois savoir qui va remplacer cette sainte, dit Rubens. Sans nul doute, le frère du roi Philippe IV, don Fernando. Nous allons avoir un cardinal infant de vingt-cinq ans. Saura-t-il faire face à la situation difficile que traverse le pays?

Le peintre avait raison. Le 4 novembre 1634, le nouveau maître des Pays-Bas faisait son entrée à Bruxelles monté sur un cheval blanc, vêtu d'or et de velours cramoisi. Après Bruxelles, Anvers pour une nouvelle entrée triomphale. Pierre-Paul fut chargé de diriger les travaux d'ornementation du parcours de la cavalcade. Il dessina dans son lit les chars du cortège et les onze arcs de triomphe prévus par les éche-vins. Le jour de l'arrivée de don Fernando, il allait mieux, mais ne put pourtant assister au défilé. C'est le prince qui se déplaça et rendit visite à l'artiste. Par chance, le jeune cardinal infant n'était pas insensible aux choses de l'art :

– Chevalier, dit-il en saluant Rubens, je suis content de vous rencontrer dans cette noble propriété que rêvent de visiter un jour bien des têtes couronnées. Je connais les œuvres que vous avez laissées à Madrid et j'admire votre talent. Ma tante a eu bien raison de vous nommer peintre de sa cour et il va sans dire que je confirme cette distinction. Lors de vos séjours à Bruxelles, vous continuerez d'habiter le château de Coudenberg et je compte bien mettre à l'épreuve votre génie.

– Merci, Eminence. Votre visite m'est d'un grand réconfort. J'ai beaucoup œuvré sous la protection de votre tante, qui fut une sainte sur cette terre, et vous pouvez compter sur mon entier dévouement.

Le cardinal infant dit encore plein de choses aimables au maître qui remarqua qu'entre deux phrases le prince tournait son regard vers Hélène Fourment, dont la beauté semblait le fasciner. Le soir, Rubens, qui maintenant pouvait se lever pour le souper, en fit la remarque à son épouse. Elle éclata de rire :

– Soyez tranquille, mon mari. Le cardinal est trop jeune pour moi !

La guerre de la goutte qui harcelait le maître lui laissait heureusement des périodes de répit durant lesquelles il retrouvait sa noble mine et ses occupations. Il peignait toujours et continuait sa correspondance humaniste. La maladie lui avait permis d'atteindre à la sérénité et il aimait en plaisantant avec ses proches se comparer aux philosophes anciens, en particulier Sénèque, dont les bustes, depuis leur acquisition à Dudley Carleton, n'avaient jamais quitté sa galerie. A Peiresc, le plus cher de ses amis il écrivait : «J'ai pris la résolution de faire violence à moi-même et de couper ce nœud d'or de l'ambition pour recouvrer ma liberté, en considérant qu'il faut opérer une retraite de ce genre à la montée et non pas à la descente, abandonner la fortune pendant qu'elle nous est favorable et ne pas attendre qu'elle nous tourne le dos.»

Comme pour illustrer sa pensée, peut-être pour se prouver qu'il n'était pas dans la «descente», il annonça un matin à Hélène :

– Il y a longtemps que j'ai fait mon portrait. Faites donc transporter le grand miroir de la bibliothèque dans mon atelier, je vais me peindre tel que je suis à près de mes soixante années.

Hélène sourit :

– Même si vous êtes sincère, et je sais que vous le serez, c'est, malgré vos paupières un peu lasses d'avoir tant protégé vos yeux et quelques rides autour de la bouche, le portrait d'un homme dans la force de l'âge et très séduisant que vous allez faire.

– Ma mie, mieux que mes tableaux les plus réussis, la meilleure chose que j'aie faite dans ma vie est de vous avoir épousée.

Il la serra contre lui, l'embrassa et, avant d'aller vers la chambre où étaient rangés ses habits, demanda à sa femme :

– Comment dois-je m'habiller ?

– Je vous verrais bien dans votre justaucorps vert.

– Non! J'imagine le tableau sur fond très sombre, moi habillé d'un mantelet de velours noir, mon chapeau noir bien sûr et, seul éclairé dans ce décor obscur, le visage de Rubens, ma collerette plissée blanche et les mains. Je tiens à les mettre en évidence, ces mains de travailleur, tannées par l'huile et les pigments, ces mains qui ont fait mon bonheur. Les mains d'artistes sont nobles, plus nobles qu'une naissance chanceuse!

– Essayez au moins, mon ami, d'égayer cette noirceur d'un sourire. Vous savez, le sourire que j'aime, quand vous jouez avec les enfants.

Tandis que Rubens passait à travers du miroir l'image d'un penseur soucieux, le roi Philippe IV d'Espagne visitait le petit château appelé Torre de la Parada qu'il venait de faire construire à trois lieues de Madrid. Moins qu'un château, c'était plutôt un élégant manoir comprenant huit pièces au rez-de-chaussée et douze au premier étage, de quoi loger une petite suite du roi en excursion. Pour l'heure, Philippe IV n'était accompagné que de l'architecte Callatravo, du *mayor-domo mayor* Suerta del Tazi et du comte-duc d'Olivares. Comme toute demeure fraîchement bâtie, Torre de la Parada sentait le neuf et le vide. Le roi huma l'air, regarda les murs tout blancs et dit en esquissant une grimace :

– M. Suerta del Tazi, il faut meubler toutes ces pièces. N'achetez rien, veillez plutôt à utiliser les réserves du Mobilier royal. Et sur ces murs, je veux des peintures.

– Manderai-je à M. Vélasquez de venir se mettre aux ordres de Votre Majesté?

Le roi ne répondit pas et alla regarder à la fenêtre le paysage qui s'étendait jusqu'aux bois, masquant le castel royal de Buen Retiro bien plus imposant, puis il revint et donna le fruit de sa réflexion :

– Non! Un artiste me semble plus indiqué pour faire ce travail, c'est le Flamand.

– Rubens? demanda Olivares.

– Oui, Rubens ! Il y a longtemps que j'ai pensé à lui commander une série de tableaux inspirés des *Métamorphoses* d'Ovide, et d'autres à sujets mythologiques. Eh bien, Rubens qui a gagné ici le glorieux surnom de « *Nuevo Ticiano* » fera ce travail pour Torre de la Parada.

– Sans doute, Votre Majesté, dit Olivares, mais Rubens est souvent victime d'attaques de goutte qui l'empêchent de peindre. Il risque de s'écouler beaucoup de temps avant que la commande ne vous soit livrée.

– Tout le monde sait que Rubens se fait aider, qu'il dispose de tout un groupe d'artistes qui peignent sous ses ordres et sa surveillance. Je n'exige de lui que de choisir les thèmes, de réaliser les esquisses de chaque tableau et d'en assurer la finition. Et de se réserver les sujets qui l'inspireront le plus. Tout cela pourvu que l'ensemble soit mis en place sans trop tarder. Quand part le prochain courrier pour Bruxelles ?

– Demain, Sire.

– Qu'il emporte la commande avec les dimensions des cinquante tableaux que je souhaite. Mon frère le cardinal infant la transmettra à Rubens. Ah ! demandez donc aussi au peintre Snyders, spécialiste de la peinture des animaux, qui travaille souvent pour Rubens, une trentaine de toiles à caractère cynégétique, puisque cette maison est destinée à devenir un relais de chasse.

Tout se passa comme le souhaitait Philippe IV. Rubens fut un peu effrayé par l'envergure de l'entreprise, mais, encouragé par Hélène et ses amis, il accepta de reconstituer un grand atelier, comparable à la machine qui avait œuvré pour la *Vie de Marie de Médicis*. Les peintres associés se regroupèrent avec enthousiasme. Jordaens, Erasme Quelin, Cornelis de Vos, Jan

Van Eyck, Jan Battiste Borroken retrouvèrent leur chevalet et leur maître revigoré par cette nouvelle aventure.

Par chance, la goutte épargna Rubens durant la période cruciale de la mise en route. Le Flamand rouvrit ses livres de mythologie, lut Ovide et dressa la liste des sujets de l'histoire des dieux qui lui semblaient intéressants. Il retint ainsi des scènes de banquets tels *Le Banquet de Lycoon*, où le plat est un otage humain, ou celui de Téré, à qui son épouse fait dévorer son propre fils. Ces choix et leur mise en œuvre montraient la grande intimité de Rubens avec la culture antique car le temps consacré aux recherches lui était compté. Retiré dans son atelier personnel, il peignait les esquisses sur les petits panneaux préparés et enduits par les apprentis.

– Finalement, dit-il à Hélène qui était venue le retrouver, c'est dans ces premiers traits, dans ces premières taches de couleur que le talent éclate. Le reste n'est que de la technique[1].

Contrairement aux craintes du comte-duc d'Olivares, tout alla très vite. Le maître dut n'interrompre son travail que deux fois une semaine, ce qui n'empêcha nullement ses collaborateurs de poursuivre le leur. Trois mois après que le roi lui eut passé commande, le cardinal infant pouvait informer son frère que l'atelier de maître Rubens travaillait pour lui et que Snyders avait déjà terminé trois tableaux de bêtes féroces. Commencé en novembre 1636, le travail était pratiquement terminé à la fin de 1637. Prévenu, Philippe IV n'eut de cesse de réclamer à son frère l'envoi des toiles. Que

---

1. Les esquisses de Rubens, véritables petits tableaux, étaient parfois appréciées autant que les œuvres elles-mêmes. Le roi d'Espagne exigea que celles qui étaient destinées à Torre de la Parada lui soient livrées.

pouvait lui répondre le cardinal infant, sinon les propres paroles de Rubens : «Votre Majesté, elles sèchent!»

Les tableaux, accrochés les uns près des autres sur les murs de l'atelier donnaient à celui-ci un air de galerie d'exposition. Tous ceux qui avaient participé à l'œuvre se retrouvaient le matin en compagnie du maître, qui jugeait et commentait chaque toile. Si on l'avait écouté, il aurait fallu dans l'heure arranger le manteau de Ganimède, retoucher le nez de Cupidon endormi, raccourcir le bras de Proserpine et refaire la jambe de Psyché. Cornelis de Vos ou Jan Van Eyck se récriaient : «Laissez les tableaux sécher, maître! Vous savez bien que Sa Majesté piaffe comme un jeune cheval dans son palais du Prado!» Rubens savait, mais tenait à montrer aux jeunes de l'atelier ce qu'était la perfection.

Enfin, le 11 mars, les toiles soigneusement enveloppées et roulées, pour les plus grandes, partaient d'Anvers sur une galère royale qui rejoignait Santander. Fin avril, elles arrivaient à Madrid. Aussitôt transportés à Torre de la Parada, le roi put enfin contempler ses tableaux. Une note précisait ce que chacun représentait : *Aurore s'éprenant de Céphale*, *L'Origine de la Voie lactée* – autrement dit Junon nourrissant Hercule –, *La Chute d'Icare* ou *Apollon et Marsyas*. L'ensemble était un peu hétéroclite, mais inondait l'espace de nus divins et de couleurs diaphanes. Philippe IV fut enchanté. Torre de la Parada devint sa demeure estivale préférée[1].

---

1. L'effet, réussi, que devait produire l'ensemble des tableaux sur les murs de Torre de la Parada reste inconnu : le sac du pavillon par les soldats anglais en 1710 eut pour conséquence la disparition d'œuvres dont seule l'esquisse est conservée. D'autres ont été dispersées dans des palais nationaux ou au musée du Prado.

Quand les beaux jours arrivaient, Rubens partait avec sa famille se réfugier dans son domaine de Steen où le grand air, disait-il, calmait ses douleurs. Là, il peignait sa chère campagne, laissant Jean Brueghel et Snyders gérer les affaires, se répétant avec conviction que le bon soleil allait le guérir.

Une commande imprévue du duc de Toscane, un grand tableau sur les horreurs de la guerre, le força à travailler à l'intérieur, dans son grand atelier de Steen. Le sujet répondait aux sentiments du maître. C'est aussi avec son âme qu'il peignit alors une œuvre émouvante, puissante, l'un des derniers témoins de sa puissante maturité. Quand le tableau fut ébauché, il en commenta les allégories à Hélène et à ses grands fils :

– Voyez cette femme en deuil et Mars en tenue de guerrier, son épée déjà dégainée, qui tente de se défaire de l'étreinte de Vénus, mais est irrésistiblement entraîné par la Furie Alecto.

Albert et Nicolas posaient des questions, et le père souriait, fier de voir ses fils s'intéresser aux dieux et déesses de la mythologie.

Le tableau du grand-duc était à peine expédié que le banquier Jabach sollicitait une grande toile pour sa galerie de Cologne. Le prix proposé était si important que le maître se laissa tenter et proposa un *Martyre de saint Pierre* dont il conservait l'esquisse dans ses cartons depuis des années. Il se mit à l'ouvrage malgré des attaques de plus en plus fréquentes qui l'immobilisaient durant de longues journées. Le travail sur ces grandes surfaces était pénible, et Rubens dut demander une première fois puis une deuxième un délai pour livrer la toile : « Le tableau, écrivit Rubens au banquier, est fort avancé et j'ai l'espoir d'en faire un des meilleurs morceaux que j'aie jamais peints. Mais j'ai besoin qu'on me laisse un peu de loisir pour en finir à mon aise. »

En fait, Rubens était inquiet. Arriverait-il au bout de cette œuvre ? Il se posait la question un jour où le mal le forçait à se rendre compte de son état, quand parvint à Anvers la nouvelle de la mort de Jabach. De ce jour, Rubens cessa de monter à l'échelle et le *Martyre de saint Pierre* resta inachevé sur son mur. Il y resta jusqu'à la vente qui suivit la mort du Flamand.

Entre deux crises, Rubens reprenait pourtant sa palette. Il peignait, soit au Wapper soit dans son château, les derniers tableaux de plus petits formats que lui avait demandés Philippe IV pour orner cette fois la bovéda del palacio, la salle voûtée des appartements d'été du Prado. Une commande en cours, avec des échéances, rassurait le peintre. Mais son travail avançait lentement, trop lentement aux yeux du roi, qui s'impatientait auprès de son frère.

Le 10 janvier de l'année 1640, le cardinal archiduc annonçait au roi qu'une nouvelle attaque empêchait Rubens de travailler à ses toiles. Le 5 avril, il lui écrivait : « Rubens est perclus des deux mains depuis plus d'un mois avec peu d'espoir de reprendre les pinceaux. Il essaie de se soigner et l'on peut tout de même espérer que la chaleur améliore son état. Sinon ce sera grande pitié. »

Le maître supportait ses souffrances avec l'énergie et la ténacité qui avaient commandé tous les instants de sa vie. Il ne voulait pas perdre la moindre minute d'heures qu'il savait comptées. Lorsqu'il ne pouvait tenir un crayon ou un pinceau, il dictait une abondante et sereine correspondance pour ses amis. Auprès d'eux, il revivait ses chers souvenirs d'Italie, d'Espagne, d'Angleterre, et les évoquait avec émotion, sans tristesse. «Je dois rester digne de moi-même jusqu'à mon dernier soir», confiait-t-il à Balthazar Gerbier, resté son ami depuis les tractations avec la cour d'Angleterre.

Les premiers jours de mai apportèrent une sensible amélioration dans l'état du Flamand. Aussitôt il parla de sortir les coffres et de partir pour Steen, où il terminerait les tableaux qu'attendait toujours Philippe IV.

– Si tout va bien, dit-il à Hélène, je pourrai achever mon travail pour la Saint-Jean.

Mais tout n'alla pas bien. La famille resta à Anvers et le grand Rubens eut conscience qu'il se trouvait aux portes de la mort. Il n'en éprouva ni crainte ni désespoir, seulement le regret de devoir abandonner Hélène, ses enfants, sa palette encore nourrie des couleurs de la vie et tous les beaux objets de son univers de collectionneur.

Vaincu par la douleur que l'opium n'apaisait plus, Rubens s'imposa néanmoins un dernier devoir : assurer autant qu'il était possible l'avenir des êtres qui lui étaient chers. Depuis qu'il avait rédigé son testament, en 1631, sa fortune et le nombre de ses enfants s'étaient accrus et il convenait de prendre de nouvelles dispositions. Pour les enregistrer, le notaire du conseil de Sa Majesté se présenta un après-midi à la porte du Palais italien. Hélène le conduisit au chevet du maître, et le tabellion, après les politesses d'usage, s'installa devant le bureau portatif que son clerc avait déplié. Il lut tout haut en écrivant : «Moi, maître Toussaint Guyot, notaire du conseil de Sa Majesté, je suis appelé ce jour 27 du mois de mai 1640 par Messire Rubens, chevalier, et sa femme légitime

431

Hélène Fourment, tous deux connus de lui sains de cœur, d'esprit et de mémoire, bien que le prénommé Pierre-Paul Rubens soit souffrant et alité.»

Il s'arrêta là un moment, regarda Pierre-Paul et dit :

– Chevalier Rubens, je suis prêt à recueillir vos volontés, applicables après votre décès.

– Mon grand souci, répondit le maître d'une voix grave, est de ne faire aucun tort à ceux que je laisserai derrière moi. J'ai donc bien pesé mes décisions. Je lègue à mes deux fils aînés, Albert et Nicolas, enfants de mon épouse décédée Isabelle, à chacun pour moitié, toutes mes médailles et agates gravées à condition de n'élever au sujet de mon testament aucune contestation ou litige, sous peine de déchéance des legs ainsi prélevés. Je désire aussi que les joyaux d'or, d'argent, de diamants faisant partie de la succession soient prisés et puis divisés en autant de lots que je laisserai d'héritiers, pour être ensuite tirés au sort.

Maître Guyot se dira ensuite étonné par la précision et la lucidité de Rubens qui sembla, durant toute sa dictée, ne plus souffrir. Après avoir continué à énumérer les détails de sa succession, le Flamand en vint à la part majeure de l'héritage :

– En ce qui concerne les tableaux, statues et œuvres d'art, je veux qu'ils soient vendus en temps et lieu favorables publiquement ou de la main à la main, de la manière la plus avantageuse, et cela sous le contrôle de mes amis les peintres François Snyders, Jan Wildens et Jacques Moermans, excepté les portraits de mes deux épouses que je désire voir suivre les enfants respectifs, et le tableau nommé *Het Pëlske* (*La Petite Pelisse*), que je donne à ma présente épouse sans qu'on doive en porter le bénéfice au montant de la succession. J'en excepte également tous les dessins, de ma main ou de celle d'autres artistes, que j'ai réunis au cours de ma vie. J'ordonne de les garder au profit d'un de mes fils qui voudrait s'appliquer à l'art de la peinture ou, à défaut, à l'une de mes filles qui viendrait à épouser un artiste peintre. J'exprime la volonté d'être inhumé en l'église Saint-Jacques, dans le pourtour du chœur encore inachevé, et qu'on édifie une chapelle dont l'autel sera décoré d'un tableau exécuté de ma main. Enfin, ma dernière prière est pour mes héritiers à qui je recommande la bonne entente. Et qu'ils ne se fassent pas de procès les uns aux autres.

Sur ces derniers mots, épuisé et visiblement repris par ses douleurs, Rubens demanda qu'on le laisse avec sa femme.

La nuit du 29 au 30 fut affreuse et, vers midi, Pierre-Paul Rubens, le génie flamand, retomba inerte dans les bras d'Hélène.

Dès que la nouvelle fut connue, la foule afflua devant la maison du Wapper. Tous les amis se précipitèrent pour aider Hélène à surmonter son chagrin et veiller le corps de celui que toute l'Europe reconnaissait comme le plus grand peintre de son époque.

La cérémonie des obsèques eut lieu le 2 juin. C'est la ville entière qui suivit le cercueil du maître jusqu'à l'église Saint-Jacques où le corps devait être inhumé provisoirement dans le caveau de la famille des Fourment, en attendant que la sépulture souhaitée par le maître fût prête.

Un long sanglot secoua la foule quand le corps de Pierre-Paul, porté par les peintres de l'atelier, franchit le portail du Wapper. Il était entouré des délégations de tous les ordres religieux anversois, prêcheurs, augustins, minimes, capucins, et de soixante orphelins portant des cierges allumés. Venaient ensuite la famille, les serviteurs et tous les invités priés personnellement. Les corporations de la ville suivaient avec leurs bannières et encore la noblesse, la magistrature et les corps constitués.

Aux accents du *Miserere*, le cortège pénétra dans l'église entièrement tendue de draperies noires, émargées de place en place des armoiries de Rubens. L'église devait rester ainsi drapée durant six semaines, le temps pour la veuve d'organiser quatre repas funéraires, une tradition qui se perdait dans l'histoire de la Belgique franque. Le premier banquet fut servi au Wapper encore décoré de toutes les richesses accumulées par le maître. Rubens était partout. Dans ses tableaux qui, des premières toiles romaines au grand *Paysage automnal avec vue du château de Steen au petit matin*, racontaient sa vie. Dans les bustes romains qu'il avait refusé de vendre au duc de Buckingham. Dans les vases, statuettes, coupes et médailles qu'il aimait faire admirer à ses visiteurs.

Au Palais italien se rassembla ainsi la famille et les amis proches de Rubens. Le début du banquet fut empreint de tristesse, puis chacun se fit violence pour cacher son chagrin, en rappelant le caractère gai et chaleureux du maître déjà si loin, pourtant encore si proche. Balthazar Moretus dit à Déodat qui, comme lui, avait accompagné Pierre-Paul à chacune des saisons de sa vie :

– Tu vois, Rubens nous a quittés pour aller voir l'original de nombreuses œuvres qu'il nous a laissées. Mais il n'est mort ni pour nous, ni pour tous ceux qui verront, dans les siècles à venir, rayonner ses couleurs.

Un second banquet réunit à l'hôtel de ville les membres du Magistrat et les personnalités d'Anvers. Un troisième fut réservé à la confrérie des Romanistes, dont Rubens s'était montré l'un des membres les plus zélés, comme il en avait été le plus illustre. Enfin, le dernier repas du souvenir fut, comme les autres, offert par Mme Rubens aux membres de la gilde de Saint-Luc, la compagnie des peintres d'Anvers par où tout avait commencé.

Les dernières tentures de l'église Saint-Jacques étaient depuis longtemps démontées quand le notaire Toussaint Guyot rendit visite à Hélène Fourment et lui dit avec beaucoup de prévenance que le temps était venu de songer à exécuter les dispositions testamentaires de son illustre époux.

Il fut décidé qu'une vente serait organisée au Wapper pour éviter un déménagement délicat des œuvres d'art. Selon les désirs du maître, Frans Snyders, Jan Wildens et Jacques Moermans firent un tri parmi les tableaux accrochés ou rangés dans les réserves de l'atelier. Leur nombre, trois cent dix-neuf, était considérable, et les trois peintres eux-mêmes, pourtant familiers de la maison, en étaient étonnés. Parmi toutes ces toiles et ces panneaux, dont certains mesuraient trois mètres de hauteur, ils en comptèrent quatre-vingt-quatre du maître, douze de Brouwer, douze de Bruegel, dix de Van Dyck, neuf du Titien, quatre de Elsheimer, trois de Holbein, deux de Van Eyck et un de Raphaël, dont tout le monde ignorait l'existence.

L'inventaire de ce fabuleux trésor attisa la convoitise des rois, des princes et des collectionneurs. Gerbier annonça son arrivée, en vue d'acheter pour le compte du roi d'Angleterre. Le cardinal infant recopia de sa main la liste des œuvres et l'envoya par messager spécial au roi d'Espagne. Surprise, enfin : le cardinal de Richelieu, qui avait mis du temps à apprécier le génie de Rubens, demanda à son ambassadeur d'acquérir discrètement deux tableaux. On comprit que les plus belles pièces n'échapperaient pas aux têtes couronnées, mais la succession était si riche que les marchands, les intermédiaires et les amateurs savaient qu'ils trouveraient bonne fortune dans cette vente fabuleuse.

Restait à régler, avant les premières tractations, une question d'importance : qui allait achever les tableaux que le maître n'avait pu mener à leur terme ? Van Dyck, d'abord pressenti, refusa. Il déclara, au grand dam du cardinal infant qui avait fait une offre pour ces œuvres :

– J'ai beaucoup travaillé sur les tableaux de Rubens, mais maintenant que mon maître aimé n'est plus là, il m'est impossible de toucher à aucun.

Ce fut finalement Jordaens qui donna les derniers coups de pinceau aux dernières toiles du grand Flamand.

Le roi d'Espagne se rendit acquéreur des peintures les plus chères, dont une quinzaine de Rubens. Gerbier acheta deux Van Eyck et trois Titien pour la couronne d'Angleterre.

Il restait beaucoup de merveilles à vendre aux enchères. Ce jour-là, tant attendu par certains, tous les amis étaient là, affligés, désemparés, qui assistaient au démantèlement final du temple où le maître vénéré avait régné sur l'art de son siècle.

– C'est un peu une seconde mort de Rubens à laquelle nous assistons ! dit Frans Snyders. Je regrette d'être venu.

– Disons plutôt que le génie disperse des splendeurs qui vont se perpétuer à travers le temps, ajouta Van Dyck en essuyant une larme.

Tous gardaient les yeux tournés vers Hélène, la belle Hélène, qui semblait avoir retrouvé goût à la vie et trônait à côté du notaire.

– Ne distinguez-vous pas dans son regard un éclair d'âpreté ? Moi, il me met mal à l'aise, dit Bruegel.

Ils retinrent leur colère quand maître Guyot annonça la mise en vente de la collection des dessins que la volonté du défunt avait réservée à celui de ses fils qui embrasserait la carrière d'artiste. Interpellée publiquement par le bourgmestre Nicolas Rockox, la veuve répondit sèchement qu'aucun des enfants ne peignait, ce qui était faux, car Nicolas commençait à fréquenter l'école de Van Trys, un professeur qui avait longtemps travaillé dans l'atelier de Rubens. En fait, quelques paroles échappées au notaire avaient dévoilé au bourgmestre qu'Hélène s'efforçait de dépouiller Albert et Nicolas, les fils du premier lit. En accord avec ses amis, il décida d'aider les deux garçons à défendre leurs droits.

Contrairement au souhait de Rubens, des procès s'engagèrent entre les héritiers tandis qu'Hélène vendait le Steen d'Elewyt et dispersait à son profit les derniers souvenirs du Wapper. Ainsi Déodat racheta-t-il le vieux chapeau de la chevauchée italienne que Rubens gardait dans une armoire.

Chaque mois qui passait réservait de nouvelles surprises. En février 1641, Hélène Fourment donna encore le jour à une fille, Constance-Albertine, montrant que le grand homme avait conservé jusqu'à la fin une incroyable vigueur. Enfin, l'année suivante, elle réalisera la volonté suprême du maître – les mauvaises langues diront qu'elle y était obligée par le caractère public de l'acte – en faisant ériger derrière le chœur de l'église Saint-Jacques une chapelle ornée d'un des plus beaux Rubens de la succession : *La Vierge à l'Enfant*.

* *
*

Journal de Picousa, 20 juillet 1742

« J'éprouve aujourd'hui le désir de reprendre mon vieux cahier. Nostalgie ? Non. Ma charge à la bibliothèque royale me fait connaître les écrivains les plus en vogue et Jeanne vient de mettre au monde son troisième enfant. C'est Pierre, un garçon. La reine a accepté d'être sa marraine.

« Il s'est passé tellement de choses ces dernières années que les conter m'eût trop pris du temps que je consacre à ma famille. Un événement majeur doit tout de même figurer dans ce registre destiné à mes enfants. Après avoir été enceinte plusieurs fois sans succès, en 1638, la reine a mis au monde un dauphin, il s'appelle Louis Dieudonné.

« Les circonstances de cette naissance auraient enchanté Pierre de L'Estoile. Avec retard, je vais me borner aux faits. Tout commence au début de décembre 1637 par un orage qui détrempe les chemins et empêche le roi, surpris à la chasse, de regagner le château de Saint-Maur où les gardiens du mobilier avaient transporté ses meubles et organisé son séjour[1]. Impossible non plus d'aller loger dans le rendez-vous de chasse de Versailles. Bloqué à l'abbaye Saint-Antoine où il avait fait une halte, Louis ne pouvait sous le déluge que regagner le Louvre. Mais la chambre du roi n'était pas meublée ! M. de Guitaut, le capitaine des gardes, avança une suggestion : "Sa Majesté pourrait trouver refuge dans l'appartement de la reine…" La proposition était osée car tout le monde

---

1. C'était l'usage : les meubles, les tapisseries le linge du roi et de la reine étaient, au cours des voyages, transportés d'une demeure royale à l'autre.

savait que le roi n'avait de longtemps partagé le lit de son épouse. Le roi hésita un instant et répondit : "Une éclaircie va bientôt nous permettre de gagner Saint-Maur." Point d'éclaircie mais la pluie, toujours la pluie. Le capitaine revint à la charge : "Je peux envoyer quelqu'un prévenir la reine de votre arrivée. – Mais non, elle soupe et se couche à l'heure espagnole. Je ne veux pas lui imposer mes habitudes. – Sire, il lui est souvent arrivé de souper en votre compagnie ! Elle sera heureuse, je n'en doute point, de votre venue."

« L'audace du capitaine et une nouvelle trombe d'eau finirent par avoir raison des réticences du roi. "Bon. Allons au Louvre, mais n'envoyez pas prévenir la reine." Guitaut, décidément plein de hardiesse, dépêcha aussitôt un garde, et la reine, gracieuse, reçut le roi en lui disant qu'il pourrait se mettre à table dès qu'il se serait séché et nettoyé.

« Louis et Anne soupèrent donc ensemble en devisant agréablement. Et comme il ne pouvait dormir dans sa chambre, il passa la nuit avec son épouse. Voilà comment le ciel, en grondant, dota le royaume d'un dauphin. Louis Dieudonné va sur ses six ans et a un petit frère Philippe qui en a deux. »

« Depuis ce bonheur qui a comblé le royaume, on a guerroyé partout. A Thionville, à Hesdin, à Arras. Aux frontières. En Espagne. En Flandre. Ce matin encore, je parlais avec M. Voiture, un poète exquis qui aime fouiller dans la librairie royale, de cette rage à faire la guerre que semblent partager les roi et les princes. Comme moi, cette fâcheuse habitude le navre. Je loue le ciel qui a fait de moi un bibliothécaire plutôt qu'un capitaine de dragons.

« Curieusement, la mort de la reine mère est passée presque inaperçue. Marie de Médicis a disparu il y a dix ans

439

de la scène politique en s'enfuyant du château de Compiègne et, depuis, la cour comme sa famille l'ont oubliée. Je ne peux m'empêcher de penser à cette reine altière, recevant dans son palais au milieu des tableaux monumentaux qui racontaient sa vie. Je l'entends encore baragouiner un français demeuré approximatif et mâtiné d'italien. On a appris que, depuis le jour où elle s'est glissée par une fenêtre du château de Compiègne, la malheureuse n'a fait qu'errer entre Bruxelles, Londres et Anvers. Elle est morte à Cologne dans un état proche de la misère, si l'on se rappelle les fastes de l'époque de sa grandeur. Paix à son âme. »

15 mai 1643

« A quarante-quatre ans, le roi est mort hier dans l'après-midi. Il est décédé vaillamment et saintement, six mois après le cardinal de Richelieu et un an après sa mère Marie de Médicis. Quelle hécatombe en trois années ! Comme me disait ce matin Conrart, le secrétaire de la nouvelle Académie française : « L'Histoire a des façons un peu brutales de tourner la page ! »

Table

8313

Achevé d'imprimer en France (Manchecourt)
par Maury-Eurolivres
le 28 mars 2007.
Dépôt légal mars 2007. EAN 9782290353608

Éditions J'ai lu
87, quai Panhard-et-Levassor, 75013 Paris
Diffusion France et étranger : Flammarion